Stijn Fens

Vaticanië

De geheimen van de paus

Athenaeum—Polak & Van Gennep
Amsterdam 2011

Mixed Sources
Productgroep uit goed beheerde bossen
en andere gecontroleerde bronnen
www.fsc.org   Cert no. SCS-COC-001256
© 1996 Forest Stewardship Council

Eerste, tweede (e-book) druk, 2010;
derde druk, 2011

Copyright © 2010 Stijn Fens/
Athenaeum—Polak & Van Gennep,
Singel 262, 1016 AC Amsterdam

Omslag Nanja Toebak
Omslagillustratie © Corbis/Alessandra Benedetti
Boekverzorging Hannie Pijnappels
Kaart Erik Eshuis
Auteursfoto Catherine Hermans

ISBN 978 90 253 6769 5
NUR 740
www.uitgeverijathenaeum.nl

Inhoud

In dierbare herinnering aan mijn ouders

Inleiding

We deelden een verlangen. Ik en 250 000 andere mensen op het Sint-Pietersplein op die warme oktoberavond in 1978. Wij wilden een nieuwe paus. Ik was twaalf jaar oud en stond met mijn broer en zus zo'n honderd meter onder het middenbalkon van de Sint-Pieter. Ondanks de mensenmassa om ons heen was het een intiem gebeuren. Naast mij stond een Ier. Toen we al enige tijd op het plein stonden klapte hij een stoeltje uit, ging daarop zitten en begon te midden van al die mensen een appel te schillen. Mijn ouders en mijn andere broer stonden met mijn Romeinse oom en tante bij de obelisk, meer naar achteren. Daar zouden we elkaar later weer treffen.

Wij wilden die maandagavond een nieuwe paus, en die kregen we ook. Ik herinner me dat het al donker was toen uit de schoorsteen van de Sixtijnse Kapel de witte rook kwam. Nou ja, wit – het was eigenlijk meer grijs, en daarom was het volstrekt onduidelijk of de kardinalen een keus hadden gemaakt. Niet veel later zwaaiden de balkondeuren open, een kruis werd zichtbaar en even later een kardinaal. Het bewijs dat het gelukt was. Die kardinaal kwam ons vertellen dat er een nieuwe paus was gekozen en ook hoe die heette. De naam kon ik niet verstaan. Om me heen hoorde ik 'Bologna, Bologna', dus ik dacht dat de nieuwe paus daarvandaan kwam. Het bleek *Pologna* te zijn: het was een Pool. Even later verscheen hij op het balkon. Zo uit de verte een klein oud mannetje met een voor mij onverstaanbare toespraak. Toen ik een krant in mijn hand gedrukt kreeg met zijn foto, bleek het een lange, vitale man. Karol Wojtyla, aartsbisschop van Krakau, en hij had de naam Johannes Paulus 11 aangenomen.

Toen wij naar mijn ouders terugliepen, keek ik nog een keer om naar de kapel in de verte, waar het magische schouwspel dat conclaaf heet had plaatsgevonden en dat vanavond zijn finale had beleefd op het op één na mooiste plein ter wereld. We vonden de rest van de familie vrij snel in de buurt van de obelisk. Behalve mijn moeder, die was naar het toilet. Daar moest ze in het buitenland veel vaker naartoe dan thuis. Mijn vader en ik bespraken de bijzondere gebeurtenissen van die avond. Nou ja, bespraken – ik bestookte hem met vragen. Mag een kardinaal nee zeggen als de anderen hem tot paus kiezen? En als hij nou overlijdt voordat hij ja heeft kúnnen zeggen, is hij dan toch nog paus geworden? Nadat mijn moeder zich weer bij ons had gevoegd liepen we terug naar het hotel. Het was alsof bij mij de bliksem was ingeslagen. Plotseling wist ik wat ik met mijn leven wilde. 'Later wil ik als journalist een conclaaf verslaan,' zei ik tegen mijn vader, en ik gaf hem een hand.

Bijna zevenentwintig jaar later is het zover. Johannes Paulus II is na een lang ziekbed, dat hij, acteur als hij was, deelde met de hele wereld, overleden en ik mag namens het RKK en de KRO aan de televisiekijker proberen uit te leggen wat er in Rome gaande is. Dat valt nog niet mee. Eigenlijk ben ik nog nooit 'over de lijnen gegaan' (live op televisie), en ik kom in het begin onzeker over. We hebben één groot geluk: de Nederlander Karel Kasteel is decaan van de Apostolische Kamer en is nauw betrokken bij de begrafenis van Johannes Paulus II en de keuze van de nieuwe paus.

De dag na het overlijden van de paus interview ik Kasteel. De monseigneur ontvangt ons in zijn appartement, gelegen boven het befaamde *Caffè San Pietro* aan de Via della Conciliazione. Hij maakt een gehaaste indruk. Net nog heeft hij de pauselijke appartementen leeggeruimd en verzegeld, en over een uur moet hij alweer afreizen naar het pauselijke buitenverblijf in Castel Gandolfo, om daar hetzelfde te doen. De overleden paus ligt inmiddels opgebaard in de Sala Clementina in het Apostolisch Paleis waar alleen kerkelijke en wereldlijke hoogwaardigheidsbekleders worden toegelaten. Gewone stervelingen mogen een dag later uren in de rij gaan staan om in de Sint-Pieter afscheid te nemen.

Voor we beginnen, schenkt de monseigneur een glaasje rosé in ('Dat praat wat gemakkelijker') en laat mij een bijzonder cadeau zien dat hij van de secretaris van de Poolse paus heeft gekregen: 'Een zakdoek van de Heilige Vader.' Hij heeft er ook een van Pius XII.

Als het interview klaar is zeg ik hem dat ik graag op een wat persoonlijkere manier van de paus afscheid zou nemen. Kan hij mij niet naar de Sala Clementina brengen? 'O, dan moet ik even bellen.' Het kan, en voor ik het weet loop ik achter Kasteel aan door het Vaticaan. Kasteel kent de weg en opent deuren alsof hij door zijn eigen huis loopt. Na heel wat gangen en Zwitserse gardisten die voor ons in de houding schieten, komen we uit op een groot plein dat we schuin oversteken. We gaan het Apostolisch Paleis binnen en worden door Kasteel een ruime lift in gedirigeerd. Een bediende met witte, fluwelen handschoenen drukt op het knopje van de tweede verdieping. Ik hoop dat we er lang over doen om boven te komen: dit is de mooiste lift waar ik ooit in ben geweest. Naast mij staat een kardinaal in het gezelschap van een jonge priester. 'Dit is een heel bijzondere kardinaal,' zegt Kasteel. 'Hij was lang in ons land.'

Ik kijk die bijzondere kardinaal nog eens goed aan en dan herken ik hem: Angelo Felici, pauselijk nuntius in Den Haag tijdens de woelige jaren zestig toen de Nederlandse Kerk dacht dat zij de toekomst had. Een toekomst vol getrouwde priesters en vrouwen op het altaar, maar Felici stond pal voor de traditie van de Kerk. Als blijk voor waardering voor zijn standvastigheid werd hij kardinaal. Nu gaat hij afscheid nemen van de paus die daarvoor heeft gezorgd.

Als we de lift uit stappen laten we Felici achter ons en komen we in een lange gang terecht met prachtige plafondschilderingen en hoge ramen. Bisschoppen en kardinalen lopen er heen en weer, terwijl ze gepassioneerd met elkaar converseren. De stemming is ontspannen, bijna vrolijk. In de verte kan ik door de zijingang van de Sala Clementina, Johannes Paulus 11 al zien liggen. Om de hoek staat de rij die via de hoofdingang de zaal naar binnen gaat. Maar nog voordat we ons daarbij kunnen voegen, duwt Kasteel me via de zijingang, tegen de looprichting in, de ruimte binnen.

Voor ik het weet sta ik voor het levenloze lichaam van Johannes Paulus 11. Even weet ik niet goed wat ik moet doen. Ik fluister een Weesgegroet en kijk naar de baar. Hij ligt enigszins gekanteld, een beetje op zijn zij, en draagt een rood kazuifel. In zijn linkerhand ligt de bekende staf met het crucifix en hij heeft een witte mijter op. Die sluit niet goed aan op zijn hoofd. Aan zijn gezicht zie je dat de doodsstrijd hevig moet zijn geweest.

De baar waarop hij ligt, loopt schuin af. Om te zorgen dat hij er niet af valt is aan het voeteneinde een houten plankje gemonteerd. Het is niet een heel mooi plankje. Aan de randen is het versleten. Het misstaat in de omgeving waarin ik me bevind. Prachtige fresco's, in zulke felle kleuren dat ze namaak lijken, kardinalen in vol ornaat die af- en aanlopen en vrouwen in het zwart met een voile voor die intens bidden bij de baar van de overleden pontifex. En dan een plankje dat je in Nederland bij elke Gamma-vestiging kunt laten zagen.

Ik loop verward weg, met dat plankje nog in mijn hoofd. Het stelt me eigenlijk wel gerust. In deze heilige ruimtes, waar je nauwelijks durft te lopen, werken mensen. Mensen zoals u en ik, met dromen en ambities, met verdriet en teleurstellingen, en met af en toe een dag waarop je een lelijk plankje aan het voeteneinde van een dode paus bevestigt. Over de wereld waarin deze mensen dag in, dag uit verkeren en waar je niet gemakkelijk binnenkomt, gaat dit boek.

Slangen en slechte wijn
Hoe het Vaticaan werd geboren

Ik ben veertien als ik op een nacht droom dat ik voor de Sint-Pieter sta en een hartaanval krijg. De volgende dag ga ik met mijn ouders naar Rome. Enigszins ongemakkelijk zit ik naast mijn vader in het vliegtuig.

'Als we straks in Rome zijn, gaan we dan meteen naar de Sint-Pieter?'

'Ik denk het wel,' zegt mijn vader. 'Waarom vraag je dat?'

'Ik ben bang dat ik dan een hartaanval krijg.'

'Wat denk jij toch altijd rare dingen.'

Dat was wel een beetje waar. Ik dacht altijd rare dingen.

Bijna dertig jaar later ben ik in Rome voor de tv-serie *Kijk het Vaticaan* en sta ik voor een uitdaging. Hoe laat je zien dat het Vaticaan inderdaad de kleinste staat ter wereld is? Regisseur Bart Ruijs en ik willen er aanvankelijk in een helikopter overheen vliegen, maar dat mag sinds 11 september 2001 niet meer. Je mag met een helikopter wel boven Rome vliegen, dat is geen probleem, maar verder dan de façade van de Sint-Pieter kom je niet. En dat kost dan 7500 euro per uur. Van dat bedrag kunnen we praktisch een hele uitzending maken, dus dat feest gaat niet door. Daarna overwegen we de mogelijkheid te paard het Vaticaan te naderen, of in een koets, of misschien dan toch in een limousine. Of als dat allemaal niet kan op een scooter, maar dat durf ik niet. Uiteindelijk komt het erop neer dat ik dan maar rond het Vaticaan ga lópen.

Om Vaticaanstad staat een bijna vier kilometer lange en vier meter dikke muur: de grens van de stadstaat. Die muur hebben we te danken aan de energieke paus Leo iv (847-855). In het midden van de negende eeuw wordt het pausdom bedreigd door de aanwezigheid van moslims in Italië. In 846 zeilt een Saraceense vloot met vijfhonderd ruiters naar de monding van de Tiber, loopt de zwakke kustverdediging in Ostia onder de voet en valt Rome binnen. De Saracenen, een middeleeuwse benaming voor islamitische Arabieren en andere moslims, zaaien dood en verderf in Rome. Ook de graven van Petrus en Paulus worden geplunderd. En dan is voor iedere paus de maat vol. Een film maken kan Leo IV niet, over Mohammed weet hij nog niet veel, en daarom bouwt hij een verdedigingswal met hulp van werklui uit de steden van de pauselijke staat en de grote kloosters van Rome. En zo ontstaat de burcht van Leo IV, die overigens een groter gebied beslaat dan het huidige Vaticaanstad en in het zuiden doorloopt tot aan de Gianicolo, en in het noordoosten tot aan de Engelenburcht.

De burcht van Leo IV is een wirwar van kleine straatjes met kerkjes, kloosters en zogenoemde *scholae*, eigen wijkjes voor pelgrims uit een bepaalde regio, zoals de Saksen en de Friezen. En die grote muur beschermt dit alles, maar het belangrijkste is natuurlijk dat het graf van de apostel Petrus veilig is. Die functie vervult de muur in feite nog steeds: een verdedigingswal tegen de boze buitenwereld. Buiten deze muur kan en mag alles. Erbinnen ben je veilig en dien je vroom te zijn.

Het is een mooie oktobermiddag als ik vanaf de hoek van de Via di Porta Angelica en de Piazza di Risorgimento op een teken van Bart met mijn tocht begin. Als eerste passeer ik aan mijn rechterhand de Porta Sant' Anna, de dienstingang van het Vaticaan. De Zwitserse Garde, het leger van de paus, houdt hier de wacht in haar alledaagse blauwe uniform. De poort dateert uit 1929, toen paus Pius XI na bijna zestig jaar ellende weer een eigen staat kreeg. Zijn wapen, een adelaar die boven op drie zuilen staat, is te zien op de twee pilaren van de ingang. Rechts is de kerk van Sant' Anna dei Palafrenieri. Die dankt zijn naam aan een klokje dat zich op deze plek bevond en dat genoemd was naar Anna, de moeder van Maria. De kerk dateert in zijn huidige vorm uit 1575 en werd waarschijnlijk ontworpen door Giacinto Barocci, maar kreeg zijn barokke uitstraling in de achttiende eeuw door Alessandro Specchi, die onder meer het portaal en de klokkentorens toevoegde. In dit kerkje worden de burgers van Vaticaanstad gedoopt, hier trouwen ze en hiervandaan worden ze begraven. In de crypte bevindt zich zelfs een kleine grafkelder. Tegenover de ingang van de kerk is de ingang naar de barakken van de Zwitserse Garde.

De muur en de grens van Vaticaanstad vallen overigens niet overal samen. Zo staat de muur ter hoogte van de Porta Sant' Anna in feite te veel naar achteren, want de anderhalve meter trottoir waarop ik loop is ook nog Vaticaans grondgebied. Nog vreemder is het grensverloop in de grote audiëntiezaal van het Vaticaan. Wanneer de paus de pelgrims vanaf het podium toespreekt, bevindt hij zich keurig op Vaticaans grondgebied. De pelgrims in de zaal bevinden zich echter in Italië.

Ik loop door en zie, op Italiaans grondgebied, aan mijn linkerhand de Piazza Città Leonina. Hier bevindt zich op nummer 9 de Nederlandse ambassade bij de Heilige Stoel, bij het Vaticaan dus. De andere appartementen in dit palazzo zijn in bezit van de Egyptische ambassade bij het Vaticaan en ook veel kardinalen hebben hier hun domicilie. Er is zelfs een wachtlijst voor de 'prinsen van de Kerk' die hier willen wonen. Pas als er een overlijdt is er ruimte voor de volgende. Hier woonde ook jarenlang, op nummer 1, de Nederlandse kardinaal Johannes Willebrands, en het appartement helemaal linksboven was van Joseph Ratzinger, toen hij als kardinaal aan de Romeinse curie verbonden was. Hij woonde er ook nog enkele weken toen hij al paus was en de pauselijke appartementen nog niet gereed waren voor bewoning. Het appartement is nog altijd in zijn bezit en het verhaal gaat dat zijn secretaris Georg Gänswein er wekelijks komt om de kat eten te geven.

Ik ga verder. Onder de Passetto door, de geheime vluchtweg die het Vaticaan verbindt met de Engelenburcht. Als het leven van de paus gevaar liep door vijandelijke troepen of besmettelijke ziektes, dan bood de Passetto een mooie ontsnapping. Hij speelt een grote rol in de geschiedenis van Rome en de Zwitserse Garde en is ook prominent aanwezig in het boek *Het Bernini Mysterie* van Dan Brown en in de gelijknamige film. Hij werd aangelegd door paus Nicolaas iii. Deze bisschop van Rome liet ook het eerste Apostolische Paleis bouwen en de eerste versie van de Vaticaanse tuinen aanleggen. Hij is daarmee in feite de stichter van Vaticaanstad.

Ik loop door de colonnade van Bernini verder. Er staat een lange rij toeristen die de Sint-Pieter in willen. Ik ga verder langs de daadwerkelijke grens, die hier de vorm van een (overigens oerlelijk) gietijzeren hek heeft, richting de andere colonnade. Feitelijk ligt de situatie ook hier gecompliceerder dan het lijkt. Het Sint-Pietersplein is Vaticaans grondgebied, maar heeft een extraterritoriale status, vergelijkbaar met die van een ambassade, omdat er hier geen grenscontrole is. De Italiaanse politie heeft het hier voor het zeggen. Alleen als de paus het plein betreedt nemen de Vaticaanse gendarmerie, de politie van Vaticaanstad, en de Zwitserse Garde het over.

Links is de trap die naar de San Michele e Magno leidt, beter bekend als de Kerk der Friezen. Door de pilaren heen kijk ik, over het plein heen, naar het Apostolisch Paleis, naar de ramen van de bovenste verdieping. Het meest rechtse is dat van de slaapkamer van de paus; dan volgt het raam van zijn studeerkamer, van waaruit hij elke zondag de gelovigen toespreekt. Vervolgens de kamers van zijn beide privésecretarissen, eerst die van Georg Gänswein, dan die van de Maltees Alfred Xueb en daarna een kleine salon. De drie ramen daarnaast horen bij de pauselijke bibliotheek; de twee daaropvolgende leiden naar het trappenhuis.

Ooit was dit een braakliggend terrein, een zompige vlakte, waar je volgens de overlevering nog niet eens een stel schapen kon laten grazen, laat staan een Kerk leiden: *Ager* of *Mons Vaticanus*. Over de oorsprong van de naam *Vaticanus* bestaan nogal wat theorieën. Mogelijk verwijst die naar de *vaticini*, de voorspellingen die een Etruskische god op deze plaats volgens de overlevering zou hebben gedaan. Later raakte het gebied bewoond. Boeren probeerden toch nog wat van de slechte grond te maken, met weinig succes. Er kwamen slangen voor. De grond bracht slechts tweederangsproducten voort en de wijn was, als we de Romeinse schrijver Martialis moeten geloven, niet te zuipen: *Vaticana bibis: bibis venenum* ('Drink je Vaticaanse wijn, dan drink je vergif').*

Het gebied raakte ook nog eens vaak overstroomd doordat de Tiber buiten zijn oevers trad en dat water bleef vaak staan, wat weer malaria tot gevolg had. De Romeinse schrijver Tacitus schrijft over de troepen van keizer Vitellius (69 n.Chr.), die na zijn overwinning op keizer Otho doelloos over Rome uitzwermden: 'Een groot deel kampeerde in het verpeste Vaticaanse district.'† Er brak een epidemie uit, waarbij veel soldaten om het leven kwamen. De Vaticaanse heuvel kon je maar beter mijden, maar het was niet allemaal kommer en kwel.

Het gebied van de Mons Vaticanus dat het dichtst bij de Tiber lag werd gecultiveerd. Er ontstonden rijk aangelegde tuinen, waarvan die van de Romeinse keizerin Agrippina de beroemdste was. Ze bestonden uit grasvelden, kleine meertjes en natuurlijk een villa, en strekten zich uit van waar nu de Sint-Pieter staat tot aan het ziekenhuis van Santo Spirito aan de oevers van de Tiber. Het landgoed ging bij de dood van Agrippina in 33 n.Chr. over op haar zoon Caligula, die later keizer werd. Hij besloot het gebied een wat monumentalere uitstraling te geven door er onder meer een renbaan, een *circus*, te laten aanleggen. Caligula was een groot liefhebber van wagenrennen en wilde zelf kunnen oefenen. Zijn stadion was 560 meter lang en 80 meter breed. Om de grootsheid van zijn renbaan te benadrukken liet hij een obelisk uit Egypte overbrengen en zette die op de *spina*, de middenafscheiding van de baan. Caligula werd vermoord voordat zijn circus af was en het

* Martialis, *Epigrammen*, Boek VI, 92.
† Tacitus, *Historiën*, II, 93.

werd onder zijn opvolger Claudius (de stotteraar, keizer van 41 tot 54 n.Chr.) voltooid. Zowel Claudius als zijn opvolger Nero organiseerde spelen in het circus. Onder Nero vonden hier de christenen voor het eerst een gruwelijke marteldood, en dat heeft ervoor gezorgd dat het circus uiteindelijk zijn naam ging dragen.

Er is heel wat bloed gevloeid op deze plek. Dat bloed zien we overigens nog steeds terug in de wijze waarop de paus zich kleedt. Zijn basistenue is wit, maar alle accessoires zijn rood, van de schoudermantel tot de beeldige muiltjes die hij draagt. Ze zijn een eerbewijs aan al die arme zielen die hier, op deze plek, tweeduizend jaar geleden de dood vonden. De in het circus gedode christenen werden ernaast op een begraafplaats ter aarde besteld. De Romeinen noemden die begraafplaats *necropolis* (dodenstad), maar die eigenwijze christenen hielden het liever op *coemeterium*, stad van de slapenden. Christenen geloofden immers dat zij voorbij de dood doorleefden in Christus.

De eerste grote lading christenen kwam hier terecht in het jaar 64, toen in de buurt van het Circus Maximus een grote brand uitbrak, de meest destructieve uit de geschiedenis van Rome. Van de veertien districten die de stad telde bleven er maar vier overeind. De Romeinen beschuldigden de keizer, Nero beschuldigde de christenen en hij liet ze massaal oppakken. Tacitus vertelt:

Men begon alzo met gevangen te nemen diegenen die van hun geloof openlijke belijdenis aflegden; vervolgens op hun aanwijzing een zeer groot aantal mensen die schuldig werden verklaard, niet zozeer aan de hun ten laste gelegde brandstichting dan wel aan haat jegens het mensdom. En men dreef ook nog de spot met deze ter dood gedoemden: zo vonden sommigen de dood door hen met wilde-beestehuiden bedekt door de honden te laten verscheuren; velen werden óf aan het kruis genageld, óf moesten, voor de vuurdood bestemd en wanneer het daglicht was afgenomen, branden bij wijze van nachtverlichting.

Nero had zijn eigen park voor dit schouwspel opengesteld en gaf circensische spelen, zich onder het volk mengend in wagenmennerskostuum of werkelijk op een wagen staande. Zo gebeurde het dat medelijden opwelde met deze mensen die, ofschoon ze schuldig waren en de meest ongehoorde bestraffing verdienden, om zo te zeggen niet voor het heil van de staat werden omgebracht, maar geofferd aan de wreedheid van één enkeling.*

Volgens de overlevering vonden 979 christenen de dood bij deze eerste grote vervolging, maar dat lijkt wat overdreven. Het waren er waarschijnlijk aanvankelijk nog geen honderd. Velen werden in de gevangenis gegooid en pas jaren later ter dood veroordeeld. Onder hen bevonden zich hoogstwaarschijnlijk de apostelen Petrus en Paulus. De laatste werd onthoofd, want als Romein kon hij niet gekruisigd worden. Het verhaal gaat dat zijn hoofd, nadat het vonnis volbracht was, drie keer op de grond stuiterde alvorens het tot stilstand kwam. Bij elke keer stuiteren ontsprong er een fontein. Vervolgens werden er op die plek drie kerken en een abdij gebouwd, die van Tre Fontane (de Drie Fonteinen). Het is een typisch Romeinse legende, vooral omdat die de marteldood van Paulus relativeert. Of hij waar is, is een ander verhaal. De plek stond al ruim voor de dood van Paulus bekend om zijn bronnen: de Aquae Salviae.

Petrus vond een paar kilometer naar het westen zijn einde. Hij werd wel gekruisigd, maar op zijn verzoek ondersteboven, zodat zijn dood niet op die van zijn Heer leek. Hij werd begraven op de kleine begraafplaats bij het Circus van Nero. Later werd er een monument op gezet, dat echter nauwelijks opviel tussen de vele tomben en grafhuisjes op de Vaticaanse heuvel. Rond 325 begon keizer Constantijn, op verzoek van zijn moeder Helena en paus Silvester I, met de bouw van een basiliek boven op het graf van

---

* Tacitus, *Jaarboeken*, xv, 44.

Petrus. Het gebouw kwam gedeeltelijk te liggen op het terrein van het Circus van Nero, de begraafplaats en deels ook op de Vaticaanse heuvel, die hiervoor moest worden afgegraven. Deze Constantijnse basiliek hield het twaalf eeuwen uit, maar moest vanwege verzakkingen worden vervangen door de huidige Sint-Pieter: een kolossale barokke theemuts voor het eenvoudige graf van een visser uit Galilea.

Eeuwenlang werd de aanwezigheid van het graf van Petrus onder de basiliek zonder meer voor waar aangenomen. Niemand nam de moeite eens in de bodem te gaan graven en te kijken of het wel klopte dat hij op deze plek begraven lag. Dat veranderde toen in 1939 paus Pius xi overleed. Hij wilde zo dicht mogelijk bij de apostel Petrus begraven worden. Tien jaar werd er vervolgens in het geheim gegraven en uiteindelijk werd er een knekelhuisje gevonden met daarop in het Grieks geschreven: petrus is hier. Maar het knekelhuisje was leeg. Toch meldde Pius xii aan het begin van het Heilig Jaar in 1950 enigszins voorbarig dat het graf van de apostel Petrus was gevonden. Pas drie jaar later vond men een pakketje botten van een man van tussen de zestig en zeventig jaar oud. Er werd voor het gemak (en omwille van de toeristenindustrie) aangenomen dat het hier om de stoffelijke resten van Petrus ging.

Tijdens de zoektocht naar het graf van de apostel werden delen van de oorspronkelijke Romeinse necropolis blootgelegd. Die dodenstad begint ongeveer bij het graf van Petrus, acht meter onder het baldakijn van Bernini boven de Confessio van de Sint-Pieter, en strekt zich uit tot voor in de kerk. Er zijn rondleidingen in diverse talen en ook ik heb me er een keer aan gewaagd. Ik moest me op een dinsdagmiddag om twee uur precies melden bij het zogenoemde Uffizio degli Scavi (het opgravingenkantoor), even voorbij de sacristie van de Sint-Pieter. Ik was iets te vroeg, maar gelukkig was mijn gids er al: een keurige, wat oudere Engelsman met een strooien hoed op. Ooit was hij vanwege de liefde in Rome terechtgekomen: 'Een bijna fatale beslissing.' Zijn vrouw was overleden en hij doodde de tijd door dit soort rondleidingen te geven. Onze groep bestond voornamelijk uit Amerikanen, van wie er een paar zo dik waren dat ze nauwelijks door de smalle gangetjes van de necropolis konden lopen. De rondleiding begon bij een maquette van het Circus van Nero en daar konden we dan de Sint-Pieter bij denken. Onze gids had ervoor gekozen het verhaal te beginnen bij de kruisiging van Jezus. Daarna gingen de jaren maar langzaam voorbij. Dat kwam deels omdat hij geen detail onvermeld liet en deels doordat één Amerikaan het nodig vond om zijn verhaal voortdurend te onderbreken met overbodige vragen en opmerkingen, zoals: 'Een boot? Waarom nam Paulus in godsnaam een boot? Hij had over land moeten gaan.' Na een half-uur uitleg van de gids was Petrus eindelijk in Rome en zag het ernaar uit dat hij weldra ondersteboven gekruisigd zou worden en vervolgens begraven, zodat we door konden gaan met de rondleiding. De arme Engelsman was al bij de brand van Rome aanbeland toen de Amerikaan het niet meer hield: 'Vertel me, oude man, is dit nu voor of na Christus?'

De Via Paolo vi loopt uit op de Piazza Sant' Uffizio, met daaraan het beroemde palazzo met dezelfde naam, het voormalige hoofdkwartier van de Inquisitie. Bij de dood van paus Paulus iv in 1555 vond hier een veldslag plaats. Ontevreden Romeinen richtten in het palazzo een ravage aan. Kantoren en archieven werden geplunderd. Ook bevrijdden zij de vermeende ketters van hun ketenen en zetten de poorten van de gevangenissen wijd open. Paus Pius v, voormalig schaapherder en onder Paulus iv groot-inquisiteur, was er alles aan gelegen om de orde te herstellen en daarbij hoorde een nieuw Heilig Officie. In 1569 was het klaar en trots liet hij op de grote bronzen toegangsdeur in het Latijn opschrijven: *Haereticae pravitatis sectatores cautius coercerentur a fundamentis erectis in augmentum catholicae religionis* ('Om de aanhangers van ketterse boosheid effectiever in bedwang te houden is dit gebouw neergezet tot bloei van het katholieke geloof').

'Inquisitie' werd in 1908 Heilig Officie (dat klonk al wat netter) en sinds 1965 hebben de waakhonden van de paus de naam 'Congregatie voor de Geloofsleer', als zou door een naamsverandering een besmet verleden dat niet altijd in het teken van christelijke barmhartigheid stond uitgewist kunnen worden. Er werd nogal eens van fysiek of psychisch geweld gebruikgemaakt om vermeende ketters een bekentenis af te dwingen. Tegenwoordig worden hier alleen nog mensen met woorden en ellenlange bureaucratische procedures gemarteld. In die zin maakt dit gebouw nog altijd slachtoffers.

Op de hoek, naast het Sant' Uffizio, ligt Dono di Maria, het klooster van de Zusters van Naastenliefde dat Moeder Teresa hier op verzoek van paus Johannes Paulus ii opende. De twee waren goede vrienden en zagen elkaar geregeld, meestal in Rome. De kleine zuster uit Calcutta bracht dan altijd verslag uit van de uitbreiding van haar congregatie: 'Ik heb net een huis in Rusland geopend.' En bij het volgende bezoek: 'Ik heb net een huis in China geopend.' En dat ging maar door. Totdat de paus op een dag zei: 'En nou komt u ook maar naar Rome.' Hij zou wel voor het gebouw zorgen, en dat deed hij. Elke namiddag (behalve op donderdag) kunnen zwervers en daklozen hier op vertoon van een speciaal pasje een maaltijd krijgen.*

Ik sla de hoek om en kom op de Via dei Porta Cavaleggeri, oftewel de cavaleriepoortweg. De Romeinse cavalerie had hier vroeger haar barakken en dus werd de stadspoort die ik aan mijn rechterhand nog in de muur zie zitten naar hen genoemd. Ik sla de Viale Vaticano in en ik merk dat het langzamerhand stiller wordt om me heen. Voor ik het weet loop ik alleen. Het geluid van kauwgomkauwende toeristen en optrekkende bussen sterft langzaam weg. Ik hoor warempel een vogeltje zingen.

Even later kan ik niet verder. Een groot hek verspert me de weg. Daarachter liggen spoorrails die links aansluiten op een spoor-

---

* George Wiegel, *Testimone della Speranza. La vita di Giovanni Paolo ii*, Mondadori 1999, p. 640.

brug en rechts naar een dichtgemetseld tunneltje leiden. En met-een zie ik het gezicht van Johannes xxiii voor me op de bekende zwart-witbeelden van het Italiaanse bioscoopjournaal. Paus Ron-calli ging op 4 oktober 1962 door dit tunneltje, over deze rails, met de trein op pelgrimage naar Loreto en Assisi een week voordat zijn grote onderneming, het Tweede Vaticaans Concilie, zou beginnen. Behalve voor een bezoek aan zijn landgoed Castel Gandolfo had in bijna honderd jaar geen paus het Vaticaan officieel verlaten. Hierna werd het stil op het Vaticaanse spoor.

Bijna veertig jaar later, in 2001, maakte Johannes Paulus ii nog een keer gebruik van het neobarokke stationnetje van Vaticaan-stad, ook om naar Assisi te gaan. Daar kwamen op zijn verzoek vertegenwoordigers van allerlei godsdiensten bij elkaar om samen met hem te bidden voor de vrede. Zij kwamen met de helikopter, de Poolse paus nam de trein. Daar zat ook de huidige paus in, toen nog bekend als Joseph Ratzinger en prefect van de Congregatie voor de Geloofsleer. Hij moest eigenlijk niet zoveel hebben van dit soort interreligieuze fotomomenten en zat tegen zijn zin in de pauselijke coupé. Maar wel achterstevoren, zo merkte hij tegen een Duitse journalist op, 'tegen de rijrichting in'.* Een subtiele vorm van protest.

Ik kan dus niet rechtdoor en vervolg mijn weg via een smoe-zelige trap omlaag met allerlei vuilresten (waarvan ik de herkomst maar even laat voor wat ze is), loop onder de spoorbrug door en vervolgens een trap op om weer bij de Vaticaanse muren uit te ko-men. De metropool Rome lijkt ver weg, want ik loop in een dood-normale Romeinse woonwijk met voetballende kinderen en oud-jes die op bankjes met elkaar zitten te kletsen. De muren zijn hoog: je ziet weinig. Af en toe steekt er een palmboom bovenuit of een zendmast van Radio Vaticana. En dat is het dan. Deze saai-heid brengt me tot rust.

* Andreas Englisch, *Habemus Papam. Der Wandel des Joseph Ratzinger*, Goldmann 2005, p. 25.

Je kunt het je moeilijk voorstellen, maar ooit was Rome op sterven na dood. Toen de pausen in het begin van de veertiende eeuw ook nog eens de wijk namen naar Avignon leek de ondergang van Rome nabij. Geen Rome zonder paus. De Sint-Pieter stond nog min of meer overeind, maar van de burcht van Leo IV was weinig meer over. Het Vaticaan lag in puin. Rome had nog maar een schamele 15 000 inwoners.

Aan de zeventigjarige verbanning van het pausdom in Avignon kwam een eind toen Gregorius XI, de laatste Franse paus, naar Rome terugkeerde. Hij vond dat Rome de enige juiste woonplaats voor een paus was. Een mening waarin hij gesterkt werd door de Dominicaanse zieneres Catharina van Siena. Zij schreef hem in een brief: 'Zelfs als je in het verleden niet erg gelovig bent geweest, begin nu Christus te volgen, wiens plaatsbekleder je bent, en dat meen ik echt.' En dus overwon Gregorius, net als Petrus ooit deed, zijn angst en keerde op 17 januari 1377 in Rome terug. Het Lateraan, waar de pausen sinds de vierde eeuw vanwege het wat minder vochtige klimaat hun officiële residentie hadden, lag na een brand in puin en dus nam Gregorius zijn intrek in het Vaticaan. De pausen zijn er nooit meer weggegaan. Maar er moest wel wat gebeuren om het een beetje bewoonbaar te maken.

Nicolaas V (1447) startte een aantal grote bouwprojecten die de Vaticaanse heuvel de grandeur moesten geven die hij verdiende. Zo liet hij er ruime kantoren en comfortabele appartementen voor kardinalen neerzetten. Zijn opvolgers maakten zijn werk af. Sixtus IV (1481) liet de Sixtijnse Kapel bouwen, die we onder andere kennen van de pausverkiezingen, Innocentius VIII het Belvedere (1490), Julius II en Leo X lieten Bramante een binnenhof aanleggen en Raphaël hun woon- en werkvertrekken verfraaien.

Al dat moois vormt de kern van de Vaticaanse Musea, waarvan ik de ingang maar snel voorbijloop. Ik word altijd nerveus van al die toeristen die staan te dringen om naar binnen te mogen en buiten in de rij al speuren naar dat ene, onmisbare bordje met

Capella Sistina erop. Elke beweging die ze in het museum zullen maken zal daarop gericht zijn. En misschien valt het, als ze na een urenlange odyssee langs identieke Griekse vazen, eindeloze rijen Romeinse beelden en saaie wandtapijten in de kapel komen, allemaal een beetje tegen. Het is er vol en donker, en je mag er niet fotograferen, dus bewijs thuis maar eens dat je er echt geweest bent. En bellen kan ook niet, want mobiele telefoons hebben er geen bereik. Het Vaticaan heeft dat technisch onmogelijk gemaakt. Kardinalen mochten eens zin krijgen om tijdens een conclaaf naar huis te gaan bellen.

Tegen de stroom in leg ik het laatste deel van de wandeling af en voor ik het weet sta ik weer op de plek waar ik begonnen ben. Ik kijk op mijn horloge. De tocht rond het ministaatje heeft me nog geen uur gekost.

De laatste absolute vorst van Europa

De paus

'Leve de paus, leve de paus, leve de paus!' Ik hoor het nu al een halfuur achter me op het Sint-Pietersplein en het is inmiddels een mantra geworden. Ze komt uit Argentinië of een ander Zuid-Amerikaans land, zo schat ik in, en heeft de dag van haar leven. Oog in oog met de paus. En dus roept ze: '*Viva el Papa!*' als de paus gaat zitten. '*Viva el Papa!*' als de paus gaat staan. '*Viva el Papa!*' als hij iets in het Engels zegt. '*Viva el Papa, Viva el Papa, Viva el Papa!*' als de paus iets in haar moedertaal Spaans zegt. Als ze niet '*Viva el Papa!*' schreeuwt, zwaait ze met een geel-wit sjaaltje of haalt een keer adem.

Een woensdagochtend in oktober. Paus Benedictus XVI ontvangt bezoek op zijn voorplaats: het Sint-Pietersplein. Zo'n algemene audiëntie is er bijna elke week en is voor de gewone gelovigen de enige kans om de paus van dichtbij te zien. Kaarten zijn af te halen bij de Prefectuur van het Pauselijke Huis en zijn gratis. Afgezien van bisschoppen, genodigden en gehandicapten krijgt niemand een vaste plaats toegewezen. Dat betekent dat je als gewone gelovige uit Bogota, Berlijn of Brisbrane al heel vroeg in de rij moet gaan staan wil je een beetje vooraan zitten.

Wij filmen vandaag. Toen ik vanochtend om zeven uur mijn krant ging halen bij de kiosk op de hoek, zag ik ze in de verte al staan: kleine groepjes pelgrims, die zingend en biddend wachtten tot de hekken twee uur later zouden opengaan. Het heeft wel iets van een voetbalwedstrijd, alsof ik met mijn zoon op weg ben naar de Arena voor een wedstrijd van Ajax. Met z'n tweeën en toch met z'n allen. Een beetje zenuwachtig voor de wedstrijd, maar dat is hier niet nodig, want wie de winnaar is staat vast. Grote groepen supporters zijn op weg naar het plein, een vlag in hun ene en een kaartje in hun andere hand en een sjaaltje om hun nek. De veiligheidsmaatregelen zijn streng, met dank aan Al Qaeda. Iedereen moet door het detectiepoortje lopen en tassen moeten door de scan. Bart en ik mogen gek genoeg met onze perskaarten gewoon doorlopen en worden niet gecontroleerd. Op het plein is het al erg druk en ook hier zet de parallel met de Amsterdam Arena zich voort. Er is veel politie, de supporters/pelgrims zitten elk in hun eigen vak en er wordt luid gezongen terwijl er nog geen bal is getrapt. Ook is er een warming-up: op het bordes van de Sint-Pieter oefenen vijf vrouwen in Beierse klederdracht een dansje dat ze straks voor de paus gaan uitvoeren.

Ik zit op een plastic stoeltje vooraan en kijk om me heen. Voor me probeert een medewerker van de Pauselijke Mediaraad een aantal fotografen in het gareel te houden, een gehandicapte wordt nog snel in zijn rolstoel naar voren gereden en een veiligheidsfunctionaris kijkt nog even onder de zetel van de paus. Achter me gaat een vrouw staan die aanstalten maakt '*Viva el Papa!*' te roepen.

De voorbereidingen voor zo'n algemene audiëntie beginnen zo'n achtenveertig uur van tevoren, op maandag al. Kleine tractoren rijden af en aan met stoelen in een aanhangwagen. Het plein is dan al in twaalf vakken verdeeld. Zorgvuldig, maar toch met enig lawaai, zetten werklui de plastic stoelen neer. Negentien stoelen per rij, veertig rijen per perceel, drie percelen per vak. Als alle stoelen staan, zijn er 27 000 zitplaatsen.* Inmiddels is dan ook het verrijdbare baldakijn geplaatst op het *sagrato,* het verhoogde terras voor de ingang van de Sint-Pieter; het moet de paus beschermen tegen zon en regen. Naast dit baldakijn is een viptribune met 1300 stoelen gemaakt voor kardinalen, bisschoppen en andere genodigden.

---

* Jürgen Erbacher, *Der kleinste Kosmos der Welt*, Herder 2009, p. 204.

En dan, als de klok van de Sint-Pieter half elf slaat, is het zover. De jeep met daarin Zijne Heiligheid paus Benedictus xvi rijdt onder de klokkentoren van de Sint-Pieter het plein op. Op het eerste stuk ziet hij nog geen publiek; alleen journalisten mogen hier staan. Als hij mij op een meter passeert valt me op dat hij wat kleiner is dan ik dacht en dat het wit van zijn soutane niet echt wit is, maar meer crèmekleurig. Benedictus keurt mij geen blik waardig, terwijl ik toch gehoopt had op een blik van herkenning: 'Jij hier?' Als hij ter hoogte van het weinig geslaagde beeld van Petrus dat hier in de negentiende eeuw werd neergezet links afslaat, de menigte in, klinkt er harde muziek over het plein. Vrij ordinaire Italiaanse synthesizermuziek.

De paus is de absolute nummer één van het Vaticaan. Hij is soeverein vorst van Vaticaanstad en hoofd van het bisschoppencollege. 'Gij zijt Petrus en op deze steenrots zal ik mijn Kerk bouwen,' zegt Jezus volgens de evangelist Matteüs tegen de visser uit Galilea als hij hem leider van de apostelen maakt. Paus Benedictus xvi is niet alleen de rechtstreekse opvolger van Petrus, maar erfde ook diens unieke opdracht. Volgens het kerkelijk wetboek bezit de paus 'krachtens zijn ambt de hoogste volledige, onmiddellijke en universele gewone macht in de Kerk, die hij altijd vrij kan uitoefenen'. De paus is de geestelijk vader van de ruim één miljard katholieken, maar hij is ook hun hoofd. Loop maar eens de Sint-Pieter in en kijk midden in de kerk omhoog. Je ziet dan rond de koepel in twee meter hoge letters in het Latijn het al eerder genoemde citaat uit het evangelie van Matteüs staan: *Tu es Petrus, et super hanc petram aedificabo ecclesiam meam et tibi dabo claves regni coelorum*. Die tekst staat daar ter bekroning van het graf van Petrus zo'n zestig meter daaronder, maar ook als bewijs van de suprematie van al zijn opvolgers, Benedictus xvi inbegrepen. Eigenlijk zou elke nieuwe paus zijn ambt moeten aanvaarden door op deze plek deze Latijnse tekst luid en duidelijk de kerk in te roepen.

De paus is het hoofd van de Kerk, met bevoegdheden waar menig dictator zijn vingers bij af zou likken. In feite kan hij alle beslissingen alleen nemen, maar hij kan ook de hulp van anderen inroepen. Bij zijn taak als hoofd van de rooms-katholieke Kerk heeft hij alleen al meer dan vijfduizend bisschoppen tot zijn beschikking die trouw aan hem hebben gezworen. Bij het bestuur wordt hij in Rome, het hoofdkwartier, door zo'n vierduizend ambtenaren bijgestaan. Kardinalen, bisschoppen, priesters, nonnen en leken: allen hebben ze een wereldse carrière laten varen om in zijn dienst te mogen werken. Als soeverein vorst hoeft hij na zijn uitverkiezing tot paus niemand meer te vrezen. Zo is er geen parlement dat hem weg kan sturen. Er is niemand die hem ter verantwoording kan roepen. Een paus hoeft nooit te vrezen voor nieuwe verkiezingen.

Vaticaanstad is een absolute monarchie en de paus heeft de volledige wetgevende, uitvoerende en rechterlijke macht, maar heeft die macht gedelegeerd aan een commissie van kardinalen die in zijn naam het ministaatje bestuurt. De voorzitter van die commissie, op dit moment de Italiaanse kardinaal Giovanni Lajolo, leidt de dagelijkse gang van zaken. Hij is de locoburgemeester van Vaticaanstad en wordt bijgestaan door een secretaris-generaal en zo'n elfhonderd ambtenaren. En verder is de paus, we zouden het bijna vergeten, ook nog – of eigenlijk vooral – bisschop van Rome. Hij heeft de zorg over zo'n 2,5 miljoen katholieken, verdeeld over 333 parochies en ruim 700 kerken. Hij heeft natuurlijk geen tijd om zich daar persoonlijk mee bezig te houden; hij laat het bestuur over aan een vicaris en dat is sinds de zeventiende eeuw altijd een kardinaal. Op dit moment is dat kardinaal Agostino Vallini. Hij wordt bijgestaan door een aantal hulpbisschoppen en een eigen curie, waar zo'n honderdvijftig mensen werken. Deze is gevestigd in het Lateranenpaleis, naast de gelijknamige basiliek. De Sint-Jan van Lateranen (en dus niet de Sint-Pieter) is de bisschopskerk van de paus en de 'moeder' van alle kerken ter wereld. Toen de maffia in 1993 de paus en de andere Italiaanse bisschoppen duidelijk wilde maken dat ze zich eens wat minder met de georganiseerde misdaad moesten bemoeien, plaatste ze hier een bom en niet in de Sint-Pieter. Wanneer je via de achteruitgang de Sint-Jan van Lateranen binnengaat, is met name aan het plafond de schade nog duidelijk te zien.

Rome mag dan de Eeuwige Stad heten en allerlei verheven gedachten bij bezoekers losmaken, als bisschop van Rome kampt de paus met dezelfde problemen als bijvoorbeeld zijn collega Eijk te Utrecht. Ook in Rome gaan 's zondags te weinig gelovigen naar de kerk en in dat opzicht is het zelfs een van de slechtst scorende Italiaanse bisdommen. (We laten al die toeristen hier buiten beschouwing.) Ook in Rome halen nogal wat mensen hun schouders op als het om de Kerk gaat en melden zich weinig jonge mensen aan voor het priesterschap en het religieuze leven. Benedictus heeft wel een groot voordeel dat Wim Eijk niet heeft: bijna al die 777 kerken in Rome zijn eigendom van de Italiaanse staat, die dus ook voor het onderhoud opdraait. En dat scheelt een hoop geld.

De Romeinen hebben een ingewikkelder relatie met paus en Kerk dan zo op het oog lijkt. Net als de rest van de Italianen, trouwens. Marc Leijendekker, die jarenlang als correspondent in Italië werkte, citeert in zijn boek *Het land van de krul* politicoloog Franco Garelli: 'Velen zijn autonoom op het gebied van de moraal, maar dat belemmert hen niet zichzelf "het volk van God" te voelen, vertrouwen te hebben in de Kerk, haar zelfs te vragen haar beginselen hoog te houden en niet mee te doen met modes. Meer dan de helft van de Italianen vindt dat de katholieke Kerk de enige spirituele en morele autoriteit is die respect waardig is!'* Het uitroepteken is van Garelli, tekent Leijendekker daarbij aan.

Wanneer ik rond de dood van Johannes Paulus II en de keuze van zijn opvolger een maand in Rome ben, leer ik taxichauffeur Luigi kennen. Luigi rijdt niet alleen voortreffelijk, maar is ook een soort amateurvaticanist. Hij kent de belangrijkste kandidaten bij naam en heeft een uitgesproken voorkeur voor de aartsbisschop van Milaan, kardinaal Dionigi Tettamanzi. (Hij was niet de enige.

---

* Marc Leijendekker, *Het land van de krul*, Prometheus 2007, p. 162.

Ook ik voorspelde dat deze kleine man met grote ambities op de stoel van Petrus terecht zou komen. Niets was minder waar. Tettamanzi haalde bij het conclaaf een schamele twee stemmen.) Luigi vraagt mij hoe er in Nederland op het overlijden van Johannes Paulus ii is gereageerd. Ik rep van eerbied voor de Poolse paus en medelijden met een zo zieke man die nu uit zijn lijden is verlost, maar zeg erbij dat men in ons land toch wel veel moeite had met zijn standpunten over abortus en voorbehoedmiddelen.

Luigi knikt. 'Voor ons Romeinen is het alsof we een vader hebben verloren. Kijk maar naar die lange rijen mensen bij de Sint-Pieter.' Hij stopt voor de verkeerslichten en ik zie dat hij aangedaan is.

'En al die geboden dan over condooms en zo?' vraag ik aarzelend.

'Daar trekken we ons geen bal van aan.' Schaterend trekt hij weer op en geeft eens flink gas. Ziehier in een notendop de relatie van de Romeinen met hun bisschop.

Terug naar het Sint-Pietersplein, waar we te gast zijn bij Benedictus xvi. Zo'n algemene audiëntie voltrekt zich volgens een vast ritueel. De paus rijdt in een open jeep het plein op en maakt een rondje door de menigte. (In de winter wordt de audiëntie binnen gehouden.) Uiteindelijk rijdt de pausmobiel het terras van de Sint-Pieter op om achter het podium te stoppen. De paus loopt naar voren en laat zich eens goed toejuichen. Vervolgens gaat hij zitten op een troonachtige stoel en houdt een theologische toespraak, door hemzelf catechese genoemd. Hij wil graag het geloof overdragen. Vaak neemt de paus een begrip of een figuur als uitgangspunt. Zo zijn al vele kerkvaders en vroegchristelijke auteurs op de woensdagochtend de revue gepasseerd. De paus schrijft de toespraak zelf en besteedt er veel tijd aan.

Vandaag spreekt de paus over de heilige Eusebius van Vercelli (283-371). Hij doet dat om te beginnen in het Italiaans. De op Sardinië geboren Eusebius trachtte in de vierde eeuw het ascetische monnikenideaal dat hij in Egypte had leren kennen in Italië populair te maken. Volgens Benedictus is hij een voorbeeld voor ons, omdat hij ondanks pressie van buitenaf (vijanden, geweld van barbaren) trouw is gebleven aan zijn geloof en zijn gebedsleven. Een parallel met de huidige tijd is snel getrokken.

Ik kijk eens om me heen. Enkele pelgrims maken vlijtig aantekeningen op een blocnote. De rest van de aanwezigen kijkt wel naar de paus, maar zijn boodschap lijkt niet tot hen door te dringen. Af en toe wordt er eens een spandoek omhooggehouden of met een vlag gezwaaid, en dan gaan de mensen weer zitten. Het merendeel van de aanwezigen spreekt geen Italiaans en begrijpt dus niet wat de paus zegt. Veel Italianen lijken zo onder de indruk van de omstandigheden dat ze niet erg hun best doen iets van de paus op te steken. Ze zijn vooral aan het kletsen en maken foto's van elkaar.

Na twintig minuten is de paus klaar met zijn catechese in het Italiaans. Hij geeft zijn papieren aan zijn secretaris en krijgt er een stapeltje nieuwe A4'tjes voor terug. Vervolgens verandert het decor op het podium. Een stukje voor de stoel van de paus wordt een tweede microfoon neergezet, waarachter vervolgens telkens een andere man in een soutane met paarse sjerp plaatsneemt, voor elke taalgroep een andere monseigneur. Die kondigt aan welke groepen er op het plein aanwezig zijn. Vervolgens geeft de paus in de bewuste taal een korte samenvatting van zijn catechese, zodat er toch nog iets van zijn boodschap overkomt, en groet hij de aanwezigen vriendelijk. Dit is verreweg het belangrijkste onderdeel van de ochtend. Tot dan toe anonieme gelovigen krijgen een naam en hebben pas nu het idee dat ze meetellen. Eigenlijk is deze hele exercitie een grote vraag om aandacht – aandacht van de paus. 'Een groep pelgrims uit...' Gejuich en gegil. 'Een groep pelgrims uit...' Gejuich en gegil. 'Een groep hoornblazers uit...' Gejuich, gegil en hoorngeblaas. En zo gaat het maar door. Achtereenvolgens in het Frans, Engels, Duits en Spaans. (De Nederlandse pelgrims vallen onder de Duitse taalgroep.) Er zijn vandaag ook nog groeten in het Portugees, Pools, Hongaars, Kroatisch en

Sloveens. Uiteindelijk komt men weer bij het Italiaans uit, en ook hier lijkt de lijst aanwezige groepen eindeloos en wordt er weer flink gejuicht. Alleen bij de begroeting van twee groepen doofstommen uit Bergamo blijft het stil op het plein.

Als iedereen op het plein is genoemd, wordt de plechtigheid besloten met een Onzevader in het Latijn. De paus rijdt nog een keer door de menigte en om half een is het afgelopen en kan iedereen terug naar zijn hotel. De paus stapt over in een gesloten auto met het nummerbord scv 1, die hem naar een geheime ingang van het Apostolisch Paleis brengt. Hij loopt langs twee saluerende Zwitserse wachten de lift in. Daar staat een lakei, die met zijn rechterhand, gehuld in een satijnwitte handschoen, op het knopje van de derde verdieping drukt. Boven stapt de paus uit; de deur van zijn appartement staat open. Heerlijk is dat: nooit hoeven denken of je je sleutels wel bij je hebt. Hij passeert nog een Zwitserse wacht en loopt naar binnen. Hij is thuis.

The Pope does not wear Prada

Vaticaanse mode

Benedictus xvi haalt slechts zelden de voorpagina van *De Tele-graaf*. Als de paus joden, moslims, condoomgebruikers of homo's (of alle vier tegelijk) lijkt te willen beledigen, rukt de krant van Wakker Nederland (en met haar de hele Nederlandse pers) met groot materieel uit. Voor de rest blijft het in ons land over het algemeen stil rond de Duitse paus.

Behalve dan op 22 december 2005. Op die dag siert zijn foto de voorpagina van *De Telegraaf*. Benedictus is te zien tijdens de algemene audiëntie van de dag ervoor, staande in de witte jeep, vriendelijk zwaaiend naar de pelgrims op het Sint-Pietersplein. Op zich geen bijzonder tafereel. Maar als je kijkt welk vreemd hoofddeksel hij op de foto draagt, begrijp je de aandacht wel: een muts, gemaakt van rood fluweel en afgezet met bont, waardoor hij erg veel lijkt op zijn seculiere collega de Kerstman. We hebben het hier over de *camauro*, de pauselijke variant op de bonnet, en dat is op zijn beurt een opstaand hoofddeksel met drie randen en een bol in het midden dat door geestelijken van allerlei rangen kan worden gedragen.

Veel pausen hebben de camauro gedragen, je komt hem tegen op menig pausportret. Bekend is het schilderij dat Raphaël van paus Julius ii (1503-1513) maakte en dat in de National Gallery in Londen hangt. Deze excentrieke paus, die Michelangelo opdracht gaf het plafond van de Sixtijnse Kapel te beschilderen, draagt vol overtuiging de camauro. Johannes xxiii (1958-1963) ligt er zelfs mee opgebaard in zijn glazen kist in de Sint-Pieter. Pausen als Paulus vi (1963-1978) en Johannes Paulus ii (1978-2005) lieten de camauro voor wat hij was: een excentriek hoofddeksel uit een

ver pauselijk verleden, totdat Benedictus hem weer uit de motten-
ballen haalde. Hij zou al vanaf zijn kindertijd last hebben van
koude oren. Volgens Italiaanse journalisten duidde het dragen van
de camauro echter op méér dan het bestrijden van fysiek onge-
mak. Het zou een gebaar zijn geweest naar Johannes xxiii, de
paus van het Tweede Vaticaans Concilie. In 2005 was het veertig
jaar geleden dat dit concilie was afgesloten – een hoofddeksel als
eerbewijs aan een voorganger. Dierenactivisten konden er de lol
of de historische betekenis niet van inzien en riepen vol veront-
waardiging uit dat er 'bloed van onschuldige dieren kleefde aan
die middeleeuwse muts'.*

Geen paus uit de recente geschiedenis is zo bewust bezig met
zijn kleding als Benedictus. Hij heeft smaak en denkt heel goed
na over wat hij bij welke gelegenheid aantrekt en ook welke mijter
hij tijdens een mis opzet. Dat is niet onbelangrijk. Aan het pauselijke hof is er geen verschil tussen privékleding en beroepskle-
ding. Het lichaam van de paus is een *corpus publicus*, openbaar
bezit, waarbij de kleinste verandering of een opvallende kleur-
schakering betekenis heeft en navolging krijgt. Wat de catwalks
van Parijs of Milaan zijn voor de internationale modewereld, dat
zijn het balkon en het hoofdaltaar van de Sint-Pieter voor de kerkelijke mode. Tijdens zijn bezoek aan het Oostenrijkse Mariazell
in september 2007 verscheen de paus in een blauw kazuifel, met
een bijpassende mijter van dezelfde kleur. Dit was des te opmerkelijker omdat deze kleur sinds het Concilie van Trente (1545-1563)
niet meer was toegestaan. En nu mag het dus weer. Blauw is de
traditionele kleur voor Maria in de katholieke Kerk en verwijst
naar haar eretitel als Koningin van de Hemel.

De kleding van Benedictus valt op. Over zijn schoenen alleen al
zijn pagina's volgeschreven. In 2007 riep het tijdschrift *Esquire* de
pontificale instappers uit tot modeaccessoire van het jaar. 'De paus

***

* Alexander Smoltczyk, *Vatikanistan. Eine Entdeckungsreise durch
  den kleinsten Staat der Welt*, Heyne 2008, p. 175.

draagt Prada,' kopten de kranten wereldwijd, tot groot genoegen van het Italiaanse modehuis. Geen grotere reclame voor een bedrijf dan in één adem met de paus van Rome te worden genoemd. Dat de paus geen Prada-schoenen draagt maakt dan helemaal niet uit.

Bedrijven staan in de rij om de paus een tractor, limousine of verrijdbaar baldakijn aan te bieden.* En kleding; zo was de eigenaar van het bekende schoenenmerk Geox, Mario Moretti Polegato, er na het conclaaf van 2005 als de kippen bij om Benedictus enkele paren van zijn 'Uomo Light-model' aan te bieden, uitgerust met een uniek beluchtingssysteem tegen zweetvoeten dat in de schoenzool is verwerkt. En inderdaad, toen de paus die zomer voor zijn vakantie naar Valle d'Aosta vertrok, droeg hij, duidelijk zichtbaar, een paar Geox Uomo Light.† En wie de paus van dichtbij zag toen hij in juni van datzelfde jaar de toenmalige Italiaanse president Ciampi bezocht, kon niet om die hippe designzonnebril van het merk Serengeti heen.‡ Die droeg hij trouwens ook al toen hij kardinaal was.

Benedictus heeft geen dure smaak, maar wil er wel goed verzorgd uitzien. Des te opmerkelijker is het dat zijn outfit bij zijn debuut als paus op het middenbalkon van de Sint-Pieter op die historische avond in april 2005 een ronduit rommelige indruk maakte. Nadat hij in de Sixtijnse Kapel tot paus was gekozen en het *Accepto* ('Ik aanvaard') had uitgesproken, werd hij door een klein deurtje links van Michelangelo's *Laatste Oordeel* weggeleid naar de Stanza delle Lacrime, de kamer der tranen, zo genoemd omdat elke net gekozen paus hier geacht wordt in huilen uit te barsten als hij beseft welke enorme last er vanaf nu op zijn schouders rust. In deze bijzondere kamer bevonden zich, naast een rode chaise longue, de gebruikelijke drie witte pauselijke soutanes in de maten small, medium en large. Ze zijn afkomstig van de pau-

*   Idem, p. 171.
†   Idem, p. 172.
‡   Idem.

selijke kleermaker Massimiliano Gammarelli, die al tweehonderd jaar hoogwaardige kleding levert aan het pauselijke hof. Een net gekozen paus moet wel een heel vreemd postuur hebben wil niet één van deze drie soutanes passen. Maar zo niet deze keer: te kort, te lang, te smal – geen ervan zat lekker. 'Toen hij uit de huilkamer kwam, knielde ik meteen voor hem neer om hem te begroeten. En ik zag onmiddellijk dat hij er niet op gerekend had paus te worden,' vertelt de toenmalige commandant van de Zwitserse Garde, Elmar Mäder. 'Vanuit de mouwen stak zijn blauwe gebreide vest naar buiten.' Niet alleen de mouwen waren te kort, maar onder de soutane staken ook de pijpen van zijn lange witte ondergoed. Sinds lange tijd had een sterveling weer eens zicht op de onderbroek van een paus.*

Voor Massimiliano Gammarelli, eigenaar van het pauselijke modehuis, betekende dit niets minder dan een ramp. Dit was slechte reclame voor zijn bedrijf. Hij putte zich uit in excuses, maar toen Benedictus zijn eerste audiëntie met Duitse pelgrims moest houden in een hoogwatersoutane, was voor de nieuwe paus de maat vol. Hij liet zijn soutanes voortaan maken bij Euroclero, waar hij als kardinaal ook al kwam.†

Arme Massimiliano. Ooit gaf hij mij – Johannes Paulus ii was nog aan het bewind – een rondleiding door zijn winkel aan de Via Santa Chiara, vlak achter het Pantheon. *Sartoria Per Ecclesiastici*, stond er boven de ingang: Kleermaker voor Priesters. In de etalage lagen chique handschoenen, schoenen met gouden gespen en sokken in de kleuren kardinaalrood en bisschoppelijk paars. En rechts in de hoek, heel bescheiden een witte *zucchetto* (letterlijk: kleine kalebas), oftewel het pauselijke kalotje als teken dat we hier met een hofleverancier te maken hadden. Binnen hingen portretten van beroemde klanten als Pius xi, Pius xii, Johannes xxiii en Johannes Paulus ii. Balen stof lagen hoog tegen het pla-

---

* Idem, p. 173-174.
† *Corriere della Sera*, 15-10-2005.

fond opgestapeld, alle van superieure kwaliteit. Je zou willen dat je bisschop of kardinaal was en hier vaste klant kon zijn. (Niets houdt je trouwens tegen om hier bijvoorbeeld rode kardinaalsokken te kopen, zoals een BBC-collega (geen kardinaal), *à raison* van 9,30 euro ooit deed.) Ergens midden in de winkel lag een baal witte stof. Deze gebruikte hij voor de soutanes van de paus, zei Massimiliano, alsof hij een groot geheim onthulde. 'Voor de wintersoutanes, om precies te zijn, want voor de zomer gebruiken we een dunnere stof.' Eén keer in de zoveel tijd ging Massimiliano met een medewerker naar het Vaticaan en mat de paus een nieuwe soutane aan. Men leverde dan vervolgens een aantal (het precieze aantal wilde hij niet zeggen) soutanes in zomer- en winteruitvoering. 'En natuurlijk hoeft de Heilige Vader daar niet voor te betalen. We beschouwen het als een eer.'

Voor zijn dagelijkse kleding heeft de paus klerenkasten in zijn slaapkamer. Zijn liturgische kleding wordt bewaard in de pauselijke sacristie, die gevestigd is in het Apostolisch Paleis en in enkele ruimtes achter de Sixtijnse Kapel. Daar bevindt zich ook de pauselijke schatkamer. Hier wordt alles bewaard wat de paus tijdens liturgische plechtigheden nodig heeft of had: paramenten, mijters, liturgisch vaatwerk, maar ook tiara's en staven.

De pauselijke sacristie dateert uit de vierde eeuw. Ze stond – en staat nog steeds – los van de sacristieën van de Sint-Pietersbasiliek en de basiliek van Sint-Jan van Lateranen, die elk hun eigen sacristieën hebben. Eeuwenlang stond de pauselijke sacristie onder leiding van een *sacrista* (koster) en dat was altijd een pater augustijn. De laatste was de Nederlandse monseigneur Petrus Canisius van Lierde. Toen hij in 1991 met emeritaat ging, schafte Johannes Paulus II de functie van sacrista af en droeg de zorg voor de pauselijke sacristie over aan de prefect van het Bureau voor de Pauselijke Ceremoniën, de pauselijk ceremoniarius, op dit moment monseigneur Guido Marini. De augustijnen beheren de sacristie nog wel altijd, om precies te zijn twee broeders en een pater. De sacristie is niet toegankelijk voor het grote publiek, maar de broeders en de pater maken af en toe een uitzondering voor journalisten en kunsthistorici.

In 2003 stond het Vaticaan een aantal topstukken uit de sacristie en de pauselijke schatkamer af aan het Museum Catharijne Convent te Utrecht voor een tentoonstelling. Bart en ik mochten het inpakken van de kunstschatten filmen. In de sacristie was het een drukte van belang. Een tiara werd met grote voorzichtigheid in een metalen houder geplaatst, twee pontificale schoenen werden in papier gewikkeld. In een kantoortje zat een pater augustijn enigszins treurig achter zijn bureau. Hij had net te horen gekregen dat hij was overgeplaatst naar een parochie buiten Rome. 'Wilt u een rondleiding? Ik heb alle tijd.' En dus nam hij mij mee, weg van de inpakkers en de verhuizers, en deed vervolgens de ene kast na de andere voor me open. In de eerste kast bevond zich een keurig gestoomd kardinaalskostuum.

'Ik dacht dat hier alleen liturgische attributen voor de paus bewaard werden,' zei ik verbaasd.

'Dit is ook van een paus,' zei de augustijn. 'Dit is het kardinaalskostuum van Karol Wojtyla. Juist, van Johannes Paulus II. Als een kardinaal tot paus gekozen wordt, moet hij hier zijn oude kleding achterlaten, tot aan zijn schoenen toe. Hij legt hier werkelijk zijn oude leven af.'

Als bewijs legde hij een rood kalotje op tafel. Ik dacht er het hoofd van de Poolse paus bij.

'U mag het wel aanraken hoor.' Dat deed ik maar niet.

En door gingen we. Langs een eindeloze reeks priestergewaden, het ene nog mooier dan het andere. Sommige kazuifels dateerden uit de zeventiende eeuw.

'Jammer dat ze nooit meer gedragen worden. Dat zou nog best kunnen.'

Apotheose van de rondleiding was de kamer waarin het liturgisch vaatwerk van de paus was opgeslagen: miskelken, ciboriën, patenen en ampullen.

'Allemaal geschenken. De paus hoeft er geen cent aan uit te

geven. Regelmatig geeft hij ook kelken weg.'

Twee voorwerpen sprongen eruit: een eenvoudige kelk, meer een bekertje, die de Tsjechische kardinaal Beran in gevangenschap gebruikte om de mis te vieren, en een blinkend gouden set die Johannes Paulus II ooit cadeau kreeg toen hij de Ferrari-fabrieken bezocht. Ik keek er eens goed naar, en ja hoor, op de kelk stond, fier als altijd, het Ferrari-paard afgebeeld.

Eigenlijk is de pauselijke sacristie één groot bewijs van de continuïteit van het pausschap. De ene mijter volgt de andere op, het borstkruis van Pius XI ligt naast dat van Paulus VI, een koorkap uit de tijd van Urbanus VIII (zeventiende eeuw) hangt naast het kardinaalskostuum van Johannes Paulus II. Benedictus heeft oog voor de historische betekenis van liturgische kleding. Zo draagt hij regelmatig een met diamanten versierde mijter die nog van Pius IX (1846-1877) is geweest om te laten zien dat hij slechts de volgende is in een lange rij pausen. Als hij in september 2010 Carpineto Romano bezoekt, de geboorteplaats van paus Leo XIII, draagt hij bewust een borstkruis van zijn voorganger. Hij wil maar zeggen: ik ben niets bijzonders. (Johannes Paulus II droeg wat in de sacristie klaarlag en zette jarenlang gewoon dezelfde mijter op.)

Die continuïteit als het gaat om pauselijke kleding past bij de opvattingen die Benedictus over liturgie heeft. Niet de mens, en zelfs niet de paus, staat centraal in de eredienst, maar God. De ideale liturgie is in de ogen van Benedictus sober, met veel ruimte voor stilte, zomin mogelijk gedoe en geen figuranten, en beantwoordt aan de lange traditie van de Kerk. Geen ritmisch eigentijds gezang, meeklappen of andere vormen van vrolijke creativiteit. Liturgie is hemels en niet van deze wereld. 'In onze vorm van liturgie is er een tendens die volgens mij verkeerd is, namelijk de volkomen "inculturatie" van de liturgie in de moderne wereld,' heeft Benedictus ooit gezegd. 'Ze [de liturgie] moet dus nog korter worden en alles wat vermeend onbegrijpelijk is, moet eruit worden verwijderd; ze moet eigenlijk in een nog "plattere" taal worden omgezet. Maar daardoor wordt de essentie van liturgie en liturgische viering fundamenteel verkeerd begrepen. Want in de liturgie begrijpt men niet eenvoudig op rationele wijze, ongeveer zoals ik een lezing begrijp, maar op veelzijdige wijze, met alle zintuigen en door het opgenomen worden in een feest dat niet door de een of andere werkgroep is uitgevonden, maar dat uit de diepte van millennia en in laatste instantie uit de eeuwigheid tot me komt.'*

Die eeuwigheid moet je ook terugzien in de gewaden die de paus draagt, opgediept uit de schatkamers van de pauselijke sacristie.

En hoe zit het nu met de schoenen van Benedictus? Als Prada ze niet voor hem maakt, wie dan wel? Adriano Stefanelli, heet de gelukkige die met trots de titel *Calzolaio ufficiale del Papa* draagt: de schoenmaker van de paus. Hij heeft zijn winkel in Novara, zo'n vijftig kilometer van Milaan. Ook paus Johannes Paulus II kocht zijn schoenen daar. (Aanvankelijk kocht deze zijn schoenen in zijn vaderland Polen, om precies te zijn bij meester-schoenmaker Stanislaw Zmija uit Stanislaw Dolny, een plaatsje in de buurt van Wadowice, de geboorteplaats van Karol Wojtyla.)

Na de keuze van Benedictus XVI ontving Stefanelli een brief van de pauselijke privésecretaris met de vraag of hij ook voor de nieuwe paus schoenen wilde maken. Het moesten bordeauxrode, veterloze schoenen van geiten- of kangoeroeleer zijn. In een bijlage werden alle nodige orthopedische gegevens opgesomd. Elk paar kost ongeveer een maand om te maken, helemaal met de hand welteverstaan. Op zijn website www.adriano-stefanelli.it toont Adriano trots zijn collectie, waaronder de schoenen die hij voor Lech Walesa maakte en voor het automerk Ferrari. Ook het schoeisel dat hij voor de paus heeft gemaakt is daar te bewonderen. Benedictus, schoenmaat 42, heeft volgens Stefanelli 'een zeer gemiddelde voet'.

---

* Joseph Ratzinger, *Zout der Aarde*, Ten Have 1996, p. 175.

Stefanelli heeft nog een ander, hoger doel met zijn fabriekje. Hij stuurt regelmatig een paar schoenen naar leiders van andere christelijke Kerken. Zo ontving patriarch Kirill 1, leider van de Russisch-orthodoxe Kerk, al een pakketje uit Novara. En ook Bartholomeus 1, oecumenisch patriarch van Constantinopel en *primus inter pares* van alle oosters-orthodoxe patriarchen, loopt op instappers van Stefanelli. Met al die cadeaus wil de schoenmaker een bijdrage leveren aan de totstandkoming van de eenheid tussen Rome en die andere Kerken. Schoenen als stimulans voor de oecumene, kom er maar eens op.

De meest exclusieve herenclub ter wereld
De kardinalen

'Ik had een afspraak met de oogarts. Toen ik terugreed naar de stad vroeg ik mijn chauffeur om me af te zetten bij het Sint-Pietersplein, want er was een aankondiging die ik wilde horen. Ik ging achteraan in de menigte staan, er waren wel 30 000 mensen. Naast me stond iemand uit Polen die een beetje Engels sprak. Toen de paus de namen van de nieuwe kardinalen begon op te lezen, vroeg hij: "Kent u iemand van deze mensen?" Ik zei: "Ik ken ze bijna allemaal en ik ben er zelf een van." Hij keek me aan alsof ik gek was en liep toen weg.'

Op 17 oktober 2007 maakt paus Benedictus xvi bekend dat hij de intentie heeft om een maand later drieëntwintig nieuwe kardinalen te creëren, zoals dat in Vaticaanjargon heet. Onder hen is aartsbisschop John Patrick Foley, die het bovenstaande verhaal regelmatig met smaak opdist. 'Het is net een droom, zou ik willen zeggen. Het is een hele eer als de paus je kardinaal wil maken.'

Kardinalen zijn na de paus de belangrijkste geestelijken binnen de katholieke Kerk. Ze zijn de voornaamste adviseurs van de bisschop van Rome, en hun belangrijkste taak bestaat eruit om bij de dood van een paus een nieuwe te kiezen. Dat maakt kardinalen uniek. Er zijn er dan ook maar zo'n tweehonderd van: samen vormen ze de meest exclusieve herenclub van de wereld. Het kardinalaat is een rang, een ereambt dat alleen de paus kan verlenen. Kardinalen worden niet gewijd, zoals diakens, priesters en bisschoppen, maar gemaakt, of beter: gecreëerd. ('Uit het niets,' voegt kardinaal Ad Simonis daar graag aan toe.)

Mijn eerste ontmoeting met een kardinaal dateert van vrijdag 13 oktober 1978. In de Sint-Pieter was net de mis *Pro Eligendo Romano Pontifice* afgelopen, die voorafging aan het conclaaf waarin Karol Wojtyla tot paus gekozen zou worden. De kardinalen zwermden uit over het Sint-Pietersplein. Daar liep ik ook met mijn vader en moeder. Om me heen zag ik allerlei mensen op de kardinalen af lopen en hun ring kussen. Dat wilde ik ook wel. De eerste kardinaal die ik zag lopen, was de toenmalige aartsbisschop van Praag, Frantisek Tomásek. Mijn vader herkende hem. Ik liep op hem af en kuste nogal onhandig zijn ring. Maar mijn honger was niet gestild en ik liep op nog een kardinaal af. Klein, dik en met een grote bril op zijn neus. Ook bij hem kuste ik, weer vreselijk onhandig, zijn ring. Ik heb nooit geweten wie het was. Een paar jaar later vond ik de foto terug die mijn vader van dit gedenkwaardige moment maakte en pas toen herkende ik hem: kardinaal John Patrick Cody, aartsbisschop van Chicago en een van de meest omstreden leden van het Heilig College uit de recente kerkgeschiedenis. Zo ging het verhaal dat hij kerkgelden gebruikte om een minnares te onderhouden.

Ooit op een ijskoude winterdag stond ik voor zijn graf in de grafkapel van de aartsbisschoppen van Chicago, gelegen op de Mount Carmel Cemetery, waar ook Al Capone zijn laatste rustplaats vond. En ik zag dat dikke hoofd weer voor me toen hij, enigszins verbaasd, zijn ring liet kussen door een twaalfjarige jongen uit Nederland.

De oorsprong van het kardinalaat is onzeker. Kardinalen zijn er al zo'n 1700 jaar. De titel 'kardinaal' sloeg in de eerste eeuwen van de Kerk op een geestelijke (diaken, priester, bisschop) die was overgeplaatst naar een belangrijkere kerk in Rome: een zogenoemde hoofdkerk, een *ecclesia cardinalis*, ofwel een scharnierkerk (*cardo* is Latijn voor 'deurhengsel'). Iedere geestelijke die promotie had gemaakt in de kerkelijke hiërarchie en dus een voornamere positie bekleedde dan waar hij oorspronkelijk voor was gewijd – een scharnierfunctie – kreeg de naam *cardinalis*.

Deze naam bleef op den duur gereserveerd voor de voornaamste priesters van de achtentwintig hoofdkerken van Rome, later titel-kerken genoemd.

Kardinalen werden al spoedig betrokken bij het bestuur van de Kerk. Onder hen waren ook de diakens die zich bezighielden met de armenzorg in de verschillende wijken van Rome en de bis-schoppen van de zeven naburige bisdommen van Rome, de zoge-heten suburbicaire bisdommen: Ostia, Albano, Frascati, Palestri-na, Porto-Santo Rufino, Sabina-Poggio Mirteto en Velletri-Segno. Uit deze drie groepen van Romeinse geestelijken – priesters van hoofdkerken, voorname diakens en bisschoppen van de suburbi-caire bisdommen – heeft zich het College van kardinalen ontwik-keld. We zien die groepen nog steeds terug in de drie verschillende soorten kardinalen die er zijn: kardinaal-priesters, kardinaal-dia-kens en kardinaal-bisschoppen. De kardinaal-bisschoppen kiezen uit hun midden het hoofd van het kardinalencollege, de kardinaal-deken. Op dit moment is dat de Italiaanse kardinaal Angelo Sodano. Hij is een belangrijk man. De kardinaal-deken leidt de vergaderingen van kardinalen in de tijd dat er geen paus is. Ook gaat hij voor bij de begrafenis van de overleden paus en houdt hij de toespraak bij de mis die direct voorafgaat aan het conclaaf: de mis *Pro Eligendo Romano Pontifice*. Die toespraak wordt gezien als een verkiezingsprogramma voor een nieuwe paus. Na de dood van Johannes Paulus II vervulde de Duitse kardinaal Ratzinger deze functie. De prominente rol die hij vervulde in dit pausloze tijdperk heeft zeker bijgedragen aan zijn verkiezing tot paus.

De verdeling in drie typen kardinalen heeft vooral een ceremo-niële functie. Tegenwoordig zijn alle kardinalen priester en zijn er bisschoppen die kardinaal-diaken zijn. In de laatste eeuwen waren er drie kardinalen die nooit tot priester zijn gewijd: Ercole Consalvi (1757-1824) en Giacomo Antonelli (1806-1876) – beiden schopten het tot kardinaal-staatssecretaris, in functie de machtig-ste man na de paus – en kardinaal Teodolfo Mertel (1806-1899). Johannes XXIII besliste dat elke kardinaal ook bisschop moest zijn. Priesters die door de paus tot kardinaal worden gecreëerd moeten voordat ze daadwerkelijk de rode bonnet ontvangen nog tot bisschop worden gewijd. Je kunt echter dispensatie aan de paus vragen als je eenvoudig wilt blijven. Toen de paus in november 2007 kardinalen creëerde vroeg de stokoude franciscaner pater Betti (1922-2009) de paus om vrijgesteld te worden van het bisschopsambt en Benedictus stemde hierin toe. Tegenwoordig zijn kardinalen die in de Romeinse curie werken – het bestuursapparaat van de paus – kardinaal-diakens, zijn de kardinaal-bisschoppen allen curiekardinalen met een grote staat van dienst en zijn kardinaal-priesters vooral bisschoppen die een groot bisdom leiden. Toen aartsbisschop Simonis van Utrecht in 1985 tot kardinaal werd benoemd, werd hij kardinaal-priester.

In de elfde eeuw begon paus Leo ix ook geestelijken van buiten Rome tot kardinaal te benoemen. Zij moesten hun werk opgeven of het delegeren aan een ander en in Rome aan het pauselijk hof komen wonen. Ze werden opgenomen in de clerus van het bisdom Rome en kregen elk een eigen hoofdkerk toegewezen: hun titelkerk. Dit systeem bestaat tot op de dag van vandaag. Zo heeft kardinaal Simonis de San Clemente als zijn kerk in Rome.

Kardinalen vormden de senaat van de Kerk, en het was dan ook niet raar dat ze in 1059 het exclusieve recht kregen om een paus te kiezen. De paus behandelde met de in Rome aanwezige kardinalen in speciale bijeenkomsten de zogenoemde consistories, belangrijke zaken inzake dogma's, justitie en financiën. De naam 'consistorie' verwijst naar het vertrek waarin de Byzantijnse keizers met hun keizerlijke raad bijeenkwamen.

Eeuwenlang beleefde het kardinalencollege glorievolle tijden. Kardinalen stonden dicht bij de paus en daardoor dicht bij God. Ze leidden een leven vol rijkdom en aanzien, hun titel gaf hun een vorstelijke uitstraling. Zo kregen ze de bijnaam 'prinsen der Kerk'. Het maakte hen niet altijd even populair bij de bevolking van Rome, die niet goed kon velen dat geestelijken zo'n liederlijk leven leidden. Zo had kardinaal Giovanni de'Medici, een homoseksueel, zoveel pijn aan zijn anus van al het seksueel verkeer dat hij alleen liggend op een draagbaar kon deelnemen aan het conclaaf dat hem in 1513 koos tot paus (Leo x). Een populair Romeins volksdeuntje verbasterde het woord *cardinalis* in twee andere woorden: *cani* (honden) en *ladri* (boeven).

Na verloop van tijd werden voor speciale problemen ad hoc kardinalencommissies ingesteld, en dit leidde in de zestiende eeuw weer tot het oprichten van een soort ministeries, congregaties genaamd, die zich met een specifiek beleidsonderdeel bezighielden. Deze nieuwe bestuursvorm zou de macht van de kardinalen uiteindelijk verminderen.

Je bent kardinaal voor het leven, maar heel af en toe neemt er een kardinaal ontslag of verliest zijn waardigheid als kardinaal. De Franse kardinaal Louis Billot S.J. nam op 13 september 1927 ontslag als kardinaal na een meningsverschil met paus Pius XI. Billot was een enthousiast aanhanger van de Action Française, een conservatieve beweging met antisemitische en antidemocratische trekken. Pius vond dat de beweging het katholiek geloof gebruikte voor politieke doeleinden en verbood Franse katholieken lid te worden. Billot was woedend en diende dus zijn ontslag in. Acht dagen later willigde Pius zijn verzoek in. Billot stierf vier jaar later als een eenvoudige jezuïet.

Voor een priester wie het kardinalaat ontnomen wordt door de paus moeten we teruggaan naar de zestiende eeuw. Kardinaal Odet de Coligny de Chatillon wordt in 1533 op achttienjarige leeftijd kardinaal, maar paus Pius IV (1559-1564) verklaart hem in 1563 tot ketter omdat hij calvinist was geworden en ontneemt hem de waardigheid van kardinaal. Hij sterft uiteindelijk in Engeland, naar verluidt vergiftigd door een kamerheer.

Maar het meest opmerkelijke verhaal is toch dat van kardinaal Alfonso Petrucci, die samen met enkele andere kardinalen een complot beraamt om paus Leo x door vergiftiging te vermoorden. De paus ontdekt het plan, ontneemt hem het kardinalaat en ver-

oordeelt hem ter dood. Op 16 juli 1517 wordt hij in de Engelenburcht gewurgd.*

Op 23 november 2007 roept paus Benedictus alle 177 kardinalen naar Rome om samen met hen van gedachten te wisselen over
actuele kwesties. Een consistorie dus. Hij grijpt de gelegenheid
aan om drieëntwintig nieuwe kardinalen te benoemen. Ook zij
mogen meepraten. De bijeenkomst vindt plaats in de Sala del
Sinodo, gelegen boven de grote audiëntiezaal links van de Sint-
Pieter. Samen met een vijftiental collega's staan Bart, producer
Lidy Peters en ik achter een dranghek de kardinalen op te wachten. Een kwartier voor aanvang komen de eerste aangelopen:
oude, eerbiedwaardige mannetjes, van wie je je niet kunt voorstellen dat ze tot enig liederlijk gedrag in staat zijn. De meesten laten
zich pal voor de ingang van de vergaderzaal afzetten, een enkeling zit in een rolstoel of loopt met een rollator. De enige Nederlandse kardinaal, Simonis, is ook van de partij en arriveert per fiets
– een actie waarmee hij die avond het Italiaanse tv-journaal zal
halen. Hij zet zijn fiets tegen de muur van de audiëntiezaal aan.
Hij doet hem niet op slot, maar dat schijnt hier te kunnen.

Ook John Patrick Foley, die op het Sint-Pietersplein van de paus
officieel heeft gehoord dat hij kardinaal zou worden, is van de partij. Nog in het bisschoppelijk paars gekleed, want pas vanaf morgen mag hij in het rood.

'Hoe voelt u zich?' vraag ik hem.

'Niet goed,' antwoordt hij.

De dag ervoor zouden we elkaar treffen voor een interview,
maar toen ik bij zijn kantoor aan kwam lopen werd hij ziek afgevoerd in zijn dienstauto. Hij was getroffen door een aanval van
acute buikgriep. Foley is een curieveteraan die al zo'n vijfentwintig
jaar in het Vaticaan werkt. Hij was hoofdredacteur van het blad
van het aartsbisdom Philadelphia toen hem gevraagd werd om

---

* Kurt Martens, *De Paus en zijn entourage*, Davidsfonds 2003, p. 79.

naar Rome te komen en president te worden van de Pauselijke Raad voor de Sociale Communicatie. Met recht een promotie. (Zijn toenmalige aartsbisschop, kardinaal John Krol, was van Poolse origine en kwam veel bij Johannes Paulus II over de vloer. Die vroeg hem een keer of hij nog iemand wist om zijn belangrijkste adviesorgaan op het gebied van de media te gaan leiden. Krol hoefde niet lang na te denken en noemde meteen de naam van Foley.)

In zijn nieuwe functie mocht Foley erop rekenen dat hij kardinaal zou worden; hij kreeg tenslotte een hoge functie in de curie. Niet meteen misschien, maar toch wel op den duur. Toch werd hij bij kardinaalscreaties keer op keer overgeslagen. Waarom was niet helemaal duidelijk. Was het omdat zijn Mediaraad nou niet bekendstond om de briljante documenten die hij voortbracht? Of had hij een keer in een onbewaakt ogenblik iets verkeerds gezegd over of tegen de paus? Of was er iets in zijn persoonlijk leven dat het daglicht niet kon velen?

Ik had een beetje met hem te doen, want Foley was een beminnelijke man en ik gunde hem de rode hoed, de kardinalaat. Ik heb hem goed leren kennen bij de verslaggeving van de pauselijke zegen *Urbi et Orbi*, met Kerstmis en Pasen. Hij zat altijd achter me op de commentaarpositie, praatte wat meer dan ik en als ik dan stilviel hoorde ik zijn sonore stemgeluid luid en duidelijk. Met Pasen bedankte hij me altijd uitbundig voor de bloemen, alsof ik die allemaal persoonlijk had geteeld en voor hem in een vaas had gezet. 'Dankjewel, dankjewel voor de bloemen,' klonk het dan menigmaal. Lidy en ik liepen een keer op eerste paasdag terug naar mijn hotel nadat we verslag hadden gedaan van de zegen *Urbi et Orbi*, toen we Foley tegenkwamen in het gezelschap van zijn landgenoot aartsbisschop William Levada, die net was benoemd tot prefect van de Congregatie voor de Geloofsleer. 'En dit zijn nu mevrouw Lidy Peters en Stijn Fens van de KRO, uit Holland.' Levada gaf me een hand, keek me doordringend aan en zei zacht op *Candlelight*-toon: '*Stijn, thank you for the flowers.*'

Foley sprak zich niet uit over het feit dat hij maar geen kardinaal werd en liet ook nooit iets van teleurstelling blijken. Net toen het leek alsof het er niet meer van zou komen, keerden plotseling zijn kansen. In juni 2007 werd hij bij de deken van het kardinalencollege Angelo Sodano geroepen. 'De Heilige Vader wil u graag kardinaal maken,' zei Sodano. 'Maar dat betekent wel dat u een andere functie krijgt.' Hij moest dus vertrekken bij de Mediaraad, maar kreeg er iets anders moois voor in de plaats.

De paus had besloten dat Foley Grootmeester van de Ridderorde van het Heilig Graf van Jeruzalem zou worden. Deze ridderorde dateert al uit de tijd van kruistochten en heeft als voornaamste taak de christenen in het Heilig Land te ondersteunen. Net als die andere katholieke ridderorde, die van Malta, beweegt ze zich op het snijvlak van politiek, adel en Kerk. De namenlijst telt tientallen grootindustriëlen, topambtenaren en invloedrijke geestelijken. De Orde van het Heilig Graf kwam in opspraak toen de commandeur van de orde op het Italiaanse eiland Sicilië werd beschuldigd van betrokkenheid bij de moord op de Italiaanse generaal Carlo Alberto dalla Chiesa in 1981. Wereldwijd zijn er zo'n 21 000 leden, mannen en vrouwen. Het hoofdkwartier bevindt zich in Rome, op een steenworp afstand van het Vaticaan. Er is ook een Nederlandse afdeling. De Grootmeester is altijd een kardinaal. Lange tijd was dat de Italiaanse kardinaal Carlo Furno, maar die was de vijfentachtig jaar inmiddels gepasseerd en mocht met pensioen. Foley kon hem opvolgen en zo kardinaal worden.

Maar op deze vrijdag, de dag voordat hij de rode bonnet uit handen van de paus ontvangt, is Foley nog alleen maar bisschop en dus in het paars. Net als de overige tweehonderd eminente heren heeft hij twee weken eerder van de deken kardinaal Sodano de agenda van de bijzondere vergadering met de paus per post ontvangen. Benedictus XVI wil met zijn meest dierbare adviseurs praten over de oecumene. De Heilige Vader verzorgt zelf de aftrap, waarna het verantwoordelijke hoofd van dienst, de Duitse kardinaal Walter Kasper, een inleiding houdt waarop de kardinalen en zij die dat nog moeten worden vrij mogen reageren. De paus luistert toe, maar praat zelf ook mee. Na de lunch en het middagdutje is er een vrije gedachtewisseling over de situatie van de Kerk in het algemeen. Hier kunnen de kardinalen dan zelf de onderwerpen aandragen.

Het klinkt allemaal mooi, maar het betekent in feite niets. De paus kan het allemaal vriendelijk aanhoren en er vervolgens helemaal niets mee doen. Het hele gebeuren doet denken aan die andere raadgevende en tevens machteloze instantie: de bisschoppensynode, een overlegorgaan van bisschoppen samen met de paus dat dateert van het Tweede Vaticaans Concilie.

Als alle kardinalen binnen zijn, gaan de toegangshekken, rechts van het Sant' Uffizio dicht: een teken dat de paus in aantocht is. Zwitserse gardisten en andere veiligheidsfunctionarissen stellen zich strategisch op. Even later rijdt er een zwarte Mercedes met het nummerbord scv 1 voor en stopt voor de ingang van de grote audiëntiezaal. Er staat een ontvangstcomité klaar dat bestaat uit de kardinalen Tarcisio Bertone en Angelo Sodano. Voor de laatste is het een extra feestelijke dag; hij is vandaag jarig. Maar het is een verjaardag met een bittere bijsmaak. Hij is tachtig jaar geworden en mag nu niet meer meedoen aan een volgend conclaaf. Desondanks feliciteert de paus hem hartelijk.

Als we teruglopen in de richting van het Sint-Pietersplein, komen we de Belgische kardinaal Godfried Danneels tegen. Hij heeft haast.

'Goedemorgen, eminentie, u bent te laat,' zeg ik tegen hem.

'Dat weet ik,' klinkt het bits.

Hij loopt snel door en als ik even later omkijk zie ik dat een Zwitserse gardist voor hem de deur opendoet en hem binnenlaat. Een kardinaal laat je altijd binnen, ook al is hij te laat.

De volgende dag is het zover. Al vroeg verzamelen de drieëntwintig nieuwe kardinalen zich bij de Sint-Pieter. Ze zijn al in het rood; alleen de rode hoed, de bonnet, ontbreekt nog. Die krijgen ze van de paus in de Sint-Pieter. Ik sta die ochtend bij de zijingang van de basiliek om de oude en nieuwe kardinalen op te wachten. Ik hoop Foley nog even te spreken op deze voor hem zo bijzondere dag. Hoe zou het met zijn gezondheid zijn? Uit alle hoeken en gaten lijken de bisschoppen en kardinalen tevoorschijn te komen. Een kleurrijk gezicht. Het doet nog het meest denken aan een Afrikaanse savanne aan het eind van de middag, waar dieren van allerlei pluimage bij een waterplas samenkomen om hun dorst te lessen. De zwakste broeders worden vlak voor de deur van de Sint-Pieter afgezet.

Foley zie ik niet, maar gelukkig komt onze eigen kardinaal Simonis vanuit het Casa Santa Marta op ons af gelopen. Hij voelt zich inderdaad lid van een select gezelschap. 'Er zijn maar zo'n tweehonderd kardinalen in de hele wereld, dus in die zin schrijf je al snel geschiedenis.' Hij denkt vandaag aan zijn moeder. 'Toen bekend werd gemaakt dat ik kardinaal zou worden belde ze me op en zei: "Nu wordt je verantwoordelijkheid nog groter."'

Als tweede van het gezelschap nieuwe kardinalen mag aartsbisschop Foley naar het hoofdaltaar van de Sint-Pieter lopen om uit handen van de paus de bonnet met die bijzondere kleur in ontvangst te nemen. Hij knielt neer en Benedictus zet de bonnet op zijn hoofd, terwijl hij in het Latijn zegt welke titelkerk Foley toegewezen krijgt: de San Sebastiano al Palatino, een eeuwenoud kerkje gelegen te midden van de ruïnes van het Forum Romanum. 'Vrede zij met u,' zegt Benedictus nog, en het is alweer gebeurd. Ontroerd loopt Foley terug naar vak K van de Sint-Pieter, waar de andere kardinalen hem hartelijk welkom heten bij de meest exclusieve herenclub ter wereld door hem innig te omhelzen.

's Middags recipiëren de nieuwe kardinalen in de prachtige renaissancezalen van het Apostolisch Paleis. Ieder heeft zijn eigen hoekje. Een bordje geeft aan met welke nieuwe kardinaal we van doen hebben. Foley deelt de prachtige Sala Regia met de Argentijnse aartsbisschop Leonardo Sandri, prefect van de Congregatie voor de Oosterse Kerken, en sinds een paar uur net als Foley kardinaal. Het is enorm druk. Honderden mensen, die geen van allen zijn gefouilleerd, nemen de gelegenheid te baat de nieuwe prinsen der Kerk geluk te wensen.

Zo'n receptie is ook een uitstekende gelegenheid om te netwerken. Zeker voor priesters die vooruit willen komen in de wereldkerk. Zo kom ik een jonge pastoor uit Noord-Holland tegen die met zijn ouders alle nieuwe kardinalen af gaat. Je weet nooit waar het goed voor is. En ook rector Jan Hendriks, rector van het priesterseminarie van het bisdom Haarlem-Amsterdam, sluit achteraan bij een van de lange rijen. 'Ik ken twee van de nieuwe kardinalen goed,' vertrouwt hij me toe. 'En het kan nooit kwaad eens met een paar mensen bij te praten.'

Overigens is het een atypische receptie: je krijgt niets te drinken, je kunt nergens je jas kwijt en er is geen cadeautafel. Ik ben een van de weinigen die een kleinigheid voor kardinaal Foley hebben meegenomen. Als ik aansluit in de rij zie ik dat deze opwindende dag zijn tol heeft geëist. Foley is erbij gaan zitten en ziet er vermoeid uit. Toch heeft hij voor iedereen een vriendelijk woord. Naast hem staat zijn boomlange Nederlandse secretaris, die iedereen die Foley heeft gefeliciteerd een klein aandenken geeft: een kaartje met op de ene kant een foto van de nieuwe kardinaal en op de andere kant diens bisschopswapen (met daarin prominent het vijfvoudige kruis van de Orde van het Heilig Graf van Jeruzalem) en de bijbehorende wapenspreuk *Ad Maiorem Dei Gloriam* ('Tot Grotere Glorie van God'), het motto van de jezuïetenorde.

Als ik eindelijk aan de beurt ben, geef ik hem een zak bloembollen. 'U hebt mij altijd bedankt voor de bloemen en nu kunt u ze zelf kweken.'

Hij lijkt verguld. 'Dankjewel,' zegt hij met een zwaar Amerikaans accent, en hij zucht nog maar eens diep. De rij achter me is nog lang.

Als je kardinaal bent, heb je het gemaakt in de katholieke

Kerk. Je bent een graag geziene gast en hebt als een van de weinige katholieken uitzicht om op een dag op de stoel van Petrus terecht te komen. Een kardinaal met een topfunctie in Rome heeft recht op een appartement: een woonkamer, een eetkamer, een studeerkamer, een slaapkamer en indien mogelijk nog een kamer met bijbehorende badkamer voor inwonend personeel. Soms heeft hij ook een huiskapel; dan hoeft hij geen kerk te zoeken voor het opdragen van de mis. Hij hoeft geen huur te betalen en krijgt een toelage van rond de 3000 euro. Daar moet dan wel het personeel van betaald worden en de kok, alsmede de auto en de eigen begrafenis. Ook het kardinaalskostuum moet zelf bekostigd worden, en dat komt algauw op zo'n 1500 à 2000 euro, afhankelijk van de stof. Kardinaal Foley vertelde dat hij één pak cadeau heeft gekregen van de Knights of Columbus, een katholieke liefdadigheidsinstelling uit de Verenigde Staten. 'Ze zijn mijn shirtsponsor. Het is handig een paar pakken te hebben, zeker als je zoveel reist als ik.'

De meeste kardinalen hebben weinig nodig. Ze worden vaak voor etentjes uitgenodigd, boeken krijgen ze cadeau en reizen worden in het algemeen voor hen betaald.* Maar kardinalen zijn toch vooral gewone mensen met gewone voorkeuren en liefhebberijen. Vaak zijn het ook echte mannen, die van bier, voetbal en gadgets houden. Zo heeft de Duitse kardinaal Cordes een schotel op zijn dak, zodat hij elke zondag naar *Tatort* kan kijken, en liet de Colombiaanse kardinaal Hoyos zo gauw het kon zijn appartement voorzien van supersnel draadloos internet, om zo optimaal contact met het thuisfront te hebben.

In 1054 is de Fransman Humbert van Silva Candida, benedictijner monnik van de abdij Moyenmoutier, de eerste niet-Italiaanse kardinaal. Hij leidde de delegatie die paus Leo IX in datzelfde jaar naar Constantinopel zond om het schisma tussen de Kerk van het Westen en die van het Oosten te voltrekken. Hij

* Smoltczyk, p. 152-154.

deponeerde persoonlijk de excommunicatiebul op het altaar van de Hagia Sophia, waarmee de patriarch van Constantinopel en alle orthodoxe gelovigen uit de Kerk werden verbannen.

Na Humbert is het kardinalencollege tot diep in de twintigste eeuw voornamelijk een Italiaanse aangelegenheid geweest. Pas onder Johannes XXIII (1958-1963) veranderde dat. Hij creëerde onder meer de eerste echte Afrikaanse kardinaal, de Tanzaniaan Laurean Rugambwa. Tegenwoordig weerspiegelt het kardinalencollege steeds beter de geografische reikwijdte van de wereldkerk. Al is van de 179 leden die het kardinaalscollege nu telt (peildatum 20 september 2010) nog steeds ruim eenvijfde – 38 om precies te zijn – Italiaan. Achttien van hen zouden op dit moment mogen meedoen aan een eventueel conclaaf, omdat ze jonger zijn dan tachtig.

Nederland is een klein land, ook in de rooms-katholieke Kerk: één aartsbisdom en nog zes andere bisdommen. Dat zie je ook terug in het aantal Nederlandse kardinalen; dat zijn er maar zeven geweest. Het feit dat Nederland drie eeuwen lang geen bisschoppelijke hiërarchie heeft gehad, heeft zeker bijgedragen aan dat geringe aantal. De eerste Nederlandse kardinaal is Adriaan Florenszoon Boeyens (1459-1523), die we beter kennen als Adrianus VI, de enige Nederlandse paus. (Of zevende Duitse paus. Het is maar hoe streng je met het begrip Heilig Rooms Rijk omgaat, waarover later meer.) Paus Leo X maakt hem in 1517 kardinaal en geeft hem de SS. Giovanni e Paolo als titelkerk. Deze naar twee gemartelde Romeinse officieren genoemde basiliek ligt op de heuvel de Celio en is gebouwd op de resten van een Romeins woonhuis. Als paus creëert Adrianus slechts één kardinaal, een Nederlander nog wel: zijn trouwe medewerker Willem van Enckenvoirt (1464-1534). Hij krijgt dezelfde titelkerk als de paus die hij zo trouw gediend heeft. De Nederlandse Kerk moet bijna drie eeuwen wachten voordat ze weer een prins van de Kerk in haar gelederen kan verwelkomen. In 1911 wordt Willem van Rossum (1864-1932), een pater redemptorist die lang in de Romeinse curie werkt, door paus Pius x tot kardinaal benoemd. Eerst krijgt hij de San Cesario als titelkerk, later de Santa Croce in Gerusalemme, een van de zeven belangrijkste kerken van Rome.

Onze volgende kardinaal is Jan de Jong (1885-1955), die het kardinalaat van Pius xii krijgt als erkenning voor de heldhaftige rol die hij in de Tweede Wereldoorlog heeft gespeeld. Voor hem is er de prachtige San Clemente, gelegen tussen het Colosseum en de Sint-Jan van Lateranen als titelkerk – wellicht omdat paus Sergius iii 'Clemens' als tweede naam gaf aan Willibrordus, de Engelse monnik die het christelijk geloof naar Nederland bracht, bij zijn bisschopswijding in het jaar 695. Die wijding vond plaats aan de vooravond van het feest van de Heilige Clemens.* Overigens wordt de San Clemente tijdens het consistorie van 18 februari 1946 eerst toegewezen aan kardinaal Glennon, aartsbisschop van Sint-Louis. Het is in die tijd nog gebruik dat je je titelkerk pas krijgt toegewezen als je je kardinaalshoed ook daadwerkelijk van de paus ontvangt. Kardinalen droegen in die tijd nog een echte hoed, de zogeheten *galera*, die eind jaren zestig officieel werd afgeschaft. Tegenwoordig krijgen de kardinalen alleen nog maar een bonnet.

Tijdens het consistorie is Glennon aanwezig, maar Jan de Jong is door ziekte verhinderd. Glennon krijgt de San Clemente als titelkerk, maar overlijdt nog geen drie weken later. Als Jan de Jong, weer aan de beterende hand, op 12 oktober 1946 naar Castel Gandolfo gaat om dan toch zijn kardinaalshoed in ontvangst te nemen, is de San Clemente inmiddels vrij en krijgt hij die als titelkerk. Na afloop van de ceremonie zegt Pius xii tegen de *maestro di camera*: 'Excellentie, wat een kardinaal!' Of Pius hierbij doelde op het stevige postuur van De Jong of op diens reputatie als krachtig leider van de Nederlandse Kerk is niet helemaal duidelijk.

* Martinus Muskens, *Op bedevaart, voor studie, voor overleg in Rome*, Pauselijk Nederlands College Rome 1988, p. 322.

Ook aartsbisschop Ad Simonis van Utrecht krijgt bij zijn kardinaalscreatie in 1985 de San Clemente als titelkerk. Nu is het gebruikelijk, zeker bij Amerikaanse kardinalen, dat de nieuwe titelhouders wat geld meenemen om hun titelkerk te laten opknappen. Zo niet Simonis. 'Ik heb alleen mezelf meegenomen,' zegt hij bij zijn eerste kennismaking met zijn nieuwe 'parochie'. Daar moesten ze het mee doen.

Op 3 maart 1960 ontvangt aartsbisschop Bernard Alfrink eindelijk de kardinaalshoed. Bij de eerste twee consistories van Johannes XXIII was hij overgeslagen – ook tot zijn eigen verbazing –, maar nu is het dan zover. Wereldlijke en kerkelijke autoriteiten spoeden zich op die bewuste donderdagochtend naar de Maliebaan om hem te feliciteren. 'We zullen maar gewoon blijven doen,' zegt Alfrink tegen zijn collega-bisschoppen.

'Aan ons zal het niet liggen,' antwoordt bisschop Mutsaers van Den Bosch gevat.*

Alfrink krijgt de San Gioacchino, in de deftige wijk Prati, als titelkerk, omdat de San Clemente al is vergeven aan de Italiaanse kardinaal Amleto Cicognani. De San Gioacchino is een indrukwekkend bouwwerk dat in Prati is neergezet bij het gouden priesterfeest van paus Leo XIII (geboren als Gioacchino Pecci), dat gevierd werd in 1888. Dicht bij het Vaticaan, zodat de paus er vanuit zijn raam naar kon kijken. Over de hele wereld werd geld ingezameld om de bouw van de kerk mogelijk te maken, ook in Nederland. Dat resulteerde in een heuse Hollandse kapel, waar te zien is dat de heilige Willibrordus het *pallium*, een ereteken voor aartsbisschoppen dat om de hals wordt gedragen, ontvangt uit handen van paus Sergius III, en hoe Lidwina van Schiedam op het ijs ten val komt.

Jo Willebrands (1909-2006) wordt in 1969 president van het Secretariaat voor Eenheid der Christenen, het Vaticaanse minis-

---

* Ton H.M. van Schaik, *Alfrink, een biografie*, Anthos 1997, p. 286.

terie voor Oecumene. Dit betekent dat hij automatisch kardinaal wordt. Hij heeft aanvankelijk de kerk van de SS. Cosmo e Damiano bij het Forum Romanum als titelkerk. In 1975 schuift hij op in de rangorde van kardinalen en wordt kardinaal-priester. Dat betekent dat hij ook een nieuwe titelkerk krijgt toegewezen. Dat wordt de San Sebastiano fuori le Mura, buiten de muren dus, bekend van de eronder gelegen catacomben. Sebastianus is de patroon van de Romeinse politie. Vele jaren werd Willebrands op 20 januari, de feestdag van de heilige, met groot vertoon naar de basiliek gebracht. Hij inspecteerde dan de erewacht, vierde de mis met de agenten en kreeg na afloop een kelk cadeau.

Het conclaaf
Hoogtepunt uit het leven van een kardinaal

Als na het overlijden van Johannes Paulus II de kardinalen zich hebben opgesloten in de Sixtijnse Kapel om een opvolger te kiezen, komt het RKK-programma *Kruispunt TV* elke dag met een pausjournaal. Leo Fijen praat in de studio in Hilversum met prominente gasten, er zijn leuke filmpjes, en bekende, volstrekt niet deskundige Nederlanders voorspellen wie de nieuwe paus zal worden.

Ook ik heb een rol in het pausjournaal. Ik sta in Rome met zicht op het schoorsteentje van de Sixtijnse Kapel en aan mij de taak te melden wanneer er rook uit komt. Vervolgens moet ik dan ook nog bepalen welke kleur die rook heeft. Dat valt nog niet mee.

De eerste aflevering van het pausjournaal wordt uitgezonden op maandag 18 april 2005, de dag waarop de kardinalen het conclaaf in zijn gegaan. Daar sta ik dan om half zeven 's avonds, klaar om live over de lijnen te komen. En ik heb niets te melden. De schoorsteen zwijgt en naar wat zich daarbinnen afspeelt kan ik slechts gissen. Toch haalt Leo me twee of drie keer in de uitzending met de vraag: 'Stijn, is er al rook?' Waarop ik, telkens in andere bewoordingen, moet melden dat dat niet het geval is: 'Nou, Leo, ik moet je teleurstellen, er valt nog niets te zien.' Later kan ik de humor er wel van inzien: al die duizenden journalisten die niets liever willen dan weten hoe het gaat met de keuze van een nieuwe paus en die niets anders kunnen doen dan naar een aftands schoorsteenpijpje kijken.

Ze zullen het zelf ontkennen, maar het conclaaf is het hoogtepunt in het leven van een kardinaal. In 1179 bepaalt paus Alexander III dat alleen kardinalen een paus mogen kiezen. (En dat hebben ze ook gedaan. Uitzondering is Martinus v, die in 1417 door tweeëntwintig kardinalen én afgevaardigden van de vijf grote katholieke naties werd gekozen in een poging de paus in Avignon af te zetten en de roomse Kerk weer te verenigen onder één Romeinse paus.) Ook bepaalt Alexander dat een kandidaat tweederde van de stemmen moet halen om tot paus gekozen te worden. Pius xii maakte daar in 1945 tweederde plús één van (zodat iemand niet door op zichzelf te stemmen winnaar kon worden). Johannes Paulus ii schafte dit weer af; alleen als het aantal kiesgerechtigden niet door drie te delen was werd het weer tweederde plus een.

De term 'conclaaf' komt van het Latijnse *cum clave*, oftewel: met een sleutel. In 1268 overlijdt paus Clemens iv en negentien kardinalen komen in Viterbo, vlak bij Rome, bijeen om een opvolger te kiezen. Het duurt vervolgens drieëndertig maanden, bijna drie jaar, voordat ze overeenstemming hebben bereikt – de langste pausloze periode uit de geschiedenis. Als er almaar geen paus gekozen wordt besluiten de inwoners van Viterbo de kardinalen op te sluiten in de vergaderzaal, hen op water en brood te zetten en een deel van het dak te verwijderen, zodat 'de Heilige Geest wat makkelijker naar binnen kan'. In een brief van 6 juni 1270 vragen de achttien overgebleven kardinalen (kardinaal Giordano dei Conti Pironti da Terracina is dan inmiddels overleden) of twee zieke kardinalen het gebouw uit mogen, of het dak hersteld kan worden en of ze weer toegang krijgen tot de toiletten. Als hun eisen niet worden ingewilligd, wordt de gehele bevolking van Viterbo geëxcommuniceerd, dreigen de kardinalen. Na enkele dagen wordt het dak gerepareerd, kunnen de prelaten weer naar het toilet en na enkele weken wordt ook de voedselvoorziening hersteld. Toch duurt het nog ruim een jaar voordat de kardinalen een nieuwe paus kiezen.

Ze komen uit bij een buitenstaander: Tebaldi Visconti, geen kardinaal en op het moment van zijn uitverkiezing aartsdiaken van Luik. Hij neemt de naam Gregorius x aan. In 1274 stelt hij door middel van de apostolische constitutie *Ubi Periculum* het conclaaf officieel in met de bedoeling om de Sede Vacante-periode – de tijd dat de Stoel van Petrus niet bezet is – zo kort mogelijk te houden. Terugdenkend aan zijn eigen uitverkiezing moet hij gedacht hebben: dit nooit meer. Hij schrijft een strenge constitutie. Na de dood van de paus moeten de kardinalen in het paleis waar het overlijden heeft plaatsgevonden in een afgesloten ruimte bij elkaar komen om een opvolger te kiezen. Ze mogen geen boodschappen verzenden noch ontvangen, en als het conclaaf eenmaal geopend is mogen er geen kardinalen meer naar binnen. De meeste conclaven vinden in Rome plaats, maar pas vanaf de keuze van Leo xiii in 1878 komen de kardinalen in de Sixtijnse Kapel bij elkaar.

Elke paus voelt de behoefte om zijn eigen regels toe te voegen. Zo bepaalt paus Paulus vi dat het aantal kiesgerechtigde kardinalen maximaal 120 mocht zijn en kardinalen van boven de tachtig niet meer mee mochten doen aan het conclaaf. Dit leidt bijna tot een opstand onder de oudere kardinalen. Johannes Paulus ii bepaalt dat als er na drieëndertig stemrondes nog geen kardinaal is die tweederde van zijn collega's achter zich krijgt ook een gewone meerderheid voldoet. Benedictus draait deze regel weer terug. Volgens critici kan een blok kardinalen rond een kandidaat op deze manier namelijk zijn verkiezing doordrukken.

Ik liep eens met kardinaal Simonis over het Sint-Pietersplein toen ons een mij onbekende kardinaal passeerde. 'Wie is dat?' vroeg ik aan Simonis. 'Al slaat u me dood, meneer Fens.' Deze kardinaal zou zomaar de nieuwe paus kunnen zijn.

Kardinalen raden, het blijft een van mijn favoriete bezigheden. Ook nu kan ik het niet laten. Het is 18 april 2005 en ik volg op mijn kamer in Hotel Michelangelo, op een steenworp afstand van de Sixtijnse Kapel, op televisie het begin van het conclaaf. Honderdvijftien kiesgerechtigde kardinalen verzamelen zich in de Sala delle Benedizioni, gelegen direct achter het balkon van de Sint-Pieter. Als alle kardinalen aanwezig zijn, begint Joseph Ratzinger, de deken van het kardinalencollege, met de rite van intreding. Hij lijkt zich maar al te goed bewust van het historisch gewicht van dit moment en bidt, heel ernstig in het Latijn: '*Venerabiles fratres: cum sacris litaverimus...*' 'Eerwaarde broeders, nadat we de goddelijke mysteriën hebben gevierd, gaan wij nu in conclaaf om de Romeinse pontifex te verkiezen. De gehele Kerk, met ons in gebed verenigd, roept op dit moment de genade van de Heilige Geest aan, opdat wij een waardige Herder van de kudde van Christus verkiezen. Moge de Heer ons leiden op het pad der waarheid, zodat wij op voorspraak van de Heilige Maagd Maria, van de Heilige Apostelen Petrus en Paulus en alle heiligen, altijd zullen doen wat hem behaagt.'

En daar gaan ze op weg, langzaam lopend op dat pad der waarheid. Voorop een acoliet met kruis, daarachter de Italiaanse aartsbisschop Monteresi, secretaris van de Congregatie voor de Bisschoppen en ook secretaris van het conclaaf. Hij moet erop toezien dat alles in het conclaaf reglementair verloopt. Naast hem loopt de magere, vijfentachtigjarige Tsjechische kardinaal Spidlik. Hij mag vanwege zijn leeftijd zelf niet meedoen aan het conclaaf, maar zal als buitenstaander de kardinalen toespreken voordat de stemrondes aanvangen: een heuse peptalk.

Na Monteresi en Spidlik volgen de pauskiezers. Ze schrijden voort in een volgorde die bepaald wordt door hun plaats in het college van kardinalen. De eerste groep is die van de kardinaal-diakens, de tweede die van kardinaal-priesters. Onder hen, met stok, kardinaal Simonis. Achteraan lopen de kardinaal-bisschoppen. Dan volgt een diaken met het evangelieboek. De processie wordt afgesloten door kardinaal-deken Ratzinger en aartsbisschop Piero Marini, die verantwoordelijk is voor de liturgische vieringen van de paus. Als iedereen in de Sixtijnse Kapel is aangekomen, wordt de hymne van de Heilige Geest, het *Veni Creator Spiritus*, aangeheven.

Naast de 115 kiesgerechtigde prinsen van de Kerk is de Heilige Geest de honderdzestiende en, als je de kardinalen mag geloven, belangrijkste pauskiezer. Voor aanvang van het conclaaf valt Zijn of Haar naam regelmatig.

Het is niet gebruikelijk dat pauskiezers iets loslaten over de enorme uitdaging die voor hen ligt, laat staan dat ze zeggen op wie ze gaan stemmen. Ik probeer het bij kardinaal Simonis, de dag voordat hij het conclaaf in gaat. Hij geeft toe dat hij al weet op wie hij gaat stemmen. 'Nu hebben wij een probleem. U weet iets dat ik graag wil weten. Hoe gaan we dat aanpakken?' Maar hij trapt er niet in. Wel verklapt hij zijn kamernummer in de Casa Santa Marta, het driesterrenhotel in het Vaticaan waar de kardinalen tijdens het conclaaf verblijven: 409. (Hij heeft een bijzondere buurman, zo blijkt later. In de kamer rechts van hem verblijft kardinaal Joseph Ratzinger. Ze staan regelmatig samen in de lift tijdens de twee dagen dat het conclaaf zal duren.) Meer dan zijn kamernummer laat Simonis echter niet los. Ook hij haalt de Heilige Geest aan; die zal de kardinalen wel helpen, meent Simonis. Veel kardinalen noemen de Heilige Geest hun belangrijkste bondgenoot tijdens het conclaaf. Slim, want zo haal je de verantwoordelijkheid bij jezelf weg en benadruk je het geestelijke karakter van de bijeenkomst. Maar natuurlijk is de werkelijkheid niet zo mooi. Pauskeuzes staan in de loop der geschiedenis bol van machtsspelletjes, gekonkel en wel en niet uitgesproken ambities.

In de Sixtijnse Kapel gaat elke kardinaal zitten op een van tevoren aangewezen plek. Het evangelieboek wordt in het midden geplaatst, *ut celebrationibus et deliberationibus Cardinalium praesit usque ad electionem Romani Pontificis,* 'om de beraadslagingen voor te zitten', staat er letterlijk in het liturgisch handboek voor het conclaaf, de *Ordo Rituum Conclavis*. Het evangelieboek als dagvoorzitter. Vervolgens leggen alle kardinalen, in een sublieme choreografie, een eed af dat ze zich aan de regels van het conclaaf zullen houden. Je kunt aan deze clericale krasse knarren zien dat ze ooit, lang geleden, als misdienaar zijn begonnen en dus al tientallen jaren weten hoe ze zich in een gewijde ruimte moeten gedragen.

Een voor een komen ze naar voren en raken met hun rechterhand het evangelieboek aan. 'En ik, kardinaal Simonis, beloof, verplicht mij hiertoe en zweer het.' De hand blijft liggen, waarna hij eraan toevoegt: 'Zo helpe mij God en dit Heilige Evangelieboek dat ik nu met mijn hand aanraak.' En dat 115 keer achter elkaar.

Johannes Paulus 11 legt er in zijn constitutie *Universi Dominici Gregis* uit 1996 sterk de nadruk op dat alles wat zich in het conclaaf afspeelt geheim moet blijven. De zwijgplicht geldt niet alleen voor de deelnemers aan het conclaaf, maar ook voor die eminenties die vanwege hun leeftijd van de pausverkiezing zijn uitgesloten. Die waren er namelijk verantwoordelijk voor dat in 1978 het verhaal van zijn eigen uitverkiezing al een paar maanden na het conclaaf op straat lag, met stemverhoudingen en al.

Er wordt wat geheimhouding betreft niets aan het toeval overgelaten. Tussen de kardinalen en de buitenwereld mag op geen enkele wijze contact bestaan. Technici hebben de Sixtijnse Kapel en de ruimtes daaromheen minutieus onderzocht op afluisterapparatuur en andere verboden elektronica. In het conclaaf worden geen televisie, radio, computers en kranten toegelaten. De kardinalen hebben hun mobiele telefoon in de Casa Santa Marta moeten achterlaten en bovendien is er geen bereik. (Voor zover ik weet zijn de prinsen der Kerk niet gefouilleerd voordat ze het conclaaf binnengingen.) Alleen in het kantoor van de kardinaal Camerlengo – hij beheert het bezit en het geld van de Heilige Stoel als er geen paus is, en is zodoende ook verantwoordelijk voor het conclaaf – staat een telefoon die in noodgevallen gebruikt mag worden. Al deze maatregelen zijn niet alleen bedoeld om te zorgen dat niets het conclaaf kan verlaten, maar ook om te zorgen dat er niets in komt. De kardinalen moeten in alle rust hun belangrijke taak kunnen uitvoeren en mogen niet gestoord worden door de buitenwereld en zijn machthebbers.

Tot het begin van de twintigste eeuw kunnen katholieke vorsten zich nog zodanig met het conclaaf bemoeien dat ze zelfs hun veto over een bepaalde kandidaat mogen uitspreken. Dit recht van uitsluiting werd voor het laatst in het conclaaf van 1903 toegepast door kardinaal Jan Puzyna, aartsbisschop van Krakau, die het conclaaf ervan op de hoogte stelde dat keizer Frans Jozef van Oostenrijk en Hongarije zich verzette tegen de verkiezing van kardinaal Mariano Rampolla, een van de favorieten in het conclaaf en onder Leo XIII kardinaal-staatssecretaris. De keizer was bang dat onder paus Rampolla het pro-Franse beleid van Leo XIII zou worden voortgezet. Rompolla kreeg na het uitspreken van het veto alleen nog maar meer stemmen, want de kardinalen waren kwaad over de actie van Puzyna, maar redde het uiteindelijk toch niet. Giuseppe Sarto, die uiteindelijk wel paus werd en de naam Pius X aannam, schafte dit recht van uitsluiting trouwens meteen af.

Het is op de eerste conclaafdag in 2005 de grote vraag of de kardinalen die eerste middag meteen al gaan stemmen. Dat mag wel, maar hoeft niet. Het lijkt er in eerste instantie niet op. Ik sta keurig klaar en hoor in mijn linkeroor Leo Fijen in de studio stoeien met een gast, maar er gebeurt niets. Geen rook. Als we met de hele ploeg naar het restaurant lopen om te gaan eten, stel ik voor om toch nog even het plein op te gaan. Even later – het is inmiddels al een uur of acht – is er alsnog rook, en wel zwarte: nog geen paus. De kardinalen zijn meteen gaan stemmen.

Later zal duidelijk worden dat kardinaal Ratzinger bij de eerste stemming al meteen ruim veertig stemmen had. Daarmee was hij het conclaaf al binnengegaan. Het is natuurlijk mooi om de Heilige Geest aan te roepen, maar in feite is er al sinds Kerstmis 2004 hard aan zijn kandidatuur gewerkt. Een select groepje kardinalen onder leiding van de Venetiaanse patriarch Angelo Scola, Tarcisio Bertone (dan nog aartsbisschop van Genua) en de Weense kardinaal Christoph Schönborn zag dat de dagen van Johannes Paulus II nu echt geteld waren en beschouwde Ratzinger als de ideale kandidaat om zijn werk voort te zetten. Continuïteit is het toverwoord. En dus laten de oudere heren de naam van hun kandidaat op het juiste moment tegenover deze en gene collega vallen – alles natuurlijk met uiterste discretie. Hun werk is niet tevergeefs. Als de kardinalen naar Rome komen om Johannes Paulus II te begraven en een nieuwe opvolger van Petrus te kiezen, hebben ze voor hun kandidaat al een flink aantal zetels verzameld.

Daarbij hebben de supporters van Ratzinger het grote geluk dat hun kandidaat deken van het kardinalencollege is en daarom een grote rol speelt in de periode voorafgaand aan het conclaaf. Zo leidt hij de congregaties, de dagelijkse vergaderingen van kardinalen die tijdens de Sede Vacante-periode gehouden worden. Ook houdt hij de preek tijdens de uitvaart van Johannes Paulus II, waarin hij de Poolse kerkvorst heilig verklaart nog voordat het officiële proces daartoe is begonnen. (Hij leek daarmee gehoor te geven aan de roep uit het publiek op het Sint-Pietersplein, dat zijn woorden onderbreekt met applaus en een luidkeels: '*Santo subito!*' ('Maak hem meteen maar heilig'). Ten slotte gaat Ratzinger voor tijdens de mis *Pro Eligendo Romano Pontifice*, de traditionele mis voordat de kardinalen het conclaaf in gaan. Hierin trekt hij fel van leer tegen wat hij ziet als de dictatuur van het relativisme en de kwalen van de moderne tijd, zoals daar zijn: marxisme, liberalisme, collectivisme en radicaal individualisme. 'Alsof de mensen van vandaag alleen nog in hun eigen ego en in hun eigen verlangens een maatstaf kunnen vinden. Maar christenen hebben een andere maatstaf: Christus. In Hem vallen liefde en waarheid samen.'

De toespraak maakt grote indruk en wordt – hoogst opmerkelijk – af en toe met applaus begroet door de kardinalen. De topfavoriet voor het pausschap heeft met succes zijn verkiezingsprogramma gepresenteerd. De kardinalen die al een voorkeur voor de Duitse kardinaal hadden zijn in hun keuze bevestigd en er is ook een aantal nieuwe stemmen gewonnen. Schönborn, Bertone en Scola kunnen tevreden zijn. Ratzinger lijkt ook geen sterke tegenstanders te hebben. De progressieve kardinalen groeperen zich rond Carlo Maria Martini, oud-aartsbisschop van Milaan, maar een sterke troef hebben ze niet in handen. Dionigi Tettamanzi, de huidige aartsbisschop van Milaan, was jarenlang koploper, maar is nu over zijn hoogtepunt heen. Godfried Danneels, aartsbisschop van Mechelen-Brussel en lieveling van de linkse pers, ligt slecht bij de Romeinse curie en heeft bovendien over zijn eigen kandidatuur in de pers gesproken. Dat doe je niet, vinden veel van zijn collega's, en Danneels is meteen kansloos voor het pausschap.

Op dinsdag 19 april zet Ratzinger zijn opmars voort, zonder dat er een serieuze tegenbeweging op gang komt. Het lijkt er eerst op dat Ratzinger het tijdens de ochtend al redt. Uit een reconstructie blijkt dat hij slechts enkele stemmen tekortkomt voor de eindoverwinning. Als de kardinalen zich 's middags rond half vijf in de Sixtijnse Kapel verzamelen om te gaan stemmen, loopt Carlo Maria Martini, de leider van het progressieve kamp, ondersteund door Joseph Ratzinger, naar zijn zetel. De al aanwezige kardinalen zijn ontroerd: zou er een verzoening hebben plaatsgevonden? Als blijkt dat hij nu echt paus dreigt te worden – veel kardinalen turven mee – zit hij met zijn hoofd in zijn handen en lijkt hij verdoofd. Als voor de zevenenzeventigste keer de naam Ratzinger klinkt, stijgt er een luid applaus op. Wanneer alle stembriefjes zijn opgelezen blijkt hij zo'n honderd stemmen te hebben gekregen. Vijftien kardinalen weigeren met de overgrote meerderheid mee te gaan.

Het is voorschrift dat de deken van het kardinalencollege op de net gekozen paus af stapt en hem de vraag stelt of hij zijn uitverkiezing aanvaardt. De nieuw gekozen paus heeft dan zijn kardinaalskleren nog aan. Maar Ratzinger vraagt of hij zich eerst mag omkleden en verdwijnt in de sacristie van de Sixtijnse Kapel, om er even later in het pauselijk wit weer uit te komen. Omdat Ratzinger zelf deken was van het kardinalencollege, moet vicedeken Sodano hem nu de vraag stellen of hij zijn ambt aanvaardt. Hij loopt op Ratzinger af en stelt hem die ene belangrijke vraag: *'Acceptasne electionem de te canonice factam in Summum Pontificem?* – Aanvaardt u uw wettige uitverkiezing als paus?'* Ratzinger antwoordt: *'Accepto.'* Hij aanvaardt de uitverkiezing. *'Quo nomine vis* *vocari?'* 'Onder welke naam zult u door het leven gaan?' vraagt Sodano hem. *'Vocabor Benedictus,'* antwoordt Ratzinger. Benedictus XVI dus.

Onder begeleiding van de pauselijke ceremoniarius Piero Marini, die net het conclaaf is binnengelaten, gaat de nieuwe paus terug naar de sacristie van de Sixtijnse Kapel. Het geeft hem de gelegenheid even rustig te zitten en tot zich te laten doordringen wat hem in 's hemelsnaam overkomen is. Hij kan nu niet meer terug.

In de Sixtijnse Kapel heerst ondertussen grote paniek. De stembriefjes worden in het kacheltje gegooid en chemicaliën worden erbij gevoegd, om zo witte rook te bereiken. Door een defect aan de schoorsteen slaat de rook echter naar binnen en niet, zoals de bedoeling is, naar buiten. Het leidt tot heftige hoestbuien onder de kardinalen.

Om 17.55 uur is er witte rook. Zo lijkt het, althans. Een aantal zwarte rookpluimen brengt de menigte op het Sint-Pietersplein in verwarring. Ook ik weet niet of we nu een nieuwe paus hebben of niet. Een collega tettert vanuit Hilversum in mijn oor dat de rook zwart is. 'Dat beweert Associated Press, Stijn.'

Het wachten is op de klokken, die gaan luiden als de rook wit bedoeld is en er inderdaad een nieuwe paus gekozen is. Iemand zou vanuit het conclaaf een seintje geven aan het Vaticaanse hoofd Klokkenluiden. Vijf minuten later klinkt er een begin van luiden, maar het blijkt het normale geluid van zes uur te zijn.

Als even later de klokken van de Sint-Pieter in alle hevigheid losbarsten, is het duidelijk dat er een opvolger voor paus Johannes Paulus II is gevonden. Ik loop op dat moment samen met mijn Zwitserse collega Beatrice naar onze commentaarposities. We hebben de afgelopen weken een beetje met elkaar opgetrokken. We stonden vaak naast elkaar, ieder voor zijn eigen camera, om de kijkers in Nederland en Zwitserland bij te praten over dit pausspektakel.

'Het is Ratzinger, hè?' vraagt ze een beetje angstig.

'Ik ben bang van wel,' zeg ik.

'Een uur geleden heb ik nog gezegd dat hij geen enkele kans maakte. Hoe praat ik dat goed?' vraagt ze zich wanhopig af.

Om 19.00 uur betreedt kardinaal Jorge Medína Estévez het balkon van de Sint-Pieter. Hij mag als kardinaal-protodiaken, de langst zittende kardinaal-diaken, het beroemde *Habemus Papam*, 'We hebben een paus' uitspreken. De spanning is te snijden. Ook ik ben zenuwachtig. Niet alleen vanwege de mededeling die deze Chileense kardinaal ons komt doen, maar ook doordat men er in Nederland niet in slaagt mij live in de uitzending te krijgen. De geluidstechnicus van dienst doet normaal gesproken showprogramma's en is onbekend met dit soort grote internationale evenementen. En dus sta ik er, terwijl achter me geschiedenis geschreven wordt, voor spek en bonen bij.

Er stromen nog duizenden mensen naar het Sint-Pietersplein als Medína begint: '*Annuntio vobis, gaudium magnum. Habemus Papam. Eminentissimum ac Reverendissimum Dominum. Dominum Josephum.*' Jozef! Dat kan alleen maar Ratzinger zijn. (Het had ook de Poolse kardinaal Jozef Glemp kunnen zijn, maar die kwam op geen enkel lijstje voor en maakte geen schijn van kans.) Een paar seconden later komt de bevestiging: '*Sanctae Romanae Ecclesiae Cardinalem... Ratzinger!*'

Luid applaus, de menigte achter me is uitzinnig. Hij neemt de naam Benedictus XVI aan, een verwijzing naar de stichter van de benedictijner orde en patroon van Europa alsmede naar Benedictus XV, de vredespaus uit het begin van de twintigste eeuw. Ach, kon ik het allemaal maar zeggen. Nog altijd heb ik geen contact met Hilversum. In mijn oortje hoor ik hoe Martin Ros in de studio bijna bezwijkt onder het gewicht van dit historische moment.

De nieuwe paus staat ondertussen klaar om zich voor het eerst aan de buitenwereld te tonen. Kort daarvoor is er in het pauselijke gevolg lichte paniek uitgebroken. Benedictus had om een mobiele telefoon gevraagd, hij wilde zijn broer in Regensburg bellen om te zeggen dat hij paus geworden was, zodat deze het niet van de televisie hoefde te vernemen. Het viel nog niet mee een gsm te vinden. Iedereen die ook maar iets te zeggen had in het conclaaf had zijn telefoon keurig thuisgelaten. Uiteindelijk werd er toch een gevonden en kon de paus een uniek telefoongesprek gaan voeren. 'Georg, met je broer. Wat me nou toch is overkomen!'

Maar de nieuwe bisschop van Rome is te laat. Zijn broer weet het al.

Een ander soort ambitie
Werken voor de paus

Ga 's ochtends, zo tussen acht en half negen, op een bankje zitten in de buurt van het Vaticaan, en je ziet ze lopen: keurige priesters met aktetassen. Ze wandelen rustig, zijn iets te warm gekleed voor de tijd van het jaar en hebben geen haast. Ze vallen nauwelijks op tussen de toeristen. Dat willen ze ook niet, opvallen. Degenen die lopen vormen trouwens een uitzondering, want de meesten komen met de auto of de scooter. Maar ik hou het meest van de priesters die lopen. Ze weten het niet, maar soms volg ik zo'n priester stiekem, als hij rustig wandelend, zonder haast, verdwijnt achter de muren van het Vaticaan. Daar werkt hij dan een paar uur, anoniem, om rond een uur of twee weer tevoorschijn te komen en te verdwijnen, alsof hij nooit heeft bestaan.

In de Romeinse curie, het bestuurscentrum van de rooms-katholieke Kerk werken zo'n 4200 mensen. Een belachelijk laag aantal en nog geeneens een fractie van wat er op één Nederlands ministerie werkt. Het zijn niet allemaal priesters, maar de meesten wel. Ook zijn het niet allemaal mannen, al zijn de vrouwen er zwaar ondervertegenwoordigd, zeker als je bedenkt dat het merendeel van de rooms-katholieken wereldwijd vrouw is. Ze werken voor de vierentwintig congregaties, tribunalen en raden, ook wel dicasteries genoemd, die de curie rijk is. De congregaties hebben de meeste invloed, vooral omdat ze de langste geschiedenis hebben. Ze hebben vaak ook betere kantoren, die dichter bij de Sint-Pieter liggen. Maar het doel van de congregaties en de raden is in principe gelijk. Allen beslaan een nauwkeurig omschreven beleidsgebied. Dat kan zijn een type kerk (bijvoorbeeld de oosterse Kerken), een type persoon (bijvoorbeeld de religieuzen) of een type zaak (bijvoorbeeld de liturgie). In die zin zijn ze wél te vergelijken met de ministeries zoals we die in Nederland kennen. Aan het hoofd staat een kardinaal of een aartsbisschop, daaronder komen dan de secretaris – vaak ook een bisschop – en een ondersecretaris, in bijna alle gevallen ook een priester. Eén enkele raad heeft een leek als ondersecretaris, de Pauselijke Raad voor de Media. En twee congregaties hebben – niet schrikken – een vrouw als ondersecretaris.

Het Vaticaan heeft een topdown-structuur. De paus is almachtig. Zijn wil is wet, naar hem wordt altijd geluisterd, voor hem doet men het allemaal. Van de hoogste kardinaal tot de eenvoudigste suppoost, hij kijkt altijd over hun schouders mee. Letterlijk: geen kamertje is zo klein of er hangt wel een portret van Benedictus. Zijn meest directe medewerkers zijn de kardinaal-staatssecretaris (zijn rechterhand) en de prefecten en presidenten van de congregaties, pauselijke raden en tribunalen. Zij hebben nog enige macht, in de zin dat ze de leiding hebben over een eigen departement. Daaronder heeft niemand meer iets te zeggen. Secretarissen en ondersecretarissen zijn vooral uitvoerend en horen er geen eigen ideeën op na te houden. De medewerkers daar weer onder zitten in dezelfde positie: ze moet vooral zorgen dat het werk doorgaat. In feite worden de één miljard katholieken dus bestuurd door een absolute vorst en een kroonraad van iets meer dan twintig ongetrouwde, vaak al bejaarde heren. Daaronder bevinden zich honderden naamlozen.

'De meest ideale curiemedewerker is een grijze muis,' zegt monseigneur Walter Brandmüller, oud-voorzitter van de Pauselijke Raad voor Geschiedeniswetenschappen. 'Geen interviews, geen artikelen in tijdschriften, behalve dan in *L'Osservatore Romano*. Roem is iets dat in het Vaticaan niet op prijs wordt gesteld.'*

* Smoltczyk, p. 81.

Carrières in het Vaticaan duren lang: dertig, vaak veertig jaar. De meeste kans op succes heb je als je je zo snel mogelijk onder bescherming stelt van een *padrone*, iemand hoog in de organisatie aan wie je loyaal bent en die in ruil daarvoor over jouw belangen – lees: carrière – waakt. Je moet rondkijken, want als je op het verkeerde paard wedt, kun je in de problemen komen. Als jouw padrone het niet goed doet, betekent dat automatisch dat je carrière ook in het slop kan geraken. Een goed voorbeeld van een padrone was de Italiaan Giovanni Benelli (1921-1982).*

In de jaren vijftig van de vorige eeuw is hij privésecretaris van Giovanni Battista Montini, de latere paus Paulus VI, dan naaste medewerker van paus Pius XII. Montini ontfermt zich over het jonge talent Benelli en zorgt dat zijn carrière op stoom komt. Benelli gaat de diplomatieke dienst in en krijgt een aantal prestigieuze posten. Als Montini eenmaal paus is haalt hij Benelli in 1967 terug naar Rome en maakt hem tweede man (*sostituto*) op het Staatssecretariaat. Omdat de kardinaal-staatssecretaris Amleto Cicognani te oud is om zijn taken behoorlijk uit te voeren, heeft Benelli het in feite voor het zeggen. Hij *wheelt* en *dealt* en benoemt zijn vriendjes op de belangrijkste posten. Als je echt iets in het Vaticaan wilt bereiken, moet je langs Benelli die op agressieve en autoritaire wijze de belangen van de paus verdedigt. Het levert hem de bijnamen 'de Vaticaanse Kissinger' en de 'Berlijnse Muur' op.† Door zijn manier van werken maakt hij ook veel vijanden en uiteindelijk wordt hij door Paulus VI in 1977 weggepromoveerd naar Florence, waar hij aartsbisschop wordt. Bovendien benoemt Paulus VI hem tot kardinaal. (Bijna twintig jaar eerder was Montini hetzelfde overkomen, toen Pius XII hem naar Milaan stuurde, zonder overigens de bonus van een rode bonnet.)

Benelli kan tevreden achteromkijken. Hij laat een Vaticaan achter waar op de belangrijkste posten vrienden van hem zitten.

---

* Reese, *In het Vaticaan*, Bert Bakker 1998, p. 224 e.v.
† 'The Pope's Powerful no. 2', *Time*, 14 maart 1969.

Nog geen jaar later orkestreert hij de keuze van Albino Luciani die de naam Johannes Paulus I aanneemt. Als de lachende paus al na drieëndertig dagen overlijdt, doet Benelli in het daaropvolgende conclaaf zelf een greep naar de macht, maar die mislukt. Het zou de kroon geweest zijn op een glansrijke en ook typische Vaticaanse carrière, maar de aartsbisschop van Krakau gaat er met de buit vandoor. Er wordt in het Vaticaan nog altijd gesproken over 'de weduwen van Benelli': bisschoppen die nauw met hem hebben samengewerkt. Ze zijn allemaal goed terechtgekomen. Die weduwen zijn Justin Rigali (aartsbisschop van Philadelphia, kardinaal), Giovanni Battista Re (prefect van de Congregatie voor de Bisschoppen; inmiddels emeritus, kardinaal), Edoardo Rovida (nuntius in Bern, later Lissabon) en Agostino Cacciavillan. Toen de laatste de post van nuntius in de Verenigde Staten kreeg, werd gezegd dat er nu voor alle weduwen was gezorgd. Rigali is lid van de Congregatie voor de Bisschoppen en zorgt er zo voor dat zijn protegés een mooie bisschopszetel toebedeeld krijgen. Hij zat in 2009 achter de benoeming van Timothy Dolan op de prestigieuze zetel van New York. En zo gaat het spel gewoon door.

Een ander goed voorbeeld van een padrone is Angelo Sodano. In 1959 komt hij in dienst van de Heilige Stoel, waar hij het onder meer tot nuntius in Chili schopt. Sodano kan het goed vinden met generaal Pinochet en andere leden van de militaire junta. Terwijl de tegenstanders van het bewind, onder wie ook priesters, in de gevangenissen creperen, zorgt Sodano dat er in Chili Pinochet welgevallige bisschoppen worden benoemd. Ook zorgt hij ervoor dat een grensconflict tussen Chili en Argentinië op vreedzame wijze wordt opgelost. Johannes Paulus II haalt hem als dank voor bewezen diensten terug naar Rome en maakt hem in 1991 zelfs kardinaal-staatssecretaris. Johannes Paulus II houdt zich nauwelijks bezig met de dagelijkse praktijk van de curie. Het interesseert hem niet en hij is veel op reis. Sodano regelt de belangrijkste curiezaken en verzamelt vrienden en klasgenoten van het seminarie om zich heen in het Vaticaan. Niet alleen op zijn eigen Staatssecretariaat, maar overal in de curie. Zijn macht is zo groot dat als hij weggaat, omdat de pensioengerechtigde leeftijd van vijf-enzeventig al vier jaar voorbij is, zijn opvolger, kardinaal Bertone, geen poot aan de grond krijgt in de organisatie omdat overal 'man-netjes' van Sodano zittten. Daarbij heeft Bertone het nadeel dat hij geen diplomaat is en van buiten het apparaat komt.

Wil je in de curie komen werken, dan moet je gevraagd wor-den, of liever gezegd: je bisschop of het hoofd van je orde of con-gregatie moet gevraagd worden jou af te staan, zodat jij je geheel en al in dienst kunt stellen van de Heilige Stoel. Op de een of andere manier ben je opgevallen en is jouw naam op de juiste plaats genoemd. Het helpt dan als je in Rome gestudeerd hebt. Zo gebeurt dat met Peter Slors, priester van het bisdom Roer-mond, die door zijn bisschop, Frans Wiertz, wordt afgestaan voor de wereldkerk. Hij gaat werken op het Staatssecretariaat, waar hij, tot zijn plotselinge dood in 2006, onder meer de afdeling Nederland onder zich heeft. Het was niet duidelijk waarom nu precies Slors is gevraagd; hij gold niet als een uitzonderlijk talent en hij had er nooit blijk van gegeven een functie in de curie te ambiëren.

De elite van de Vaticaanse bureaucratie wordt opgeleid op de pauselijke kerkelijke academie, vlak bij het Pantheon. Het is de jeugdopleiding van de Vaticaanse diplomatie: als je hier met goed gevolg afstudeert, heb je grote kans nuntius (ambassadeur) namens de paus te worden of prefect van een congregatie. En als het even meezit kardinaal. Studenten worden geworven door mid-del van scouting. Aanmelding wordt niet op prijs gesteld. Er is plaats voor zo'n dertig studerende priesters. Ze moeten een paar jaar priester zijn, wetenschappelijk werk aankunnen, stevig in hun schoenen staan en vooral in alles loyaal zijn aan de Heilige Stoel en aan de paus. Nederlandse studenten vind je er nauwelijks: de afgelopen vijftig jaar waren het er maar drie: Karel Kasteel, Louis ter Steeg en Bert van Megen. Kasteel en Ter Steeg maken de opleiding niet af en Van Megen is op dit moment voor het Vaticaan werkzaam bij de Verenigde Naties in Genève.

Vaak wordt bij het benaderen van nieuwe medewerkers voor de curie niet gelet op geschiktheid voor een bepaalde congregatie of Pauselijke Raad. Men is meer op zoek naar generalisten dan naar specialisten.* Dat geldt ook voor hoofden van Vaticaanse dicasteries. Ze worden benoemd vanwege hun loyaliteit aan de paus en hun ervaring in de curie. Die eigenschappen moeten ervoor zorgen dat hun dicasterie voldoende invloed heeft. Aartsbisschop Giuseppe Casoria heeft een gemiddelde carrière achter de rug als hij in 1981 door Johannes Paulus II tot prefect van de Congregatie voor de Eredienst en de discipline van de sacramenten wordt benoemd, zeg maar het Vaticaanse ministerie voor Liturgie. Hij is dan al bijna drieënzeventig en zit dicht tegen zijn pensioen aan. Zijn promotie is een beloning voor jaren trouwe dienst; hij kan nog mooi even kardinaal worden en hij krijgt zo ook een beter pensioen. Een van zijn medewerkers vertelt hoe Casoria bij zijn eerste vergadering als prefect het woord nam en zei: 'Ik weet niets van liturgie af. Ik laat het over aan deze deskundigen terwijl ik hier zit.' Wel zegt Casoria regelmatig dat zijn medewerkers God moeten liefhebben en moeten samenwerken. En dat is het dan. Met de dagelijkse gang van zaken op kantoor bemoeit hij zich niet.

Benoemingen op topposities worden gedaan door de paus zelf, die daarbij vaak gesouffleerd wordt door de kardinaal-staatssecretaris. Prefecten en andere hoofden van dicasteries worden voor vijf jaar benoemd. Het verloop is vrij klein; vaak wordt de benoeming verlengd of krijgt de bewuste kardinaal een vergelijkbare benoeming. Paus Johannnes Paulus II voer blind op Angelo Sodano als het om benoemingen ging. Benedictus XVI, die zelf lang in de curie heeft gewerkt, lijkt vooral te zoeken naar mensen die ooit zijn directe collega's waren, die hij dus goed kent en die hij kan

* Reese, p. 180 e.v.

vertrouwen. Het beste voorbeeld daarvan is kardinaal Tarcisio Bertone, kardinaal-staatssecretaris. Hij wordt tegen de zin van veel medewerkers van het Staatssecretariaat in september 2006 tot staatssecretaris benoemd. Bertone werkte lang samen met Benedictus in de tijd dat kardinaal Ratzinger leiding geeft aan de Congregatie voor de Geloofsleer en hijzelf daar secretaris is.

Andere vertrouwelingen van kardinaal Joseph Ratzinger die het ver geschopt hebben zijn Angelo Amato, jarenlang tweede man op de Congregatie voor de Geloofsleer en nu prefect van de Congregatie voor de Heiligverklaringen; kardinaal William Levada die in het begin van de jaren tachtig met Ratzinger samenwerkte en hem opvolgde als prefect van het Heilig Officie; en de Poolse bisschop Zygmunt Zimowski, ook oud-medewerker van Ratzinger, die nu president is van de Pauselijke Raad voor het Pastoraat in de Gezondheidszorg. Ook kardinaal Marc Ouellet, sinds 30 juni 2010 prefect van de machtige Congregatie voor de Bisschoppen, is een oude bekende van de Duitse paus. Vaticaan-kenner John Allen heeft ze de bijnaam de *Holy Office Boys* gegeven.

Een zeker nepotisme is het Vaticaan dus nog steeds niet vreemd. In de hogere regionen gaat het daarbij om vroegere collega's, of klasgenoten van de kerkelijke academie of het seminarie. Meer naar onder in het kastensyteem, bij lekenmedewerkers in de curie, suppoosten, bodes en chauffeurs, gaat het botweg om familiebanden. Soms gaan functies nog altijd over van vader op zoon. Dat hoeft niet slecht te zijn. Ze kennen de functie, en veel belangrijker nog: ze weten de weg in het Vaticaan. Bovendien zullen ze je niet oplichten.* Vanaf het middenkader worden alle medewerkers door de Vaticaanse gendarmerie gescreend, wat te vergelijken is met het antecedentenonderzoek dat de AIVD in Nederland bij nieuwe ministers en staatssecretarissen uitvoert.

---

* Reese, p. 193.

In de jaren zeventig van de vorige eeuw is 'Romeinse curie' een van de meest geliefde katholieke scheldwoorden in Nederland. Het zijn de jaren van het Pastoraal Concilie in Noorwijkerhout. De Nederlandse Kerk wil vooroplopen als het gaat om hervormingen en omarmt het ene revolutionaire idee na het andere. 'Wij zijn de Kerk': priesters moeten kunnen trouwen met vrouwen die op hun beurt weer moeten kunnen voorgaan in de eucharistie. Rome ziet dit alles hoofdschuddend aan en de pauselijke nuntius in Den Haag, Angelo Felici, loopt boos weg uit de beraadslagingen van het Pastoraal Concilie. Marga Klompé probeert hem bij de uitgang nog tegen te houden, maar dat mislukt. De aartsbisschop van Utrecht, Bernard Alfrink, mag om de zoveel tijd in Rome gaan uitleggen wat ze in Nederland nu weer van plan zijn. Terug op Schiphol wordt hij door de vaderlandse pers dan ondervraagd alsof hij van het oorlogsfront terugkomt. 'En wat zegt men dan in de Romeinse curie?' is dan een veel gestelde vraag. Rome als grote vijand van die kleine, Nederlandse kerkprovincie.

Als vervolgens kapelaan Ad Simonis bisschop in Rotterdam wordt en Jo Gijsen in Roermond, is het voor al die verlichte katholieken duidelijk: uit Rome komt niets goeds en de Romeinse curie is eropuit alle vooruitstrevende Nederlandse katholieken met huid en haar te verslinden. Dat is nog altijd niet gebeurd en het lijkt er ook niet meer van te komen. Wie, zoals ik, een aantal jaren rondloopt in de curie, is verrast door de verscheidenheid aan mensen die je er tegenkomt. Het zijn niet alleen maar morsige oude mannen die de hele dag over condooms zitten te praten, zoals sommige Nederlanders denken, maar jonge, geestige, enthousiaste mannen en vrouwen die voor relatief weinig geld hard werken voor een gemeenschappelijk ideaal: de paus en de Kerk van Christus dienen.

Natuurlijk is er kritiek op de curie, en die is vaak ook terecht. De curie is te langzaam, arbitrair en, het mooie decor ten spijt, een oord vol met machtsspelletjes. Zo is het een publiek geheim dat kardinaal-staatssecretaris Bertone in het begin van zijn ambtstermijn werd tegengewerkt door de clan van zijn voorganger Sodano. Ze waren boos dat er niet een diplomaat uit hun kring was benoemd. Er zat voor voor Bertone niets anders op dan om in samenwerking met de paus voor elk van hen een andere baan, buiten het Staatssecretariaat, te vinden.

Veel bisschoppen van het zuidelijk halfrond vinden dat de curie onvoldoende oog heeft voor hun problemen en soms ronduit racistisch opereert. Kardinaal Oscar Rodriguez Maradiaga uit Honduras is een van de bekendste criticasters. Zo kreeg de Congregatie voor de Bisschoppen – verantwoordelijk voor een groot deel van de bisschopsbenoemingen – van hem een veeg uit de pan. 'Vaak kennen de leden van de Congregatie voor de Bisschoppen die moeten stemmen over nieuwe benoemingen de plaatselijke situatie slecht.' Hij voegde er nog aan toe dat Zuid-Amerika in de curie ondervertegenwoordigd is en het Vaticaan te veel met de islam bezig is.

Gek genoeg komt veel chagrijn over de curie van binnenuit. Mensen praten met veel plezier over hun werk, maar hebben vaak weinig goede woorden over voor collega's die op een ander departement werken. Veel Vaticaanse beambten hebben, zoals Thomas Reese schrijft, een haat-liefdeverhouding met hun collega's. Het is óf minachting óf bewondering. Waarbij het trouwens ook een vast ritueel is om na een lading kritiek op de een of andere collega de handen ten hemel te heffen en uit te roepen: 'Maar wie ben ik?'

Het komt er uiteindelijk op neer dat het Vaticaan vol zit met heiligen en zondaars, meelopers en genieën. Dienstbare en ambitieuze mensen, workaholics en beambten die de kantjes ervanaf lopen. Eigenlijk net een normaal bedrijf, en toch ook weer niet. Het feit dat het Vaticaan zich moet houden aan de normale wetten van het bedrijfsleven (er is een cao en ook winst maken wordt op prijs gesteld) en aan de andere kant een bijzondere, geestelijke missie heeft maakt het uniek. En daar lijkt iedereen zich wel van bewust. Werken voor de paus is een eer.

De curie is van oudsher sterk Italiaans gekleurd. Pas onder paus Pius xii komt daar verandering in. Hij begint als eerste met het werven van curiemedewerkers buiten Italië. Paus Paulus vi (1963-1978) maakt de internationalisering van de curie (in zijn geval vooral een verfransing) tot een van de speerpunten van zijn pontificaat. In 1961 staan er bij tien van de elf congregaties Italianen aan het hoofd. In 1970 zijn dat er nog maar vier van de twaalf. Wie in 2010 alle hoofden van de vierentwintig Vaticaanse congregaties, tribunalen en raden bij elkaar optelt komt tot een totaal van acht Italiaanse hoofden. Ook zijn er veel Italiaanse secretarissen en ondersecretarissen. Daar mag dan – niet onbelangrijk – de Italiaanse kardinaal-secretaris Bertone nog bij worden opgeteld. Dat is nog steeds redelijk veel, maar daarbij moet worden aangetekend dat het Italiaanse aandeel in het overige personeel afneemt. Wel is nog steeds het overgrote deel van het technische personeel (portiers, chauffeurs en dergelijke) Italiaans.

Italianen zijn in het voordeel. Het Italiaans is de voertaal in de curie en ook de mores van de curie zijn nog altijd die van het land en de stad waar het Vaticaan zich bevindt. Die mores zijn onder meer terug te zien in de manier waarop het werk gedaan wordt. 'Waarom vandaag als het ook morgen kan?' lijkt het adagium te zijn. Men neemt de tijd voor dingen. Dat merkten wij ook bij het maken van de televisieserie *Kijk het Vaticaan*. Afspraken moesten lang van tevoren gemaakt worden. 'Laten we het niet overhaasten, dan maken we er wat moois van,' hoorden we vaak. De Amerikaanse vaticanist John Allen noemt dit het *pasticceria*-principe: het Vaticaan werkt volgens de wetten van de banketbakker.* Als je moet kiezen tussen iets snel doen en mooi – of liever gezegd: elegant – dan kiest men toch het liefst voor het laatste. Schoonheid wint het altijd van snelheid. *La bella figura* wint het van de efficiëntie. Maar het heeft ook iets gemakzuchtigs. Als je een bepaal-

---

* John Allen, *All the Pope's Men*, Doubleday 2004, p. 103.

de kwestie maar lang genoeg laat rusten, lost die zich vanzelf op. Daar komt nog bij dat bijna al het werk van de curie valt binnen het leergezag van de paus. Het moet dus perfect zijn, niet alleen qua inhoud, maar ook qua vorm. Met veel krullen.*

In het Vaticaan heerst een heel ander idee van tijd dan in een gemiddelde Nederlandse organisatie. Kortetermijnoplossingen bestaan er niet, besluiten en wetten moeten het eeuwen kunnen volhouden. Zo studeert het Vaticaan al jaren op het probleem of de aidsepidemie zou moeten leiden tot een ander standpunt van de Kerk over het gebruik van het condoom. Het valt niet uit te sluiten dat men pas met een standpunt komt als de ziekte al is uitgebannen. En terwijl het Vaticaan er nog over nadacht of ook meisjes misdienaar moesten kunnen worden, werden in parochies over de hele wereld en zelfs in Rome al misdienettes ingezet. Toen kardinaal Ratzinger nog prefect van de Congregatie voor de Geloofsleer was, deed de volgende grap de ronde. Er was in het palazzo van zijn congregatie een pasgeboren baby aangetroffen. Ratzinger was ontsteld. Het kind zou toch niet van een van zijn priesters zijn? Gelukkig zei een monseigneur tegen hem: 'Het is zeker niet van ons. In dit bureau is nooit iets in negen maanden af.'†

Vrouwen met ambitie hebben het nog altijd niet gemakkelijk in de curie. De tijd dat ze alleen de telefoon opnamen, kleren en wandtapijten verstelden en postzegels plakten, is weliswaar voorbij, maar het aantal vrouwen op topposities of vlak daaronder is op de vingers van één hand te tellen. Letizia Pani is sinds 2003 president van de Pauselijk Academie voor Archeologie. De salesiaanse religieuze Encrica Rosanna is sinds 2004 ondersecretaris van de Congregatie voor de Religieuzen. Na de Australische Rose-

* Allen, 2004, p. 105.
† Reese, p. 200-201.

mary Goldie, die tussen 1966 en 1976 ondersecretaris was van de Pauselijke Raad voor de Leken, is er nog nooit een vrouw zo hoog doorgedrongen in de top van de rooms-katholieke Kerk. Maar zuster Enrica ziet haar benoeming niet in het licht van macht en prestige. Ze was er 'volledig door verrast' en hoopte als vrouw, 'die immers draagster van het leven is', adem in te blazen in onze cultuur van de dood. Daarmee doelde ze overigens op de wereld om haar heen en niet op haar nieuwe werkomgeving.

In januari 2010 wordt Flaminia Giovanelli benoemd als eerste vrouwelijke leek in de top van de Pauselijke Raad voor Gerechtigheid en Vrede (*Iustitia et Pax*). Ze wordt ondersecretaris. Volgens het communiqué van de raad bevestigt de benoeming van Giovanelli 'het grote vertrouwen dat de Kerk en de Heilige Vader Benedictus xvi in vrouwen hebben'.

Zo groot is dat vertrouwen overigens ook weer niet: twee vrouwelijke ondersecretarissen in een voor de rest mannelijke, klerikale wereld. Het moge duidelijk zijn dat het Vaticaan als het erom gaat vrouwen toe te laten in leidinggevende functies nog een lange weg te gaan heeft. Groot probleem is natuurlijk dat vrouwen geen priester kunnen worden, en dat sluit hen van de meeste topfuncties uit. Ze kunnen niet deelhebben aan het leergezag dat de paus, daarbij geholpen door de curie, uitoefent.

Benedictus ziet dit probleem ook. In een ontmoeting met de priesters van bisdom Rome, vlak na zijn uitverkiezing als paus, zegt hij dat vrouwen een betere plek verdienen in de Kerk. Hij sluit met nadruk vrouwelijke priesters uit: 'Niet de man regeert omdat hij man is, maar het sacrament.' Maar hij benadrukt dat er naar experimenten gezocht moest worden om de vrouw meer te betrekken bij het bestuur van de Kerk. Wat hij daarmee bedoelt is niet helemaal duidelijk geworden en van enig voorstel op dat vlak is het ook nooit gekomen. Waarom zou een vrouw niet president van de Pauselijke Raad voor de Leken kunnen worden of hoofd van de Pauselijke Mediaraad? Het ziet er evenwel niet naar uit dat dit in de nabije toekomst gaat gebeuren.

Wel is op aandrang van de paus bij *L'Osservatore Romano*, de krant van het Vaticaan, onlangs, na 147 jaar mannelijke hegemonie, een vrouwelijke redacteur aangenomen. Silvia Guidi is sinds najaar 2008 verantwoordelijk voor de culturele pagina's van de krant. In datzelfde jaar organiseert de Pauselijke Raad voor de Leken een congres over de vrouw. Ruim tweehonderd congresgangers komen naar Rome, vooral mannen. Er zijn gelukkig ook enkele vrouwen toegelaten. Het congres buigt zich over de moeilijkheden waarmee vrouwen geconfronteerd worden om hun identiteit te beleven en op een vruchtbare manier samen te werken met mannen in Kerk en samenleving. De openingstoespraak wordt gehouden door een... man.

Alle Vaticaanse ministeries worden geacht op collegiale basis met elkaar samen te werken en zo de paus te helpen bij het bestuur van de wereldkerk, maar er zijn twee dicasteries die er met kop en schouders boven uitsteken: de Congregatie voor de Geloofsleer en het Staatssecretariaat. De Congregatie voor de Geloofsleer heeft volgens de apostolische constitutie over de hervorming van de curie uit 1988, *Pastor Bonus*, de taak 'om de leer van het geloof en van de zeden in de universele Kerk te bevorderen en te beschermen; derhalve komt haar alles toe, wat dit hoe dan ook aangaat' (*Pastor Bonus* 111, hoofdstuk 1). Dit betekent onder andere dat de Congregatie bij alle belangrijke documenten die het Vaticaan publiceert betrokken is en vaak een doorslaggevende stem heeft. In die zin – maar dan ook alleen in deze zin – is haar rol te vergelijken met die van het Nederlandse Ministerie van Financiën dat de financiële ruimte van de andere ministeries bepaalt. Nadat de Congregatie voor de Geloofsleer een document van een ander dicasterie heeft bekeken, komt ze met vragen en opmerkingen, waarop het betreffende hoofd dan weer mag reageren. Komen ze er niet uit, dan gaan ze samen naar de paus. Maar dat komt zelden voor.

Soms gaat de Congregatie haar eigen gang, zoals bij *Dominus*

Jesus uit het jaar 2000, het document waarin gesteld werd dat de katholieke Kerk de enige ware Kerk van Christus is en in die zin heilsnoodzakelijk. Andere christelijke gemeenschappen, buiten de Kerken van de orthodoxie, zijn dientengevolge geen Kerken in de strikte zin des woord. De betrokken Vaticaanse vakminister, kardinaal Edward Cassidy, president van de Pauselijke Raad voor de Eenheid der Christenen, liet in het openbaar blijken ongelukkig te zijn met het document. Het 'droeg niet bij' aan een goed contact met andere christelijke Kerken, de toon was niet goed en het moment van publiceren was ook verkeerd gekozen. Zijn reactie bewijst dat zijn raad het onderspit heeft moeten delven of misschien wel helemaal niet is geraadpleegd.

Het Staatssecretariaat coördineert het werk van de Romeinse curie en behandelt elk probleem dat door een ander ministerie niet kan worden behandeld. In die zin lijkt het op de staf van het Witte Huis. Bovendien behartigt het Staatssecretariaat de relaties van de Heilige Stoel met andere staten. En dan lijkt het weer op ons ministerie van Buitenlandse Zaken. (Het Staatssecretariaat is dus een combinatie van de staf van het Witte Huis en ons ministerie van Buitenlandse Zaken.) Het staat onder leiding van de kardinaal-staatssecretaris. Zijn positie is nog het best te vergelijken met die van minister-president. Op dit moment is de Italiaanse kardinaal Bertone de staatssecretaris. Onder de Italiaanse paus Paulus vi was de staatssecretaris een Fransman (Villot), onder de Pool Johannes Paulus ii een Italiaan (Casaroli en Sodano). Benedictus heeft dit evenwicht dus willen bewaren door als buitenlandse paus een Italiaanse staatssecretaris te benoemen.

Het Staatssecretariaat bestaat uit twee secties. De afdeling Algemene Zaken behandelt alle correspondentie die voor de paus binnenkomt, zowel van binnen de curie als van daarbuiten. Ze is opgedeeld in acht taalgroepen: Engels, Frans, Duits, Italiaans, Spaans, Portugees en Pools, en staat onder leiding van de substituut. Op dit moment is dat de Italiaanse aartsbisschop Fernando Filoni, een machtig man. Hij moet het werk van de verschillende dicasteries coördineren en vervult dan ook een spilfunctie in de Romeinse curie. Wie in Nederland een brief stuurt aan de paus, krijgt antwoord van de Duitse taalgroep van het Staatssecretariaat, maar het antwoord wordt voorbereid door een Nederlandse priester. De bekende priester Antoine Bodar heeft het Vaticaan een tijd lang op deze manier geholpen. Eén keer per maand stuurde het Staatssecretariaat een stapeltje post naar het priesterhuis van Santa Maria dell'Anima, gelegen achter de Piazza Navona, waar Bodar woont. Hij las de post, formuleerde in een paar steekwoorden een antwoord, en daarvan werd dan door een functionaris van het Staatssecretariaat een echte brief samengesteld. Hij kreeg overigens voor zijn werk niet betaald. Toen hij ophield met het beantwoorden van de brieven – waaronder sommige met de aanhef 'Zeg paus' – kreeg hij als dank voor bewezen diensten een zilveren penning met de beeltenis van de paus. Bodar vond dat prima. Hij deed het niet voor het geld, hij was blij de paus op deze manier te kunnen dienen. De in Rome studerende Limburgse priester Jos Geelen nam zijn taak over.

De paus krijgt wekelijks duizenden brieven. Het gaat daarbij om felicitaties, verzoeken om een gebed, verzoeken om een baan, klachten, smeekbedes en ga zo maar door. Wat er met die brieven gebeurt hangt af van de afzender. Brieven van persoonlijke vrienden gaan direct naar de paus, brieven van kardinalen naar de paus of naar de kardinaal-staatssecretaris. Een deel van de gebedsintenties wordt verzameld en aan de paus doorgegeven. Brieven van staatshoofden of regeringsleiders worden meteen doorgesluisd naar de andere afdeling van het Staatssecretariaat, die zich bezighoudt met de relaties met andere staten en onder leiding staat van de Franse aartsbisschop Dominique Mamberti, de Vaticaanse minister van Buitenlandse Zaken.

Alle toespraken die de paus houdt en alle documenten die hij schrijft passeren eerst het Staatssecretariaat, en dan vaak ook nog beide afdelingen. De afdelingen werken veel samen. De eerste maakt de conceptbrief, die door de tweede wordt gecontroleerd op inhoud. De diplomatieke afdeling is opgedeeld in landenbureaus. De staf is betrekkelijk klein en daarom heeft een functionaris verschillende landen onder zijn beheer. De functionaris die zich met Nederland bezighoudt heeft nog zo'n acht andere landen in Noord-Europa (men kijkt vanuit Rome), waaronder Scandinavië.

De vorige kardinaal-staatssecretaris, Sodano, gaf nauwelijks interviews. Zijn opvolger Bertone gaat wat gemakkelijker met de media om. Misschien wilde hij mij ook wel te woord staan. Ik kende iemand die in de curie werkt en die kende weer de secretaris van Bertone. Zou hij niet voor ons willen bemiddelen? We moesten maar eens een mail sturen met een lijst vragen. Dat was half oktober 2007. Let wel: dat was de definitieve vragenlijst, daar mochten we niet meer van afwijken.

Vervolgens bleef het stil. Op een dag vertelde een andere hooggeplaatste curiemedewerker me dat Bertone bij hem naar ons geïnformeerd had.

'Ik heb een verzoek binnengekregen van de Nederlandse televisie, wat moet ik daarmee?' vroeg hij.

'Ik zou het maar doen,' had de ander gezegd.

Een paar dagen later, het was begin december, werden we gebeld door de secretaris van Bertone: zaterdag 11 januari 2008 12.30 uur, in de tweede loggia. 'U hebt een halfuur.'

Ik meld me samen met Bart en Lidy die zaterdag rond kwart voor twaalf bij de Porta Sant' Anna, de dienstingang van het Vaticaan. Het is veel te vroeg, maar we willen geen risico nemen. Het interview met Bertone gaan we gebruiken voor onze serie *Kijk het Vaticaan*. We nemen plaats op harde houten bankjes in de wachtruimte van de Zwitserse Garde. We zitten net goed en wel, of er komt een gardist in burger binnen met een koptelefoontje in zijn oor. 'U bent mooi op tijd,' zegt hij. Hij zal ons begeleiden naar de kardinaal-staatssecretaris. We lopen naar buiten en nemen op zijn aanwijzingen plaats in een grijze, gepantserde Mercedes.

Vervolgens rijden we tweehonderd meter en stappen we weer uit in de dichtbijgelegen Cortile San Damaso, een binnenplaats die ooit door Bramante werd ontworpen onder paus Sixtus v, eind zestiende eeuw. We lopen een gebouw in en passeren de ene na de andere Zwitserse wacht die voor ons salueert en met zijn hakken klakt. We stappen een lift in, waar een heuse lakei met witte handschoenen aan op ons wacht en op het knopje van de tweede verdieping drukt. Als we de lift weer uit komen, worden we onthaald door een ware erehaag van Zwitserse gardisten. Ook die salueren allemaal voor ons en we voelen ons zeer belangrijk. (Later bleek dat de gardisten er stonden voor de president van Benin, die net bij Bertone langs was geweest.) We worden naar een keurige, maar nogal nauwe wachtkamer geleid. De fauteuils zijn groot, maar zitten niet echt lekker. Verder staat er een enorme kast met een aantal grote laden. Als ik die nou eens open zou doen? Gelukkig klopt de bode, gekleed in een jacquet met een gouden ketting en vol medailles, op de deur. We mogen doorlopen naar de zaal waar we Bertone zullen interviewen. Daarvoor moeten we door allerlei andere zalen, de ene nog indrukwekkender dan de andere. We passeren een enorme kerstboom, werkelijk schitterend opgetuigd, met daaronder een rijk bezette kerststal. (De kersttijd duurt in Rome tot 2 februari, het feest van Maria-Lichtmis.)

Uiteindelijk komen we aan in de zaal waar het interview zal plaatsvinden. Zo te zien is het een vergaderruimte, maar wel een van het betere soort: er staan gouden inktpotten op tafel. Rechts in de hoek staat een Poolse kerststal, blijkens de inscriptie ooit aan Johannes Paulus ii geschonken. Op de schouw prijkt een voetbal op een sokkel, die aan de Juventus-supporter Bertone cadeau werd gedaan door het bestuur van de Italiaanse voetbalbond. Ernaast een miniatuuruitvoering van een Ferrari Formule i-auto. Maar wat het meest opvalt is de bekleding van de muren: tapijt, met daarin geweven de woorden SECRETARIUS STATUS. De kardinaal heeft dus zijn eigen behang. Even schuif ik de vitrage opzij en kijk uit het raam. Op het Sint-Pietersplein staat een lange rij pelgrims met paraplu's die de Sint-Pieter in willen. Wat een uitzicht.

Klokslag half een gaat er een deur open en komt Bertone met zijn secretaris de kamer binnengelopen. Die deur is bekleed met dezelfde stof als de rest van de zaal en daarom is het net alsof de kardinaal-staatssecretaris door de muur heen komt lopen als ware hij de Messias zelf. De begroeting is hartelijk en om het ijs te breken begin ik over voetbal. Daar is Bertone gek op.

'Eminentie, hoe gaat het met Juventus?'

'Goed, dank u, wat aardig dat u dat vraagt. Ze zijn bezig met een speler uit Holland. Hoe heet hij ook alweer? Van de Va... Van der Va...'

'Van der Vaart! Zou dat een goede speler voor Juventus zijn?'

'Ik begreep dat ze aan het onderhandelen zijn. Laten we hopen dat het rondkomt.' En hij wrijft verlekkerd in zijn handen. (Van der Vaart zou uiteindelijk naar Real Madrid gaan. Nu speelt hij bij Tottenham Hotspur.)

'Waar wilt u mij hebben?'

Als we zitten, kijk ik hem eens goed aan. Bertone kan van veraf soms een wat strenge indruk maken. 'Die man heeft een kop van graniet,' zei een collega van hem eens over hem. Maar nu hij zo tegenover me zit is hij de vriendelijkheid zelve en heeft hij absoluut charme.

'U houdt u wel aan de vragen? En stuurt u nog een dvd?' Hij beduidt zijn secretaris op een subtiele manier dat hij kan vertrekken, en dan zijn Lidy, Bart en ik alleen met de op een na hoogste functionaris binnen de rooms-katholieke Kerk. Wat een weldaad. Als je in Nederland de wethouder Cultuur en Recreatie van de gemeente Barneveld interviewt zitten niet alleen zijn twee voorlichters, maar ook zijn secretaresse en zijn vrouw erbij.

Het gesprek dat volgt kent geen hoogte- of dieptepunten. Bertone praat over ons land zoals een diplomaat betaamt: vriendelijk en nietszeggend. Als ik hem naar zijn ervaringen als naaste medewerker van de paus vraag, is hij beter op dreef. Hij vertelt vol trots dat hij via een lift in zijn appartement rechtstreeks toegang heeft tot de pauselijke appartementen.

De benoeming van Bertone in juni 2006 tot staatssecretaris was niet onomstreden. Veteranen in de curie vonden hem niet geschikt, omdat hij geen geschoold diplomaat was en geen Engels sprak. Ze probeerden de benoeming zelfs actief tegen te houden door namen van andere kanshebbers naar de Italiaanse pers te lekken. Hiervan raakte Bertone zodanig van zijn stuk dat hij de benoeming wilde weigeren. Hij sprak zijn twijfels uit tijdens een lunch met Benedictus. Die stelde hem gerust en vroeg hem vooral niet moeilijk te doen: de benoemingsbrief lag al klaar.

'Ik denk dat hij mij gewoon heel graag wilde hebben,' zegt hij als we afscheid nemen. Even daarvoor is zijn secretaris op kousenvoeten de kamer binnengekomen. 'Een vraag nog,' maakt hij mij door middel van gebarentaal duidelijk. Er was precies een halfuur voorbij.

Bertone is inmiddels al vijfenzeventig, de leeftijd waarop een curiefunctionaris met pensioen gaat. Hij heeft zijn ontslag bij de paus ingediend, maar die aanvaardde het niet en vroeg Bertone nog een paar jaar aan te blijven. Daarin stemde de kardinaal toe. Langer doorwerken is bij topfunctionarissen in de curie niet ongebruikelijk. De huidige paus wilde in 2002, toen hij nog prefect van de Congregatie voor de Geloofsleer was, graag terug naar Duitsland om te studeren en boeken te schrijven. Bovendien beviel het Romeinse klimaat hem niet. Hij had even buiten Regensburg een huis gekocht, waar hij samen met zijn broer wilde gaan wonen. Maar Johannes Paulus II weigerde tot drie keer toe hem ontslag te verlenen.

Als het dan toch echt zover is en een kardinaal of bisschop zijn post in de curie moet opgeven, ben je van de ene op de andere dag een groot deel van je prestige kwijt. Kardinalen hebben vaak nog een adviseurschap bij een andere congregatie of Pauselijke Raad en houden hun woning in de buurt van het Vaticaan aan. Na hun tachtigste is het voor de kardinalen ook allemaal voorbij; ze mogen zelfs niet meer meedoen aan een conclaaf. Dan rest voor het merendeel de anonimiteit en bij hun dood een telegram van de paus voor de familie.

Een afscheidsreceptie is een zeldzaamheid. Wel wordt vaak de mogelijkheid geboden om afscheid te nemen van de collega's onder het genot van een glaasje prosecco en een stuk taart. Italiaanse curiefunctionarissen die niet uit Rome afkomstig zijn keren uiteindelijk terug naar hun geboortegrond; buitenlanders gaan naar huis.

De Nederlandse kardinaal Johannes Willebrands nam in 1989 afscheid van zijn geliefde Pauselijke Raad voor de Eenheid der Christenen. Hij bleef in Rome wonen; zo kon de paus een beroep op hem blijven doen. De paus belde echter nooit. Na acht jaar vergeefs wachten bij de telefoon keerde hij in 1997 enigszins gedesillusioneerd terug naar Nederland en ging in Denekamp wonen, ver weg van Rome. Toen Walter Kasper in 2001 werd benoemd tot president van de Pauselijke Raad voor de Eenheid, reisde hij af naar Denekamp om bij een van zijn voorgangers zijn licht op te steken. Willebrands was blij met het bezoek; ze waren hem in het Vaticaan nog niet vergeten, zo zei hij. Dat is nog maar de vraag. In ieder geval was Kasper hem nog niet vergeten. Kasper weet zelf overigens ook hoe het voelt om je curiepost te moeten verlaten. Hij is inmiddels opgevolgd door Kurt Koch, tot voor kort bisschop van Basel.

Van Adrianus tot Willebrands
Nederlanders op Romeinse stoelen

Op de avond dat Karol Wojtyla tot paus gekozen wordt, 16 oktober 1978, ben ik met mijn vader in de Santa Maria dell'Anima, de kerk van de Duitsers in Rome. Hij wil mij het graf laten zien van Adrianus VI, de enige Nederlandse paus.

We zijn niet alleen. Een groep Duitse pelgrims wordt door een gids op nogal luidruchtige wijze over de geschiedenis van de Kerk en Adrianus onderwezen. 'Hier is het graf van Adrianus, de laatste niet-Italiaanse paus, *und er war ein Deutscher.*'

Op dat moment neemt mijn vader het woord en legt in schitterend Duits uit dat Adrianus als Adriaan Florenszoon Boeyens in Utrecht geboren werd en derhalve als een Nederlander moet worden beschouwd.

Ik ben enorm trots op mijn vader. Heel goed dat hij dat even heeft gezegd. Het anti-Duitse sentiment zit er bij mij nog helemaal in; de verloren WK-finale tegen de oosterburen is nog maar vier jaar geleden. Maar met de kennis van nu moet ik zeggen dat die Duitse gids helemaal niet zo ver bezijden de historische waarheid zat. Als Adrianus in 1459 geboren wordt, bestaat Nederland nog niet als zelfstandig land en maakt het deel uit van het Heilige Roomse Rijk. Adrianus is dus niet de eerste Nederlandse paus, maar de zevende Duitse opvolger van Petrus. En Benedictus XVI de achtste.

Adrianus wordt geboren in de Utrechtse Brandstraat, hoek Oudegracht. Zijn vader, die scheepstimmerman is, sterft als hij tien jaar is. Van de vermoedelijk drie zoons in het huis is Adrianus de vroomste en de slimste. Hij gaat studeren, eerst in Zwolle bij de

Broeders des Gemenen Levens en later in Leuven.* Daar wordt hij ook hoogleraar in de theologie. In 1490 wordt hij tot priester gewijd. Adrianus heet een vroom en geleerd priester te zijn, en dus vraagt keizer Maximiliaan hem *paedagogus* (opvoeder) te worden van zijn kleinzoon Karel, de latere Karel v. Deze benoemt hem in 1512 tot zijn raadsheer en zendt hem drie jaar later als zijn gezant naar Spanje met als opdracht ervoor te zorgen dat Karel erfgenaam wordt. In 1516 wordt hij bisschop van Tortosa en een jaar later, op aandringen van Karel, kardinaal.

Op 22 januari 1522 hoort hij dat hij twee weken daarvoor, op 9 januari, in Rome tot paus is gekozen. Hij schijnt de boodschap onbewogen te hebben aangehoord. Pas zeven maanden later kan hij in Rome worden gekroond. Als onderkoning van Spanje moet hij eerst nog een aantal staatszaken afhandelen; er heerst pest, en zeerovers maken de zeeën onveilig. Als hij eenmaal in Livorno aan land komt toont hij zich een echte Hollander. Vijf Toscaanse kardinalen die hem met prachtig zilveren bestek staan op te wachten, krijgen meteen een veeg uit de pan. 'Hier treden kardinalen als koningen op,' zegt Adrianus, 'verwerft u liever schatten voor de hemel.'

In Ostia heeft het kardinalencollege voor hem een feestelijke maaltijd bereid. Hij weigert echter aan tafel te gaan, eet liever alleen en vraagt om een muilezel om hem naar het klooster van Sint-Paulus buiten de muren te brengen, waar hij zich wil voorbereiden op zijn kroning. De kardinalen zijn stomverbaasd. Dit hebben ze nog nooit meegemaakt.

In het Rome dat hij aantreft heerst de pest, zijn de prelaten het spoor bijster en is de schatkist leeg. Hij besluit de hele hofhouding van zijn voorganger Leo x te ontslaan. Adrianus leeft zeer eenvoudig. Zo is er één Nederlandse vrouw die voor hem kookt. Elke dag draagt hij de mis op en bidt hij zijn brevier, in die tijd

---

* Antoine Bodar, 'Adrianus vi: Calvinist nog voor Calvijn', *Trouw* 7 maart 2009.

nog niet gebruikelijk. De renaissance gaat aan hem voorbij. Net teruggevonden beelden uit de oudheid zijn voor hem niet het toppunt van kunst, maar voorbeelden van heidendom. Tot grote ontevredenheid van de Romeinen is het uit met de weldadige feesten in het Vaticaan, dat 'in een streng klooster verandert'.*

Als paus krijgt hij met Luther te maken. Veel noordelijke landen sluiten zich bij de gewezen augustijner monnik aan en er dreigt een schisma. Adrianus probeert Luther binnenboord te houden door hem aan de ene kant tot de orde te roepen en aan de andere kant iets te doen aan zijn voornaamste grieven, waarmee Adrianus het eens is: de trouweloosheid en losbandigheid van de clerus en de verkoop van aflaten. Op politiek gebied kiest Adrianus uiteindelijk de zijde van Karel v tegen Frankrijk in de Italiaanse oorlogen die in 1521 zijn begonnen. Deze opstelling zou uiteindelijk leiden tot de plundering van Rome in 1527. Als een van de weinigen ziet Adrianus het gevaar van de oprukkende Turken. Hij heeft het zelfs over een nieuwe kruistocht, maar verder dan geld inzamelen komt hij niet. Ook de verdeeldheid tussen Karel en Frankrijk, die Adrianus niet wist te voorkomen, zorgt ervoor dat een gezamenlijk optreden van de Europese vorsten tegen de Turken uitblijft.

Zijn pontificaat is kort: een jaar en twee weken. Op 5 september 1523 wordt hij voor het laatst in het openbaar gezien. Een paar dagen later wordt hij ziek. Hij weet dat hij niet meer zal genezen. Hij roept de kardinalen naar zijn bed om zijn testament te regelen en vraagt hun om een laatste gunst. Hij wil zijn vertrouweling Willem van Enckenvoirt (1464-1534) kardinaal maken. Pas na een paar concessies gaan ze akkoord. Niet veel later gaan ze, buiten medeweten van Adrianus, op zoek naar geld, dat hij verborgen zou hebben. Op 14 september overlijdt hij. Romeinen gaan in feestelijke optocht naar zijn lijfarts om hem te bedanken voor het

* Idem.

overlijden van die nukkige en strenge paus, die vrek uit het noorden. Toch lijkt het er niet op dat Adrianus vergiftigd is.

Willem van Enckenvoirt regelt de begrafenis, die even sober moest zijn als het pontificaat van de overledene en niet meer dan vijfentwintig dukaten mocht kosten. Adrianus wordt eerst begraven in de Sint-Pieter, maar in 1530 krijgt Enckenvoirt toestemming om zijn lichaam over te brengen naar de Santa Maria dell'Anima en daar voor hem een graftombe op te richten. Hij lijkt er een beetje moedeloos bij te liggen, onze Nederlandse paus, 'de grote niet-gewilde tiara op zijn hoofd'.* De tekst op zijn tombe is veelzeggend: *Proh dolor quantum refert in quae tempora vel optimi cuiusque virtus indicat* ('Ach, hoeveel is afhankelijk van de tijd waarin de voorbeeldigheid van zelfs de beste mens valt').

Willem van Enckenvoirt blijft na de dood van zijn leermeester Adrianus in Rome en houdt daar zijn hoge positie. Zo is hij betrokken bij de overdracht van het wereldlijk bestuur van het gebied rond Utrecht aan Karel v en diens kroning tot keizer in 1530. Paus Clemens vii benoemt hem in 1529 tot bisschop van Utrecht, als negenenvijftigste opvolger van Willibrord. Hij zal nooit in zijn bisdom wonen. In 1532 is hij voor het laatst in de Nederlanden. Hij wordt begraven tegenover Adrianus in de Santa Maria dell'Anima. In 1575 moet hij plaatsmaken voor een Oostenrijkse erfvorst en verplaatst men zijn graf naar achter in de kerk.

In het spoor van Adrianus vi trokken nogal wat Nederlanders naar Rome in de hoop een baan te vinden in de Romeinse curie. Daarvan behoorden er twaalf tot het bisdom Utrecht en tweeënveertig tot het bisdom Luik, waarvan op dat moment grote delen van het huidige Brabant en Limburg deel uitmaakten. Daarbij namen die Nederlanders met een functie in de curie ook nog familieleden en personeel mee. Alleen Willem van Enckenvoirt had in zijn huis al vijfentwintig landgenoten wonen.

* Idem.

De historicus dr. Gisbert Brom, tussen 1904 en 1915 directeur van het Nederlands Historisch Instituut in Rome, deed uitgebreid onderzoek naar de aanwezigheid van Nederlanders in het Vaticaan vanaf de dertiende eeuw. Hij ontdekte onder meer lijsten waarop Nederlandse clerici voorkomen die in het begin van de vijftiende eeuw in de oude Sint-Pieter een wijding ontvingen. Alleen al uit het bisdom Utrecht zijn dat er zo'n dertig. Ook speurde Brom in de ledenlijsten van verschillende broederschappen, zoals die van Santa Maria dell'Anima, gelegen achter de Piazza Navona, ooit opgericht door Jan en Katrijn Peters uit Dordrecht als pelgrimshospitaal voor gelovigen uit het Heilig Roomsche Rijk die de Eeuwige Stad bezochten. Later werd het de kerk van de Nederlanders en vooral de Duitsers. Aan het hospitaal was ook een broederschap verbonden, waarvan priesters maar ook leken lid konden worden. Onder hen was Philips Willem, een zoon van Willem van Oranje.

In de ledenlijst van de Anima vindt Brom de naam van Petrus Lopez van Middelburg, notaris aan de Rota, een van de drie pauselijke rechtbanken. En ook die van Hendrik van Grave, die in 1590 de universiteit van Leuven verruilt voor Rome en door paus Sixtus v tot prefect van de Vaticaanse bibliotheek wordt benoemd. Hij houdt het daar maar kort vol en overlijdt al na een paar maanden. Hij wordt begraven in de Santa Maria dell'Anima, waar zijn graf nog steeds te vinden is.

Een andere bekende Nederlander aan het pauselijk hof is Gauco Gaukema uit het Friese Zevenwouden. Hij komt in 1619 naar Rome en schopt het onder Urbanus viii tot secretaris van het college van kardinalen. Hij gebruikte graag de spreuk *Gaude et aude* ('Verheug u en durf').

Vanaf de zeventiende eeuw heeft de Heilige Stoel te maken met teruglopende inkomsten, omdat er uit de gebieden waar de protestanten heersen geen geld meer binnenkomt. De curie wordt dan weer een Italiaanse aangelegenheid, op een enkele uitzondering na.

Als in de negentiende eeuw de Nederlandse katholieken weer in alle vrijheid hun geloof kunnen belijden, betekent dat niet alleen dat ze weer eigen bisschoppen krijgen, maar ook dat verschillende religieuze ordes en congregaties weer volop aan het werk kunnen. Uit hun kringen komen dan ook weer de eerste Nederlandse medewerkers in de Romeinse curie. In 1895 worden Willem van Rossum en Petrus Oomen lid van het algemeen bestuur van de redemptoristen. Deze congregatie werd in 1732 gesticht door de heilige Alfonsus Maria de Liguori, in Scala in het voormalige koninkrijk Napels. Doel was de evangelisatie onder wat genoemd werd de 'meest verlatenen'. Alphonsus was bisschop en verkocht zijn koets om de opbrengst aan de armen te kunnen geven. In Nederland kennen veel katholieken de redemptoristen door de parochieretraites of volksmissies die ze tot ver in de jaren zestig gaven.

Willem van Rossum, een weesjongen uit Zwolle, treedt in 1873 tot de redemptoristen toe en wordt in 1879 in het grote redemptoristenklooster in Wittem tot priester gewijd. Hij doceert in Roermond en Wittem, en wordt later rector van het klooster in Wittem. In 1895 wordt hij vrij plotseling naar het hoofdkwartier van de congregatie in Rome overgeplaatst. Daar maakt hij snel carrière. Eind 1896 wordt hij benoemd tot consultor van het Heilig Officie, in die tijd een zeer prestigieuze functie. In 1904 wordt hij lid van de commissie die zich bezighoudt met het opstellen van een nieuw kerkelijk wetboek. In 1911 creëert paus Pius x hem tot kardinaal. In het conclaaf van datzelfde jaar is hij de meest vooraanstaande buitenlandse *papabile*, oftewel kanshebber voor het pausschap. Een status overigens die niet veel stemmen met zich meebrengt. Hij krijgt er uiteindelijk in de vijfde stemming om precies te zijn één. Uiteindelijk wordt kardinaal Giacomo della Chiesa, aartsbisschop van Bologna, tot paus gekozen en hij neemt de naam Benedictus xv aan. Hij maakt Van Rossum in 1915 grootpenitentiarius, maar de hoofdprijs krijgt hij drie jaar later met zijn benoeming tot prefect van de Propaganda Fide, de missiecongregatie, nu bekend onder de naam Congregatie voor de Evangelisatie van de Volkeren. De prefect van deze congregatie heeft van oudsher de bijnaam 'de rode paus', gezien zijn macht in de missiegebieden. In Nederland is Van Rossum echter een vergeten figuur uit een ver tijdperk. Velen lopen in Wittem zijn graf voorbij en zijn borstbeeld op het Begijnhof in Amsterdam wordt slechts door enkelen herkend. En dat is niet terecht. Niet alleen heeft hij zijn status als Nederlandse kardinaal gebruikt om een aantal binnenkerkelijke branden in zijn vaderland kundig te helpen blussen, ook in Rome heeft hij uitstekend werk geleverd. Hij professionaliseert de pauselijke missiewerken, en niet alleen op financieel gebied. Zo doet hij ook veel aan de opleiding van de inheemse clerus en vermeerdert hij het aantal autonome missiegebieden. Bij het conclaaf van 1922 krijgt hij vier stemmen. Tien jaar later sterft hij in Maastricht, op de terugweg van een reis naar Denemarken.

Een van de meest kleurrijke Nederlanders die in het Vaticaan hebben rondgelopen is ongetwijfeld Jan Olav Smit (1883-1972). Hij werkt weliswaar niet in de curie, maar houdt zich wel lang op in de buurt van de paus en zijn naaste medewerkers. Smit wordt in 1906 voor het aartsbisdom Utrecht tot priester gewijd, studeert daarna in Rome en wordt hoogleraar aan de priesteropleiding van het aartsbidom Utrecht. In 1922 benoemt paus Pius XI hem tot apostolisch vicaris in Noorwegen. Hij wordt bisschop in een missiegebied dat nog geen volwaardig bisdom is, een zogenoemd apostolisch vicariaat. Smit heeft het moeilijk in het hoge noorden. Veel geld heeft hij niet, omdat Noorwegen in Nederland niet als missiegebied wordt gezien. Hij komt in aanvaring met de zusters van het enige katholieke ziekenhuis van Kristiania, zoals Oslo toen nog heette, wanneer zij weigeren een kleine belasting aan het vicariaat af te dragen. In de zomer van 1923 maakt kardinaal Van Rossum een visitatiereis door de Scandinavische landen, waarbij Smit hem vergezelt. Van Rossum schreef zelfs een brochure over deze reis met de welluidende titel *Aan mijne katholieke landgenoten*, die de Nederlandse katholieken warm moest maken voor deze Noorse missie... In deze publicatie laat de kardinaal zich geringschattend uit over de lutherse staatskerk en met name over de positie van de vrouw daarin. Smit schiet maar weinig op met Van Rossums brochure; die maakt zijn positie juist alleen maar zwakker. Zijn priesters, die al ontevreden over hem zijn omdat hij ze te vaak overplaatst, gaan over hem klagen in Rome. Met resultaat. In 1928 vertrekt hij plotseling uit Noorwegen, zonder afscheid te nemen van zijn vicariaat of van de Noorse koning en ook zonder onderscheiding. Hij vestigt zich in Rome, waar hij kanunnik van de Sint-Pieter wordt. Daar wordt hij ongewild het middelpunt van een curieus incident.

Op 24 november 1929 wordt er in de Sint-Pieter om vier uur 's middags, na het getijdengebed, een aanslag gepleegd door een labiele en niet erg succesvolle Zweedse actrice, genaamd Gudrun Margerita Ramstad, een katholieke bekeerling. Het doelwit is Jan Olav Smit. Zij richt, zonder dat Smit daar erg in heeft, een pistool op hem, maar dat wordt haar – voor het kan afgaan – uit handen geslagen door een andere kanunnik.

In de roddelpers wordt geopperd dat het hier gaat om een vrouw met wie Smit in zijn Noorse tijd een verhouding heeft gehad. Zij zou de reden zijn geweest dat Smit halsoverkop uit Noorwegen is vertrokken. Rechercheurs van de Vaticaanse magistratuur vinden hiervoor echter geen bewijzen en Smit mag gewoon kanunnik van de Sint-Pieter blijven en in het Vaticaan blijven wonen.[*] Hij wordt een gastvrije vraagbaak voor de Nederlandse pelgrims.

Als Bertus Aafjes in 1939 na zijn voettocht in Rome is gearriveerd, komt hij ook bij Jan Olav Smit terecht. Pius xi is dan net overleden. Smit vraagt hem of hij de overleden paus nog even wil zien. 'En hij had een grote bos sleutels en liep zo maar vrij door

* A.H.M. van Schaik, 'Smit, Hendrikus Johannes (1883-1972)', *Biografisch Woordenboek van Nederland* 1985, p. 518-519.

het hele Vaticaan naar de Sixtijnse Kapel, waar de paus lag opgebaard: een heel klein mannetje; een beetje zielig eigenlijk, maar ik voelde me erg trots zo dicht bij een dode paus.'*

Smit staat in hoog aanzien bij Pius xii, over wie hij een boek schreef. Johannes xxiii benoemt hem tot bisschop-troonassistent van Zijne Heiligheid. Deze erefunctie kon rechtstreeks door de paus of op voordracht van een aartsbisschop of apostolische nuntius worden verleend en gaf het recht om zich tijdens pontificale plechtigheden op te houden in de nabijheid van de pauselijke troon. De bisschop-troonassistent kwam in rang meteen na die van kardinaal. Paulus vi schafte de titel in 1968 af. Smit werd na zijn dood in 1972 begraven op het Campo Santo Teutonico, in de schaduw van de Sint-Pieter.

Wie foto's van pausen van de laatste vijftig jaar bekijkt, kan hem bijna niet missen. Op de tweede of derde rij lopend achter de paus, onopvallend opvallend: bisschop Petrus Canisius van Lierde. Veertig jaar lang dient hij vijf verschillende pausen. Van Lierde wordt in 1906 in het Belgische Hasselt uit Nederlandse ouders geboren. Al jong wil hij augustijn worden, treedt in, en hij komt uiteindelijk in Rome terecht, waar hij rector wordt van het augustijns studiehuis Santa Monica. In 1951 benoemt Pius xii hem tot vicaris-generaal van Vaticaanstad en sacrista van Zijne Heiligheid de paus. Ook maakt Pius hem bisschop. Technisch gezien behoort Van Lierde niet tot de curie, maar tot de 'pauselijke familie', de *famiglia pontificia*.

Hij heeft niet alleen de zorg over de pauselijke kapellen, maar ook over de rijke collectie relikwieën die in de loop der eeuwen in pauselijk bezit zijn gekomen. Zijn functie van vicaris-generaal brengt met zich mee dat hij aan pausen de laatste sacramenten mag toedienen. Van Lierde doet dat bij Pius xii, Johannes xxiii en Paulus vi. Als op 3 juni 1963 Johannes zijn einde voelt nade-

* Michel van der Plas en Rex Brico, *Het jaar van de drie pausen*, Strengholt 1979, p. 52.

ren, roept hij Van Lierde bij zich. Wanneer deze zich in de pauselijke slaapkamer meldt, is hij zo ontroerd dat hij zich in de volgorde van de handelingen vergist.*

Van Lierde was een vriendelijke, beetje archaïsche figuur die talloze Nederlandse pelgrims met raad en daad bijstond. Van de richting die de Kerk in zijn vaderland na het Tweede Vaticaans Concilie was ingeslagen, met haar verlangen naar democratie en openstelling van het priesterambt voor gehuwde mannen en vrouwen, moest hij niets hebben. Wel geloofde hij in de verschijningen van Onze-Lieve-Vrouw van Alle Volkeren in Amsterdam. Hij was een typische exponent van het oude pauselijke hof, met zijn talloze erefuncties en uiterst formele omgangsvormen. Als Michel van der Plas hem in 1978, voor het eerste conclaaf van dat jaar, opzoekt voor een interview, kiest hij ervoor om op een voor ons nogal protserige manier over zichzelf te praten. Op elke vraag die hemzelf aangaat begint hij zijn antwoord met 'Zijne Excellentie monseigneur Van Lierde, Nederlander'. Het woordje 'ik' krijgt hij niet over zijn lippen. Tot zijn verdriet werd later zijn functie afgeschaft en was paus Wojtyla niet erg op hem gesteld.

Van alle Nederlanders in het Vaticaan is Karel Kasteel op dit moment zonder twijfel de bekendste. Dat komt door de rol die hij speelde bij het overlijden van Johannes Paulus II in 2005, die hem bekend maakte bij een groot publiek in Nederland. Als decaan van de *Camera Apostolica*, de Apostolische Kamer, was het onder meer zijn taak om het appartement van de paus leeg te ruimen en te verzegelen. Het feit dat hij het zegel in het appartement liet liggen, nadat de boel al was afgesloten, haalde de voorpagina's van de Nederlandse kranten. Het conclaaf was voor Kasteel het hoogtepunt in een carrière die van meet af aan in het teken van Rome en zijn bisschop heeft gestaan.

* Peter Hebblethwaite, *Joannes XXIII. De paus van het concilie*, Gottmer 1985, p. 592-593.

Karel Kasteel wordt in 1934 geboren als zoon van Maria Baltussen en Piet Kasteel. Vader Piet, een oud-ambassadeur en voormalig secretaris van premier Gerbrandy, ziet graag dat Karel net als zijn broer Tom de diplomatieke dienst in gaat, dus zorgt hij ervoor dat Karel tot het elitecorps van de pauselijke diplomatenschool wordt toegelaten. Maar Karel maakt de opleiding niet af. Kasteel vindt een plek bij de Propaganda Fide, het missiedepartement waar kardinaal Van Rossum ooit de scepter zwaaide. Ondertussen breekt in de Kerk van Nederland de revolutie uit, iets wat vader, moeder en zoon Kasteel met lede ogen aanzien. Het appartement in het Palazzo Rusticcuci, aan de Via della Conciliazione, dat ze samen bewonen, wordt een verzamelplaats voor Nederlandse katholieken die in alles trouw aan Rome willen blijven. Kapelaan Ad Simonis uit Den Haag is er kind aan huis, en blijft dat ook als hij in 1970 bisschop van Rotterdam wordt. Bisschop Gijsen verkiest huize Kasteel boven het Nederlands priestercollege, waar rector Jo Damen geen fan van hem is, en slaapt er als hij voor zaken in Rome moet zijn.

Als het Vaticaan er vanaf begin jaren zeventig van de vorige eeuw toe overgaat behoudende bisschoppen in Nederland te benoemen, omdat men vindt dat de bisschoppen en katholieken daar te ver zijn doorgeslagen in hun drang om Kerk en samenleving te vernieuwen, zien velen daar (mede) de hand in van vader en zoon Kasteel. In hoeverre dat vermoeden juist is, is nooit helemaal duidelijk geworden. Kasteel zelf houdt zich, diplomaat als hij is, op de vlakte als het onderwerp ter sprake komt. We moeten zijn rol vooral 'niet overschatten'. Maar het staat vast dat hij bij bisschopsbenoemingen in Nederland geraadpleegd wordt, zoals in 2007 bij de benoeming van Wim Eijk tot aartsbisschop van Utrecht. Verder fungeert hij als een soort wijze heeroom voor Nederlandse priesterstudenten in Rome en doet hij voor zijn werkgever aan talentscouting. Niet zelden laat hij zich tijdens intieme dinertjes ontvallen dat die en die Nederlandse priester 'episcopabel' is; oftwel geschikt als bisschop.

Zelf is hij nooit bisschop geworden. Uiteindelijk komt hij terecht bij Cor Unum, het Vaticaanse ministerie voor Ontwikkelingshulp, dat het geld verdeelt dat de paus geschonken krijgt voor hulp in crisisgebieden. Aan het hoofd staat een president, vaak een kardinaal, maar de secretaris doet het zware werk, bezoekt de crisisgebieden en heeft contact met de hulporganisaties ter plekke.

Kasteel werkt al ruim vijftig jaar in Rome en kent het Vaticaan vanbinnen en vanbuiten. Er is geen Nederlander die zo veel weet over de geschiedenis van pausen en hun woonomgeving als hij. In 2010 neemt Kasteel geruisloos afscheid als secretaris van Cor Unum, al blijft hij nog wel een paar klussen voor de raad doen. Hij blijft in Rome wonen in de straat waar hij iedereen kent, van de ambassadeur van Canada bij de Heilige Stoel tot de zwerver die dag in dag uit bedelt voor de kerk van Santa Maria in Traspontina. Voor iedereen heeft hij een vriendelijk woord, elke bedelaar stopt hij wat geld in de hand. 'Niet te veel hè, je moet ze niet verwennen.' Geen Nederlander kent de internationale adel zo goed als Karel Kasteel, maar ook het Rome van de salons, met zijn verfijnde netwerk van relaties en oude vriendschappen, kent voor hem geen geheimen. Ik zat een keer met hem te eten toen hij zoals altijd informeerde naar het welzijn van mijn kinderen. Ik vertelde hem dat ik voor mijn zoon Dirk nog een voetbalshirt van AS Roma moest kopen.

'Welke speler?' vroeg Kasteel.

'Die linksback, eh... Mancini,' antwoordde ik.

'Nou, ik ken toevallig de voorzitter van AS Roma. Wacht, ik bel even.'

Hij pakt zijn mobiel en begint even later in het Italiaans te praten: 'Dag, hier de monseigneur. Alles goed? Ook met de kinderen? Ja, ja... Luister, ik heb hier iemand uit Holland zitten die voor zijn zoon een shirt van Roma moet meenemen, om precies te zijn van Mancini. Kan jij zorgen dat zo'n shirt morgen op mijn bureau ligt? Mét handtekening? Ja? Fijn. Dag dag!'

De volgende dag lag er een bruine zak op mijn hotelkamer met daarin het Mancini-shirt. Met handtekening.

De Nederlander die recent het meest succesvol is geweest in het Vaticaan is kardinaal Johannes Willebrands. Van 1969 tot 1989 is hij president van het Secretariaat voor de Eenheid der Christenen, vanaf 1988 Pauselijke Raad voor de Eenheid der Christenen genaamd: het Vaticaanse ministerie voor Oecumene. In die functie stond hij Paulus VI en Johannes Paulus II bij in hun contacten met andere christelijke Kerken en gemeenschappen.

Willebrands was een echte Noord-Hollander. Hij wordt in 1909 geboren in Bovenkarspel, waar zijn vader directeur is van de plaatselijke groenteveiling. Bovenkarspel is dan een gemengd dorp met een katholieke en een protestantse lagere school. Daar doet de kleine Jo, slootjespringend en voetballend op straat, zijn eerste oecumenische contacten op. De ouders van Willebrands willen dat hij priester wordt en sturen hem naar het kleinseminarie van de redemptoristen. Vlak voordat hij naar het echte seminarie gaat wordt hem echter te verstaan gegeven dat hij niet geschikt is om redemptorist te worden, en moet hij de opleiding verlaten. Een geweldige klap voor Jo en zijn ouders. Uiteindelijk wordt besloten dat hij dan maar wereldheer moet worden, priester van het bisdom Haarlem. In 1934 wordt hij tot priester gewijd door de Haarlemse bisschop Aengenent. In Haarlem hebben ze dan allang door dat ze bij de redemptoristen een enorme blunder hebben begaan en dat Willebrands een uitzonderlijk intelligente priester is. Hij mag filosofie gaan studeren in Rome en loopt colleges aan de universiteit van de dominicanen (het Angelicum) en promoveert in 1937 cum laude op een proefschrift over de negentiende-eeuwse Engelse geleerde en kardinaal John Henry Newman, die Benedictus onlangs zalig heeft verklaard. Terug in Nederland is hij een paar jaar kapelaan op het Amsterdamse Begijnhof, voordat hij docent geschiedenis van de wijsbegeerte wordt op Warmond, het grootseminarie van het bisdom Haarlem. Daar wordt hij in 1945 directeur van het Philosoficum, de vóórafdeling van de theologische opleiding.

In de oorlog is Willebrands lid van de 'Larense kring', waar katholieken en protestanten, dominees en priesters, maar ook leken, samen allerlei oecumenische hangijzers bespreken in een vriendschappelijke omgeving. In 1948 kan hij zich fulltime aan de oecumene gaan wijden als hij voorzitter wordt van de Sint-Willibrord-vereniging, die zich met goedkeuring van de Nederlandse bisschoppen bezig mag houden met 'de kerstening en hereniging van afgedwaalde christenen', zoals de oecumene dan nog omschreven wordt. Het is dan nog lang niet een middel om de verschillende christelijke kerken en gemeenschappen op de wereld tot elkaar te brengen.

Als in de Nieuwe Kerk in Amsterdam de oprichtingsvergadering van de Wereldraad van Kerken, een soort oecumenische Verenigde Naties, wordt gehouden, doet de katholieke Kerk niet mee en zit Willebrands in hotel Krasnapolsky vanachter een raam tandenknarsend toe te kijken. Dr. Visser 't Hooft, de eerste secretaris-generaal van de Wereldraad van Kerken, houdt hem door middel van briefjes op de hoogte van de beraadslagingen.

Vanaf 1952 maakt Willebrands samen met de Utrechtse priester Frans Thijssen reizen door Europa op zoek naar geestverwanten die willen meedoen. Twee Hollandse pioniers in de oecumene. Willebrands is wel zo verstandig om Rome op de hoogte te houden van zijn bevindingen. Veel enthousiasme ontmoet hij daar echter niet voor zijn activiteiten. Hij wordt gedoogd, maar meer ook niet. De enige die echt geïnteresseerd is in zijn verhalen is de Duitse jezuïet Augustin Bea, rector van het Biblicum, het Pauselijke Bijbel Instituut.

Als paus Johannes xxiii in 1959 een concilie aankondigt, dat pastoraal en oecumenisch moet zijn, vraagt hij Bea een secretariaat voor de Eenheid der Christenen op te richten. Bea vraagt Willebrands als secretaris van de raad. Een logische zet: Willebrands heeft immers alle internationale contacten. In januari 1961 mag hij voor het eerst op audiëntie bij de paus. Die legt hem uit dat hij expres gekozen heeft voor een secretariaat voor de Eenheid en niet voor een commissie, wat meer voor de hand had gelegen. 'Zo kunnen jullie meer in het verborgene opereren; dan wordt er niet zo op jullie gelet. Jullie moeten het terrein veroveren.' Verder spreekt Johannes de wens uit dat ook waarnemers van andere christelijke Kerken en gemeenschappen bij het concilie aanwezig zullen zijn. Aan Willebrands de taak hen aan te wijzen, uit te nodigen en onder dak te brengen.

Het Tweede Vaticaans Concilie (1962-1965) is het hoogtepunt in de loopbaan van Willebrands. Ruim tweeduizend bisschoppen zetten in Rome heel voorzichtig de ramen van de Kerk open, die opnieuw geboren lijkt te worden. Dag in dag uit sjokt Willebrands met 'zijn' waarnemers door Rome om ervoor te zorgen dat het concilie daadwerkelijk de stimulans voor de oecumene wordt die velen ervan verwachten. Kardinaal Bea woont in het Braziliaans college en laat zich nauwelijks zien op het secretariaat, waar Willebrands de dagelijkse leiding heeft. Samen met zijn medewerkers is hij de drijvende kracht achter de conciliedocumenten over oecumene, de godsdienstvrijheid en het baanbrekende *Nostra Aetate*, een document waarmee een streep werd gezet onder eeuwen katholieke vervreemding van de Joden.

Willebrands is ook de grote man achter de ontmoeting tussen paus Paulus VI met de orthodoxe patriarch Athenagoras in Jeruzalem op 6 januari 1964. Het is een chaotische bijeenkomst, waarop Willebrands een belangrijke rol speelt. Wanneer beide religieuze leiders het zeventiende hoofdstuk uit het Johannes-evangelie willen lezen en niemand de tekst heeft, haalt Willebrands een Grieks-Latijns bijbeltje uit zijn binnenzak, waardoor de historische ontmoeting de gepaste afsluiting kan krijgen. Op 7 december 1965, de dag voordat het concilie wordt afgesloten, wordt in de Sint-Pieter de banvloek die Rome over de orthodoxen uitsprak officieel opgeheven. Willebrands mag de verklaring voorlezen.

Als kardinaal Bea in 1968 sterft, is Willebrands de logische opvolger. Als president van het Secretariaat voor de Eenheid der Christenen gaat hij veel op reis, niet alleen om banden aan te halen met andere Kerken, maar ook om zijn medekatholieken op te zoeken en hun te leren wat oecumene is, want dat is dan nog steeds een sport die maar door enkelen beoefend wordt.

Zodra de eerste euforie van het Concilie geluwd is, krijgt de oecumene, en dus ook Willebrands, het moeilijk. De tijd van de grote ontmoetingen en de symbolische daden is voorbij; het komt nu aan op de inhoud. En dan blijkt dat de verschillen van eeuwen her niet zomaar opgelost kunnen worden. In 1975 wordt hij ook nog eens tot aartsbisschop van Utrecht benoemd, waardoor hij zijn tijd moet gaan verdelen tussen Nederland en de oecumene. De dubbele baan (afwisselend drie weken Utrecht, een week Rome) wordt geen succes. Het kost Willebrands prestige in het Vaticaan en hij verliest langzaam zijn grip op zijn departement en op het aartsbisdom. Bovendien krijgt hij er vanaf 1982 in de persoon van de Duitse kardinaal Joseph Ratzinger een formidabele tegenstander bij in Rome. Hij wordt de nieuwe prefect van de Congregatie voor de Geloofsleer en bepaalt in die functie vanaf dat moment het ritme van de oecumene.

Gek genoeg begint op dat moment de oecumene pas net vorm te krijgen. Allerlei katholieke en protestantse gemeenschappen gaan enthousiast met elkaar liturgie vieren en doen mee aan elkaars avondmaal en eucharistie, terwijl in Rome langzaam de vaart uit de oecumene verdwijnt. Het levert het beeld op van een oecumene op twee snelheden, een beeld dat Willebrands niet kan wegnemen.

Willebrands was een vriendelijke man, een echte gentleman, die uitstekend kon luisteren en mensen bij elkaar kon brengen. Daardoor was hij bij uitstek geschikt voor de oecumene: een diplomaat die je kon vertrouwen. Niet iemand van dubbele agenda's. Volgens de Nederlandse dominee Albert van den Heuvel was hij toch vooral een heel voorzichtige man, 'die een beetje leed aan geduldstheologie; dat wil zeggen, iedere keer als iemand wat wou, dan zei hij: "Daar moeten wij geduld bij hebben." En dat waren al heel gauw hele lange perioden van geduld. Nu is dat niet altijd fout, maar hij maakte de indruk van iemand die 's avonds wakker lag omdat er niets gebeurde. Hij werkte stoer en vrolijk en vriendelijk door.'

In 1989 biedt Willebrands, hij is dan tachtig, zijn ontslag aan als President voor de Raad voor de Eenheid. Hij blijft in Rome wonen, dan kan de paus altijd nog een beroep op hem doen. Dat gebeurt, tot zijn verdriet, echter niet of nauwelijks. Het maakt hem, in zijn latere jaren, tot een beetje tragische figuur. In het tweede conclaaf van 1978 dat gehouden moet worden omdat Johannes Paulus i al na drieëndertig dagen sterft, krijgt Willebrands een redelijk aantal stemmen. Hij laat echter weten niet geïnteresseerd te zijn in het pausschap. Tijdens een van de lunches vraagt hij zijn supporters toch vooral op Karol Wojtyla, de aartsbisschop van Krakau, te stemmen. En die zou het uiteindelijk winnen. Willebrands had geen kans gemaakt; hij was voor veel van zijn collega's te Nederlands, zoals hij voor veel landgenoten te Romeins was geworden. Maar in alles was hij trouw aan de Kerk en de paus.

De laatste jaren van zijn leven woont hij in het Franciscanessenklooster in Denekamp, ver weg van Rome. Hij gaat er voor in de eucharistie, maar houdt zijn preken kort: de meeste zusters zijn nogal doof, dus dan kun je volgens hem maar beter niet te lang van stof zijn. En ook al nemen zijn krachten steeds verder af, hij houdt zich beschikbaar voor de paus. Als in 2005 Johannes Paulus ii overlijdt wil hij naar de begrafenis en begint zijn koffer in te pakken. Zijn lichamelijke en geestelijke toestand is dan al zo slecht dat zijn omgeving hem er uit alle macht van probeert te weerhouden naar Rome af te reizen. Mokkend stemt hij toe. Toen bekend werd dat Joseph Ratzinger, geen vriend van hem, tot paus was gekozen gaf hij geen enkel commentaar. Ook later heeft hij steeds over deze paus gezwegen. Eerbied voor het pausschap was bij hem een tweede natuur geworden.

Anno 2010 heeft Nederland naast Karel Kasteel nog twee landgenoten in de Romeinse curie. Frans Tholen, van de Missionarissen van Afrika, ook wel bekend als de Witte Paters, werkt bij de Pauselijke Raad voor de Pastorale Zorg voor Migranten en Reizigers. De jezuïet en kerkhistoricus Marcel Chappin is sinds 2007 viceprefect van het Vaticaans Geheim Archief. Lange tijd is gedacht dat dit archief geheim was en niet voor buitenstaanders toegankelijk. Het woord *secretum* waarmee het Archief aangeduid wordt, betekent hier echter 'privé' en niet zozeer 'geheim'. Het archief is dus het privéarchief van de pausen. Chappin, al heel lang hoogleraar kerkgeschiedenis aan de pauselijke Gregoriana-universiteit, mijdt de publiciteit en tracht ook de Nederlanders in Rome zoveel mogelijk te ontlopen. Dat lukt hem vrij aardig.

Nederlanders in de Romeinse curie: in ons land worden ze door een klein gedeelte van de katholieken op een voetstuk geplaatst. Ze werken immers dicht bij de paus. Maar een groot gedeelte van hun geloofsgenoten in het vaderland laat het koud of iemand zich inspant voor het wel en wee van de wereldkerk. Anderen zijn ronduit rancuneus: zo iemand werkt voor de vijand. In Rome worden ze nooit helemaal Romein, ook al wonen ze er tientallen jaren. Zonder dat ze er iets aan kunnen doen associëren veel mensen in de curie hen met alles wat in hun ogen mis is in ons land – abortus, euthanasie, homohuwelijk – en ze worden maar zelden met ons land gecomplimenteerd. Het maakt Nederlanders in de Romeinse curie tot enigszins gespleten figuren, zoals we bij Willebrands zagen. Te Romeins voor de Nederlanders, te Nederlands voor de Romeinen.

Een paus kun je niet verstoppen

De Zwitserse Garde

Maandag 4 mei 1998 is aanvankelijk een feestelijke dag voor Alois Estermann. Die ochtend wordt hij door paus Johannes Paulus II benoemd tot commandant van de Zwitserse Garde, het kleine, kleurrijke leger van de paus. Estermann is een veteraan in het elitekorps van de paus. De hele wereld kent zijn gezicht, want Estermann is degene die op 13 mei 1981, nadat de Turk Mehmet Ali Agca enkele schoten op Johannes Paulus II heeft afgevuurd, op de wegscheurende pausmobiel springt om de gewonde paus binnenboord te houden en hem af te schermen tegen een eventueel nieuw salvo.

Estermann is opgelucht dat zijn benoeming erdoor is. Hij was al een tijdje interim-commandant, maar een definitieve benoeming bleef uit. Het Vaticaan wilde eigenlijk iemand van adel op zijn post, maar kon geen Zwitserse baron of graaf vinden die bereid was voor het bescheiden jaarsalaris van 25 000 euro naar Rome te komen. Uiteindelijk kiest men dan toch maar voor Estermann, die er alles aan doet om het beeld als zou hij tweede keus zijn geweest recht te zetten en zelfs de indruk wekt te hebben overwogen ergens anders aan de slag te gaan. 'Al die verhalen zijn ontsproten aan de fantasie van een journalist. Natuurlijk had ik ergens anders meer kunnen verdienen, maar het leven in Rome bevalt me,' zegt hij in een interview. 'Het is een eer. Ik ben blij. Het zijn grote verantwoordelijkheden. Ik zie de wens van God achter mijn benoeming. God zal mij helpen mijn plicht goed te vervullen.'

De rest van de dag beleeft hij in een roes. Opgetogen neemt hij de felicitaties in ontvangst en hij zegt tegen iedereen dat hij zijn benoeming vanavond gaat vieren met zijn vrouw. Daar zal het echter niet van komen. Rond negen uur 's avonds hoort een buurvrouw eerst ruzie en daarna schoten in het appartement van de familie Estermann. Op haar aandringen neemt Marcel Riedi, korporaal van dienst, poolshoogte. In het halletje van het appartement van Estermann vindt hij diens vrouw, dood. Voor zover hij kan zien neergestoken of neergeschoten. Hij loopt de woonkamer binnen. Later zal hij zeggen dat hij nog nooit in zijn leven zoveel bloed had gezien. Het eerst ziet hij Estermann liggen, levenloos. Het bloed sijpelt nog uit zijn linkerwang en wonden in zijn nek en zijn linkerschouder. Verderop ligt de jonge gardist Cedric Tornay, net als Riedi korporaal. Ook Tornay is dood. Zijn gezicht ligt in een plas bloed dat uit zijn mond en de achterkant van zijn hoofd lijkt te komen De deur achter hem zit vol spetters van een zo op het oog vleesachtige substantie.* Een dramatisch einde van een dag die zo mooi begon. Estermann is nog geen tien uur commandant van de Zwitserse Garde geweest.

De volgende ochtend komt het Vaticaan, bij monde van woordvoerder Joaquin Navarro-Valls, met een verklaring. Uit een wel heel snel uitgevoerd voorlopig onderzoek zou blijken dat korporaal Tornay Estermann en zijn echtgenote heeft vermoord in een vlaag van verstandsverbijstering en daarna de hand aan zichzelf heeft geslagen. Zijn dienstpistool, een 9-mm s i g, Zwitsers fabricaat, lag onder zijn lijk.

In de Italiaanse media wordt al snel gespeculeerd over het motief van Tornay. Een wraakactie omdat Estermann niet van adel was, zoals de benoemingsvoorschriften vereisen? Of was Tornay woedend omdat Estermann hem onlangs een reprimande had gegeven nadat hij een nacht was doorgezakt, te laat terug was in de kazerne en daarom niet in aanmerking kwam voor de medaille van verdienste? Ook wordt een crime passionnel geopperd als

* John Follain, *City of Secrets. The Startling Truth Behind the Vatican Murders*, Perennial 2003, p. 6.

verklaring van het drama. Volgens Navarro-Valls had Tornay de laatste dagen geklaagd dat hij 'niet voldoende waardering genoot binnen de Zwitserse Garde'. Een seksueel motief sluit hij uit: 'Estermann en zijn vrouw vormden een modelechtpaar.' Maar zoals wel vaker in de geschiedenis kost het het Vaticaan erg veel moeite de wereld te overtuigen van zijn waarheid.

Met de begrafenis van de drie slachtoffers van dit drama (het echtpaar Estermann op grootse wijze in de Sint-Pieter, Tornay onopvallend in het kleine parochiekerkje van Sant' Anna) komt er geen einde aan de geruchten. Terwijl de enige magistraat die het Vaticaan rijk is, Gianluigi Marrone, met zijn onderzoek naar de gebeurtenissen in het appartement van het echtpaar Estermann begint, storten journalisten zich op de zaak en laat ook de familie van Tornay van zich horen. 'Het Vaticaan zal ons nooit de hele waarheid over de dood van mijn broer vertellen,' klaagt Tornays zus Melinda in een Italiaanse krant. Zijn moeder voegt eraan toe dat zij vlak voor de moordpartij nog met haar zoon gebeld had. 'Hij was niet boos of bitter,' zegt ze. 'Als hij al overstuur was, dan kan dat nooit genoeg geweest zijn om iemand te vermoorden.' Duitse kranten melden dat Estermann zijn magere salaris aanvulde door Vaticaanse staatsgeheimen aan de Stasi te verkopen, de Oost-Duitse geheime dienst. Volgens Markus Wolf, ooit de nummer twee van de Stasi, was Estermann spion sinds 1979. Hij zou te veel geweten hebben, zijn vrouw en Tornay in vertrouwen hebben genomen, en dus moesten ze alle drie dood. Voor deze beweringen is nooit bewijs gevonden.

Op 17 februari 1999, bijna negen maanden na het drama, publiceert het Vaticaan het officiële onderzoeksrapport van onderzoeksrechter Marrone. Het bevestigt de aanvankelijke vermoedens van het Vaticaan dat Tornay Estermann vermoord heeft omdat hij hem een promotie had geweigerd vanwege het feit dat hij die ene avond te laat terug was in de kazerne. Bovendien zouden in zijn urine sporen van cannabis zijn aangetroffen en zat er in zijn hoofd een cyste 'ter grootte van een duivenei' die zijn waarnemingsvermogen 'heel goed beïnvloed zou kunnen hebben'. Moeder Tornay neemt meteen afstand van het onderzoeksrapport. Tegen een Italiaanse krant zegt ze dat ze het Vaticaan niet gelooft en dat haar zoon tot zondebok gemaakt is in een veel groter complot.

Een dag nadat het Vaticaan zijn definitieve versie van het verhaal naar buiten heeft gebracht, presenteert de Italiaanse journalist Massimo Lacchei zijn roman *Verbum Dei, Verbum Gay* ('Woord van God, woord van een homo'), over twee Zwitserse gardisten die een liefdesrelatie onderhouden. Niet vies van publiciteit onthult hij dat achter de fictieve namen van de gardisten Estermann en Tornay schuilgaan. Lacchei zou hen ontmoet hebben tijdens een brunch voor homo's in een Romeins appartement. Daarbij waren ook een hoge politicus en een Vaticaanse prelaat aanwezig, die natuurlijk ook homo waren. Hun namen wil hij echter niet prijsgeven. Een maand voor de moordpartij zou hij Tornay nog hebben ontmoet. Ze zouden naar Lacchei's appartement zijn gegaan en daar zou hij 'iets bijzonders' op het lichaam van de moordenaar in spe hebben waargenomen, wat maar weinigen ooit hadden gezien. Tornays moeder zou 'dat bijzondere lichamelijke kenmerk' kunnen bevestigen. Misschien een moedervlek?

Het verhaal van Lacchei, dat aan het ranzige grenst, wordt niet echt serieus genomen. Maar zijn beweringen worden in 2006 min of meer bevestigd door de Engelse onderzoeksjournalist John Folain. Hij praat als enige met alle belangrijke getuigen van het bloedbad en komt met heldere conclusies. Estermann, zijn vrouw en Tornay zijn niet door iemand van buiten vermoord, en Estermann heeft ook nooit voor de Stasi gespioneerd. Volgens Follain heeft Tornay inderdaad Estermann en zijn vrouw vermoord alvorens de hand aan zichzelf te slaan. Tot zover niets nieuws, maar dan komt het. De jonge korporaal vond dat de Zwitserse Garde op een archaïsche manier geleid werd en dat de Zwitser-Duitsers binnen de garde te veel macht hadden. Gefrustreerd en eenzaam zocht hij toenadering tot Estermann, die een liefdesrelatie met hem begon. Toen Estermann hem inruilde voor een andere gardist, veranderde de liefde bij Tornay in haat. Estermanns nauwe banden met Opus Dei en zijn weigering om zijn ex-geliefde Tornay de Ben Merenti-medaille voor drie jaar trouwe dienst toe te kennen zouden Tornay vervolgens tot zijn wanhoopsdaad gebracht hebben.

Het drama van 4 mei 1998 heeft grote gevolgen voor wat tot dan toe beschouwd werd als het braafste leger ter wereld. Het onberispelijke imago van het pauselijke keurkorps ligt aan duigen. Plotseling melden zich minder Zwitserse jongens aan om in Rome de paus te gaan dienen. Er wordt zelfs overwogen om te gaan adverteren, om te voorkomen dat er lege plekken zouden vallen in de verdedigingslinie van het Vaticaan.

Als ik eind 2007 een dag meeloop met de Zwitserse Garde, lijkt de rust weergekeerd in de barakken achter de Porta Sant' Anna. Het bloedbad ligt dan alweer bijna tien jaar achter ons. Het aantal aanmeldingen om dienst te nemen bij het leger van de paus is weer op niveau, zo wordt mij verzekerd. Ik heb geluk, want er is een Nederlandssprekende gardist tot het pauselijke leger toegetreden: Tobias Verstegen, zoon van een Nederlandse vader en een Zwitserse moeder. Nou ja, Nederlandssprekend, hij verstaat Nederlands, de antwoorden komen in het Zwitserduits, met zijn ietwat huppelende uitspraak.

Hij wil me de wapenkamer laten zien. Wanneer we daar door de barakken naartoe lopen, horen we stemmen van kinderen die aan het voetballen zijn – uniek voor Vaticaanstad. Het is het kroost van de officieren van de Zwitserse Garde. Zij zorgen ervoor dat Vaticaanstad zoiets heeft als een geboortecijfer en wonen met hun gezinnen binnen de muren van Vaticaanstad.

De wapenkamer stelt niet zo heel veel voor: een paar helmen, karabijnen en lansen en verder wat documenten uit de rijke geschiedenis van de garde. Die geschiedenis begint in 1505. In dat jaar zendt Paus Julius 11 ('de Verschrikkelijke') de Zwitserse priester Hans Petermann von Hertenstein naar diens vaderland om huurlingen te ronselen. In zijn reistas zitten een aanbevelings-brief van de paus en 4900 grootdukaten; hij heeft daarnaast het vriendelijke doch dringende verzoek van de paus gekregen om met tweehonderd soldaten terug te komen. Dat geld was toch wel het belangrijkste. Daar waren huursoldaten gevoelig voor, meer dan voor zaken als geloof of eer en de waardigheid van de paus van Rome. En hoewel veel gardisten van nu het zullen ontkennen, is dat nog altijd zo.

Julius 11 is niet de eerste paus die naar het noorden kijkt voor bescherming. Paus Sixtus iv (1471-1484), een oom van hem, sluit een akkoord met de Zwitserse Confederatie en bouwt zelfs al barakken in de Via Pellegrino voor mogelijke huurlingen. Inno-centius hernieuwt deze afspraken om de Zwitsers in te zetten tegen de hertog van Milaan. Tijdens de grote Italiaanse oorlogen over de hegemonie van het Italiaanse schiereiland, eind vijftiende, begin zestiende eeuw, vechten de Zwitsers afwisselend met de Kerkelijke Staat en met diens bondgenoot Frankrijk mee. Ze heb-ben dan al decennialang een uitstekende reputatie bij de verschil-lende Europese grootmachten als zijnde betrouwbaar en niet duur. Ook de pausen van Rome zijn erg te spreken over hun Zwit-serse huurlingen. Daarom stuurt Julius 11 in 1505 Von Herten-stein naar Zwitserland om een permanent leger te formeren dat 'personen en goederen in het Vaticaan moet beschermen'.

In september van dat jaar vertrekken 150 soldaten onder lei-ding van commandant Kaspar von Silenen naar Rome. Na vier maanden vol ontberingen marcheren ze op 22 januari 1506 door de Porta Flaminia de stad in. Deze datum wordt in het algemeen aangehouden als oprichtingsdatum van de pauselijke Zwitserse Garde. 'De Zwitsers zien dat de Kerk van God, Moeder van het Christendom, er slecht aan toe is, en zijn zich ervan bewust hoe ernstig en gevaarlijk het is dat elke tiran, hongerig naar rijkdom, ongestraft de gemeenschappelijke Moeder van het Christendom kan aanvallen,' zegt Huldrych Zwingli, een Zwitserse katholiek en later een van de bekendste protestantse hervormers. Het blijft ironisch dat het land dat zo veel heeft bijgedragen aan de hervorming de paus van Rome al meer dan vijf eeuwen beschermt tegen zijn vijanden. Desnoods met eigen leven, zo blijkt ook tijdens een van de meest verdrietige episodes uit de geschiedenis van de Eeuwige Stad: de Sacco di Roma in 1527. In slechts een paar dagen plunderen hongerige en wraaklustige Duitse troepen Rome helemaal leeg.

De Sacco di Roma heeft een lange voorgeschiedenis. De Medici-paus Clemens VII vindt dat het Heilige Roomse Rijk onder leiding van keizer Karel V zijn handen maar eens moet afhouden van Italië. En dus besluit hij met het koninkrijk Frankrijk, Florence, de Republiek Venetië en het hertogdom Milaan de Heilige Liga van Cognac te vormen teneinde keizer Karel gezamenlijk een lesje te leren. Aanvankelijk boekt de Liga succes en verovert de stad Lodi, maar als de keizerlijke troepen Lombardije binnentrekken moeten de Sforza's, bondgenoten van de paus, Milaan al snel opgeven. Vanaf dat moment gaat het helemaal mis. Ferdinand I, een broer van Karel V, formeert een leger van Duitse landsmannen met een oververtegenwoordiging aan lutheranen. De overgelopen Franse prins Karel de Bourbon sluit zich met een leger van vooral Spaanse soldaten bij hem aan. De twee legers ontmoeten elkaar bij Piacenza en trekken samen op naar Rome. De lutheranen willen graag naar de Eeuwige Stad, want ze hebben met de paus nog een appeltje te schillen. Maar Rome is ook een rijke en historisch beladen plek: ideaal voor plundering. Bovendien is de verdediging van de stad ronduit armzalig te noemen. Een leger van nog geen vijfduizend soldaten, bestaande uit manschappen onder leiding van Renzo de Ceri en zo'n tweehonderd Zwitserse gardisten staan tegenover een overmacht van vijfentwintigduizend strijders van de keizer. Wel beschikken de verdedigers over artillerie.

Op 6 mei 1527 begint de aanval. Keizerlijke troepen proberen bij de Gianicolo en de Vaticaanse heuvel door de muren heen te breken en de burcht van Leo IV binnen te dringen. Hier vindt Karel de Bourbon de dood: zijn witte pak, dat hij had aangetrokken om voor zijn mannen duidelijk herkenbaar te zijn, maakt hem een eenvoudig doelwit voor de pauselijke artillerie. Het is voorlopig hun laatste succes: door het wegvallen van hun commandant gaan bij het leger van Karel alle remmen los. Bovendien zijn ze ontevreden omdat ze al maanden geen soldij hebben ontvangen.

Wat volgt is de meeste gruwelijke plundering van Rome sinds eeuwen. In de overlevering zijn de wreedheden ongetwijfeld ietwat overdreven, maar een kleine bloemlezing kan toch geen kwaad: kerken en kloosters worden leeggehaald, de nonnen worden door de soldaten meegenomen en verkracht. Vrouwen uit Romeinse adellijke families ondergaan hetzelfde lot. Het graf van Julius II wordt geplunderd. In de Sint-Pieter en de Sixtijnse kapel worden paarden gestald en Luthers naam wordt op Raphaëls schilderij in de pauselijke appartementen gekalkt. Naar schatting 4000 burgers worden gedood en bijna alles van waarde verdwijnt uit de stad.*

In de kakofonie van geweld van die zesde mei speelt de Zwitserse Garde een heldenrol. Als de keizerlijke troepen bij de Sint-Pieter paus Clemens VII bijna te pakken hebben, vormen de gardisten een haag om hem heen om hem te beschermen en hem zo de kans te geven te ontsnappen. Van de 189 gardisten die dienst hebben komen er bijna 150 om het leven; slechts 42 overleven en ontsnappen met de paus via de Passetto naar de Engelenburcht en brengen hem daar in veiligheid. Als eerbetoon aan de gesneuvelde gardisten worden nieuwe rekruten nog altijd op 6 mei ingezworen.

Die rekruten zweren trouw aan de paus van Rome en beloven zo nodig hun leven voor hem te geven. Dat gold voor Alois Estermann, die bij de moordaanslag op Johannes Paulus II in 1981

---

* Eamon Duffy, *Heiligen en Zondaars. Een geschiedenis van de pausen*, Ten Have/Lannoo 1997, p.160

boven op hem sprong om hem te beschermen tegen verdere kogels, en dat geldt voor Tobias Verstegen, de Nederlandssprekende gardist. Een beetje lacherig demonstreert hij in de wapenkamer van de Zwitserse Garde hoe hij met zijn hellebaard moet omgaan. Openhartig vertelt hij dat hij niet goed wist wat hij met zijn leven wilde. Hij was in dienst geweest en was uiteindelijk kok geworden, maar het werk in de keuken bracht hem weinig bevrediging. Toen hoorde hij over de mogelijkheid om bij de Zwitserse Garde in Rome te gaan dienen. Dat leek hem wel wat. Het werk zelf is af en toe een beetje saai, moet hij toegeven, vooral het wachtlopen. Daar staan de mooie werkomgeving en de *Kameradschaft* onder elkaar tegenover.

'En natuurlijk werken voor de paus,' vul ik aan.

'Ja, dat is natuurlijk ook belangrijk.'

'Je moet je leven voor hem willen geven.'

'Dat weet ik.'

'Dat is nogal wat.'

'Ja, en daarvan ben ik me ook goed bewust.'

Even later heb ik een afspraak met korporaal Tizano Guerri van de Zwitserse Garde. Samen lopen we naar de Bronzen Poort, de ingang van het Apostolisch Paleis en daarmee de snelste weg naar het appartement van de paus. Tiziano ziet er indrukwekkend uit. Hij draagt niet het standaardtenue van de Zwitserse Garde, maar een donkerrood uniform met op zijn borst een flink aantal medailles. In 1993 hoorde hij van een vriend over de Zwitserse Garde. Het leek hem wel wat en hij tekende voor twee jaar. Veel jongens uit zijn lichting gingen na twee jaar terug naar huis, maar hij wilde graag blijven en officier worden. Zijn vrouw kwam naar Rome en ze gingen in Vaticaanstad wonen. Daar werd hun zoon geboren. Een tweede kind is op komst wanneer ik hem spreek.

We lopen een gang in die uitkomt op een soort kantoortje. Daar bergt Tiziano zijn koffertje op. Door een deuropening zie ik in de verte de commandant van dienst achter een groot bureau zitten. Tiziano zal zijn dienst overnemen. Die wisseling van de wacht gaat met enig ceremonieel gepaard. De twee officieren gaan tegenover elkaar staan, zeggen iets tegen elkaar en klikken een keer met hun hakken.

'Nu ben ik de baas,' zegt Tiziano half serieus, en hij installeert zich achter het grote bureau. Hij laat me een A4'tje zien. 'Hierop staan de namen van de mensen die zich voor vandaag als bezoeker van het Apostolisch Paleis hebben aangemeld.' Op het bureau staan twee telefoons en via drie monitoren heeft hij zicht op wat zich direct buiten de Bronzen Poort op het Sint-Pietersplein afspeelt.

Tientallen keren heb ik zelf voor de Bronzen Poort gestaan en geprobeerd een glimp van het leven daarachter op te vangen. Nu sta ik aan de andere kant en kijk via de twee Zwitserse gardisten die de wacht houden de toeristen in hun gezicht die net zo nieuwsgierig zijn als ik al die jaren was. Tiziano heeft het niet druk deze avond. Af en toe komt er een priester of non langs, die na een dag werken naar huis gaat. 'Tot ziens, fijne avond,' zegt hij dan. Om de zoveel tijd gaat de telefoon.

'Bronzen Poort, u spreekt met de Zwitserse Garde.' Hij maakt een ontspannen indruk.

'Dat fotograferen, daar ergeren we ons wel aan. Veel mensen beseffen niet dat we gewoon ons werk doen. En zo lief zijn we niet. Zo hebben we pepperspray in onze sokken zitten voor het geval mensen echt lastig worden.' Veel werk is er vandaag niet bij de Bronzen Poort.

'Ach, het gaat hier vooral om kleine zaken. Is er iets belangrijks, dan neem ik contact op met het hoofd van dienst.'

Toch is de beveiliging van Vaticaanstad een ingewikkelde zaak. De Zwitserse Garde bewaakt de in- en uitgangen van Vaticaanstad – zeg maar de buitenste ring. De Vaticaanse gendarmerie, vergelijkbaar met onze politie, is verantwoordelijk voor de interne veiligheid. Het Sint-Pietersplein valt onder een speciale eenheid van de Italiaanse politie, maar als de paus het plein betreedt nemen de gendarmerie en de Zwitserse Garde de beveiliging over. De jeep waarin de paus het plein betreedt wordt omringd door gardisten in burger die zijn opgeleid als bodyguard. Gaat de paus Rome in, dan wordt hij begeleid door Italiaanse politieagenten op motoren, weer van een andere eenheid dan die welke het Sint-Pietersplein bewaakt.

Het verschil in taken tussen de gendarmerie en de Zwitserse Garde is vaak moeilijk waar te nemen. Ga maar eens kijken bij de Porta Sant' Anna, de dienstingang van het Vaticaan. Wie daar bijvoorbeeld met een recept aankomt voor de Vaticaanse apotheek, laat dat keurig aan een Zwitserse gardist zien. Hij knikt vriendelijk, wijst je de weg en wenst je een prettige middag. Vijf meter verder stuit je op een gendarme die zo op het oog precies hetzelfde doet. Je laat je recept zien, hij knikt vriendelijk, wijst je de weg en wenst je een prettige middag.

'Jullie doen toch eigenlijk hetzelfde?' vraag ik aan Tiziano.

'Dat lijkt zo,' zegt hij.

'Hoe gaat de samenwerking?'

'Die moet nog groeien.' Hij heeft duidelijk geen zin om erover te praten.

Tussen de Zwitserse Garde en de gendarmerie heerst niets minder dan een koude oorlog. De gardisten vallen onder het Staatssecretariaat, dus onder de kerkelijke tak van Vaticaanstad. De Vaticaanse gendarmerie, ongeveer 130 manschappen, valt onder het Governatorato, de seculiere instelling die namens de paus Vaticaanstad bestuurt. Beide instituten zijn belast met de veiligheid van de paus en de controle van personen die in Vaticaanstad iets te zoeken hebben, en allebei zijn ze ervan overtuigd dat ze het alleen heel goed af kunnen. Jammer dat er nog een andere veiligheidsdienst is met ambities op dat vlak.

Op 17 oktober 2007 rond vijf uur in de morgen beklimt een naakte en dronken Fransman de klokkentoren van de Sint-Pieter en begint de klokken te luiden. De klokkentoren wordt bewaakt door de Zwitserse Garde en die had deze avonturier dan ook moeten tegenhouden. Maar dat deden de gardisten niet. En dat wordt hun nu nog door gendarmes nagedragen. Uiteindelijk moesten zij de man arresteren. 'Dat is jullie werk,' werd er tegen de Zwitserse Garde gezegd. 'Jullie bewaken toch de buitenste ring?'

Met name bij de gendarmerie is de frustratie groot. Die heeft iets arrogants over zich met die Louis de Funès-pakjes. Alsof men wil laten zien: wij zijn de enigen hier die verantwoordelijk zijn voor de veiligheid. Zo gedragen de gendarmes zich niet alleen in Vaticaanstad, maar ook in de contacten met het buitenland. Zo praten ze mee bij de OVSE, de Conferentie voor Veiligheid en Samenwerking in Europa en zijn ze lid van Interpol. Het moge duidelijk zijn: wij zijn uw gesprekspartner over veiligheid namens de Heilige Stoel. Maar terug in Vaticaanstad moeten ze met verdriet constateren dat ze deel uitmaken van een bureaucratie, de Vaticaanse bureaucratie. Het kenmerk van iedere bureaucratie is dat iedereen voor iets specifieks verantwoordelijk is, maar over alles mag meepraten. Dat geldt ook voor het Vaticaan en dus ook voor de beveiliging van de paus. Want naast de gendarmes en de gardisten heeft ook de Italiaanse politie er nog iets over te zeggen. De vraag rijst of de paus er wel bij gebaat is dat zoveel verschillende instellingen de verantwoordelijkheid voor zijn veiligheid delen.

Vincenzo Caso is als ik hem eind 2007 spreek generaal bij de carabinieri, de Italiaanse militaire politie, en in die functie verantwoordelijk voor de controle van de bezoekers van het Sint-Pietersplein. De carabinieri beheren de veiligheidspoortjes die zijn opgesteld aan de rechterkant van het plein en waar elke bezoeker van de Sint-Pieter doorheen moet. Ook bij de algemene audiëntie op woensdag controleren zij pelgrims op wapens en explosieven. Bovendien patrouilleren ze dag in dag uit op het plein in opvallende golfkarretjes van het merk Lamborghini.

Ik bezoek Caso in zijn kantoor in de Via del Mascherino, even buiten de muren van het Vaticaan. Voor zijn deur staan toeristen met bedrukte gezichten. Dit is namelijk ook het adres waar je moet zijn als je op het Sint-Pietersplein van je portemonnee bent beroofd.

De kamer van Caso is helemaal boven in het palazzo. Achter zijn bureau hangen een Italiaanse vlag en foto's van Caso met Johannes Paulus II en Benedictus XVI, maar ook van zijn kleinkinderen. Vanachter zijn bureau heeft hij uitzicht op het slaapkamerraam van de paus. 'We hebben het hier over het belangrijkste staatshoofd ter wereld. Elk ander staatshoofd heeft een bepaald grondgebied, maar de paus heeft de hele wereld als grondgebied. Hij heeft het druk. Binnenkort zal de paus het Vaticaan verlaten en vanwege het Hoogfeest van Maria Onbevlekte Ontvangenis een bezoek brengen aan de Piazza di Spagna.' Aan Caso en zijn mannen de taak om de veiligheid van de paus op zijn tocht daarheen en weer terug te waarborgen.

De verantwoordelijkheid lijkt niet op hem te drukken. Rustig vertelt hij dat er een uitgebreid draaiboek ligt dat in overleg met de Romeinse stadspolitie constant wordt bijgewerkt.

'Dit doen we al tientallen jaren; we nemen de hele route door en kijken alles na. Zo worden alle prullenbakken op de route die de paus aflegt verzegeld. Ook hebben we continu overleg met de veiligheidsdiensten. Krijgen we informatie over bepaalde personen binnen, dan checken we die en wordt het plan desnoods aangepast.' Caso controleert een uur voordat de paus langskomt persoonlijk de hele route.

'Pas dan ben ik echt rustig.'

'Wie is de vijand van de paus?'

'Er is niet één vijand. We krijgen algemene inlichtingen dat er gevaar dreigt, maar daar hoort niet één gezicht bij. We staan steeds in contact met de geheime diensten. En handelen daarnaar. Er gebeuren dingen in het buitenland die hun invloed kunnen hebben op de situatie hier.'

'Vormt de paus een doelwit voor moslimterroristen?'

'Er zijn twee gebeurtenissen die het veiligheidsbeleid rond de paus hebben veranderd. De aanslag op de paus in 1981 en de aanval op de Twin Towers. Sindsdien is duidelijk dat het gevaar uit de hele wereld kan komen.'

'Naast u houden ook de Zwitserse Garde en de Vaticaanse gendarmerie zich bezig met de veiligheid van de paus. Is dat niet wat veel?'

'Nee, ieder heeft zijn eigen taak. We overleggen goed. Maar weet u wat ons grote probleem is? De Heilige Vader wil dicht bij zijn gelovigen zijn, en zij willen hem van zeer nabij zien. We kunnen hem niet verstoppen.'

Op weg naar de uitgang laat hij me nog even de controlekamer zien. Twee mannen zitten roerloos naar zo'n twintig monitoren te kijken waarop het Sint-Pietersplein en omstreken te zien is. Ze dragen witte jassen, hetgeen het belang van hun werk benadrukt.

Als Benedictus XVI tijdens de kerstnachtmis van 2009 in de Sint-Pieter door het middenpad naar het altaar loopt, wordt hij besprongen door de vijfentwintigjarige Susanna Maiolo, een vrouw van Italiaans-Zwitserse afkomst met een psychiatrisch verleden. De paus zelf raakt ze niet, maar in het tumult om hem heen komt de paus wel ten val. Hij krabbelt echter weer snel op en vervolgt zijn weg schijnbaar onaangedaan naar het altaar, om vervolgens kreukloos voor te gaan in de kerstnachtmis. De zevenentachtigjarige Franse kardinaal Roger Etchegeray is minder fortuinlijk; hij breekt bij het incident zijn dijbeen. De belaagster wordt snel afgevoerd en zal later worden opgenomen in een gesloten inrichting in de buurt van Rome.

Een paar dagen later maakt de woordvoerder van de paus, pater Federico Lombardi, bekend dat de veiligheidsmaatregelen bij openbare optredens van de paus niet zullen worden verscherpt. 'De gelovigen moeten in staat blijven de paus van dichtbij te zien,' aldus Lombardi. 'Het pastorale ambt van de paus vereist dat hij contact met de gelovigen heeft. Hij zal dus niet worden afgeschermd. Dat brengt natuurlijk risico's met zich mee.'

Als de paus de mogelijkheid zou worden ontnomen gelovigen te ontmoeten, dan is dat volgens Lombardi 'alsof men hem de adem beneemt'. Een paus kun je niet verstoppen.

Een bijzonder dorp

Vaticaanstad

Het Vaticaan wordt door iedereen vereenzelvigd met de paus. Dat is niet zo gek. Pausen leven er al sinds eeuwen, ze liggen er bijna allemaal begraven en negen van de tien keer dat de bisschop van Rome op televisie te zien is, is dat in het Vaticaan. Toch is het goed te benadrukken dat de Sint-Pieter, het visitekaartje van het Vaticaan, niets meer of minder had moeten zijn dan een grafkerk voor de apostel Petrus. Het is niet eens de bisschopskerk van de paus; dat is de Sint-Jan van Lateranen, en de paus had en heeft zijn bedrijfsruimtes op nog veel meer plekken in Rome, bijvoorbeeld in de Cancelleria aan de Corso Vittorio en in het Quirinaal. Daar woont nu de Italiaanse president, maar het Quirinaal-paleis was tot 1870 de zomerresidentie van de paus. Daar was het koeler en minder vochtig dan op de Vaticaanse heuvel. Dat veranderde toen Garibaldi de eenwording van Italië voltooide door de paus de kerkelijke staat en dus de tijdelijke macht af te nemen. Als genoegdoening aan zijn geestelijke macht mocht de paus van koning Vittorio Emmanuel de Sint-Pieter en de Vaticaanse paleizen behouden.

Als de voltooiing van het verenigd Italië nadert, wordt er nog lang getwijfeld of Rome wel de hoofdstad moet worden. Lang lijkt het erop dat Florence die eer ten deel valt. Daar vindt ook de eerste zitting van het Italiaanse parlement plaats. Maar ten slotte geven het prestige en de herinnering aan Rome als *Caput Mundi*, centrum van het Romeinse Rijk en hoofdstad van de wereld, de doorslag. 'Hadden zij Florence tot hoofdstad gemaakt,' zo schrijft de Britse Vaticanist Peter Hebblethwaite terecht, dan was Rome wellicht een tamelijk sluimerende afgelegen plaats gebleven, waar niet veel gebeurde.'*

Door Rome tot hoofdstad te maken dagen Garibaldi en zijn medestanders de paus uit en ontnemen hem uiteindelijk zijn stad. De paus van dat moment, Pius IX, is zo boos en verdrietig dat hij weigert de nieuwe Italiaanse staat te erkennen. Hij sluit zichzelf op in het Vaticaan. 'Als gevangene,' zoals hijzelf zegt. 'Het enige wat ik wil, is een klein stukje aarde waar ik heer en meester ben. Dat wil niet zeggen dat ik voor mijn staat zou bedanken als die mij werd aangeboden, maar zolang ik dat kleine stukje niet heb, zal ik mijn geestelijke functies niet ten volle kunnen uitoefenen,' zegt hij tegen de Franse ambassadeur bij de pauselijke staat.

Bijna zestig jaar blijven de pausen demonstratief binnen de muren van het Vaticaan. Mokkend, verongelijkt en lelijke gezichten trekkend naar Italië. Tot 1929 als paus Pius XI het Verdrag van Lateranen sluit met de Italiaanse regering onder leiding van Benito Mussolini. Een formele verzoening die als symbool de Via della Conciliazione krijgt. Inderdaad, de Weg van de Verzoening. Ook wel Weg van de *Verwoesting* genoemd: vele schitterende middeleeuwse gebouwen, zoals het geboortehuis van de schilder Raphaël en de kerk van S. Giacomo a Scossacavalli, worden voor de aanleg afgebroken. Zo wordt Vaticaanstad geboren, volgens de verdragen 'een instrument van de Heilige Stoel bij zijn spirituele missie in de wereld'. De paus mag van de fascistische dictator het gebied houden dat hij en zijn voorgangers sinds 1870 min of meer hebben bewoond, zo'n 44 hectare ofwel 65 voetbalvelden. Eigenlijk wil Pius XI veel meer hebben. Zo laat hij zijn oog vallen op de idyllische Villa Doria Pamhili, achter de Gianicolo gelegen, maar uiteindelijk gaat hij morrend akkoord met het aanbod van de Duce. Van 40 000 vierkante kilometer naar 0,44 vierkante kilometer. Het is nogal een verschil. En dus sprokkelt de paus er nog

* Peter Hebblethwaite, *Het Vaticaan. De kleinste grootmacht ter wereld*, Ambo 1987, p. 31.

wat bij, de zogenoemde extraterritoriale gebieden. Dit zijn gebouwen en kerken die weliswaar op Italiaans grondgebied liggen, maar waar de Italiaanse staat geen jurisdictie over heeft. Bijvoorbeeld de grote Romeinse basilieken, het Lateranenpaleis, het hoofdkwartier van de jezuïeten in de Borgo Santo Spirito en het pauselijk buitenverblijf in Castelgandolfo, met de daarbij gelegen landerijen.

De begrippen 'Vaticaan' en 'Heilige Stoel' worden vaak door elkaar gebruikt en van nu af aan ga ik dat ook doen. Misschien is het daarom goed om even het verschil uit te leggen. De Heilige Stoel (Latijn: *Sancta Sedes*) of Apostolische Stoel is de formele benaming van de staatsrechtelijke positie van het Vaticaan en duidt de paus aan tezamen met het Staatssecretariaat en de verschillende congregaties en pauselijke raden. De Heilige Stoel heeft haar zetel in Vaticaanstad, de Status Civitatis Vaticanae ofwel Stato della Città del Vaticano. Formeel heeft de Heilige Stoel Vaticaanstad niet nodig om als rechtspersoon internationaal actief te zijn, maar een eigen staat is wel zo handig.

Vaticaanstad is erkend onder internationaal recht en aangesloten bij nuttige instanties als de Internationale Communicatie-unie en de Universele Post Unie. Maar anders dan de Heilige Stoel ontvangt Vaticaanstad geen ambassadeurs of zendt die uit. Het heeft geen formele relaties met staten. John Allen citeert in zijn boek *All the Pope's Men* oud-secretaris-generaal van de Verenigde Naties Dag Hammarskjöld: 'Als ik een audiëntie vraag in het Vaticaan, ga ik niet naar de koning van Vaticaanstad, maar naar het hoofd van de katholieke Kerk.'*

De vlag van Vaticaanstad bestaat uit twee even brede verticale banden. Aan de mastzijde een gele (of gouden) band, daarnaast een witte band met daarin de sleutels van de apostel Petrus en de pauselijke tiara. De sleutels zijn in dezelfde kleuren uitgevoerd

---

*   John Allen, 2004, p. 25.

als de vlag zelf en worden bijeengehouden door een rood koordje. De sleutels symboliseren ook de macht van de paus om te vergeven dan wel te excommuniceren. De tiara is symbool van de drievoudige pauselijke macht, namelijk die van priester, koning en leraar.

Ook heeft Vaticaanstad een eigen volkslied, al spreekt men liever van 'pauselijke hymne'. De Franse componist Charles Gounod (1818-1893) schreef voor het gouden priesterjubileum van paus Pius IX een pauselijke mars die voor het eerst werd uitgevoerd op het Sint-Pietersplein op 11 april 1869 door maar liefst zeven verschillende fanfares. Maar een volkslied was het toen nog niet. Dat was op dat moment de *Gran Marcia Trionfale*, een compositie van Vittorino Hallmayr uit 1857.

In 1950 vierde het Vaticaan een heilig jaar en de paus van Rome had alweer eenentwintig jaar een eigen staat. Pius XII vond dat daar een nieuw volkslied bij hoorde en greep terug op de mars van Gounod. Bij de vrolijke melodie, die Nederlandse televisiekijkers kennen van Pasen en Kerstmis, als de eerste maten van de hymne gespeeld worden ter gelegenheid van de zegen *Urbi et Orbi* in combinatie met een klein gedeelte van het Italiaanse volkslied, horen maar liefst drie teksten. De oudste tekst bezingt Rome als stad van de apostelen. Vervolgens schreef een van de organisten van de Sint-Pieter, Antonio Allegra, in 1949 een nieuwe tekst: *Roma immortale, di martiri e di santi* ('Onsterfelijk Rome, stad van martelaren en heiligen'). Een subtiel verschil met de vorige versie (daar alleen apostelen), maar toch anders. Deze tekst was net als de eerste versie in het Italiaans. Om nu te zorgen dat de hele wereld de pauselijke hymne kon begrijpen kwam er in 1993 ook nog een Latijnse tekst van de hand van monseigneur Raffaello Lavagna: *O felix Roma, o Roma Nobilis* ('O Gelukkig Rome, O Nobel Rome').*

* Martens, p. 148.

Vaticaanstad heeft een leger en een politiemacht, maar geen marine. Wel had het tot in de jaren vijftig de beschikking over een koopvaardijvloot onder pauselijke vlag. Het Verdrag van Barcelona uit 1921 geeft het Vaticaan hier recht op. Na 1945 vielen de pauselijke schepen onder de Vaticaanse bank, die ze gebruikte voor de bevoorrading van het kleine staatje. Uiteindelijk werden de tankers en vrachtschepen aan een Franse rederij verkocht.*

De paus heeft ook geen eigen luchthaven, alleen al het beperkte grondgebied maakt dit onmogelijk, of de Via della Conciliazione zou moeten worden ingericht als start- en landingsbaan. Wel is er sinds een aantal jaren een heliport, een helikopterhaven. De paus heeft ook een eigen helikopter, om precies te zijn een militaire helikopter van het type Sikorsky H-3D Sea King. Normaal staat deze in een hangar van de tweede Romeinse luchthaven Ciampino, waar je hem met een beetje geluk ook kunt bezichtigen. De helikopter bevat vier zitplaatsen. De stoel van de paus is als enige wit en op de leuning bevindt zich het pauselijke wapen. Verder zijn er een wc en een kleine keuken aan boord. De Amerikaanse president Barack Obama vliegt trouwens in hetzelfde type helikopter rond.†

Auto's mogen Vaticaanstad in, maar moeten zich houden aan een maximumsnelheid van 30 km/u. Bij zo'n lage snelheid zijn de eigen auto's van het stadsstaatje makkelijk te herkennen aan de nummerplaten. De kentekens, die beginnen met SCV (Status Civitatis Vaticanae), zijn dienstauto's van het Vaticaan zelf. De auto met het kenteken SCV 1 behoort toe aan de paus. (Romeinen maken van dat SCV graag *Se Cristo Vedesse:* 'als Christus dit toch eens zag'.) Kentekens die beginnen met CV zijn privébezit van de bestuurders.

Vaticaanstad is nog steeds door middel van enkele honderden meters rails verbonden met het spoorwegnet van Italië. Het kleine

* Smoltczyk, p. 39-40.
† Idem, p. 56.

stationnetje dat dateert uit 1934 wordt echter niet meer gebruikt. Tegenwoordig is er een boetiek met luxeartikelen in gevestigd. Je kunt er terecht voor Zwitserse horloges, lingerie, elektronica en parfum, allemaal belastingvrij. Dat scheelt algauw zo'n twintig procent op de aankoopprijs.

Het Vaticaan is een staat, Vaticaanstad is een dorp. Loop er maar eens met een smoes naar binnen. De Zwitserse wachten die je doorlaten hebben de vriendelijkheid van een veldwachter waarbij vergeleken Bromsnor een rücksichtsloze ambtenaar der wet is. Loop langs de rustieke Duitse begraafplaats die je wil laten geloven dat doodgaan helemaal niet zo erg is. Loop naar het centrum van het dorp, de benzinepomp, waar je een liter benzine tegen twintigste-eeuwse prijzen kunt krijgen. Een non groet je vriendelijk, een tuinman maait geruisloos het gras: het kan niet anders of je bevindt je in het paradijs.

Zo idyllisch is het natuurlijk niet helemaal, maar het scheelt weinig. Vaticaanstad heeft het prestige dat bij een wereldmacht past, maar de sfeer doet nog het meest denken aan die van het Italië uit de jaren vijftig: gemoedelijk, overzichtelijk en een tikkie ouderwets. Er is een bar, tussen het Vaticaans Geheim Archief en de bibliotheek, en er is een school. Het kleinseminarie Pius x heeft vierentwintig leerlingen (allen van het mannelijk geslacht), die hun schoolopleiding combineren met het dienen van de mis in de Sint-Pieter. Uiteindelijk is het de bedoeling dat ze later priester worden.

Er zijn vijf kerken. De Sint-Pieter is de bekendste en ook verreweg de grootste, maar is niet de parochiekerk van Vaticaanstad. Dat is het kerkje van Sint-Anna, gelegen bij de gelijknamige poort. Het kleinste kerkje van Vaticaanstad is San Salvatore in Ossibus, letterlijk 'Heilige Verlosser in Botten'. Het ligt in de schaduw van het Heilig Officie en dateert uit de negende eeuw. Lange tijd diende het als begraafplaats voor pelgrims die in Rome stierven en wier lichamen niet meer naar huis konden worden vervoerd. De kerk is uniek in die zin dat ze in twee staten ligt. De apsis ligt in

Italië, de ingang is Vaticaans grondgebied. In de kerk bevindt zich het graf van kardinaal Alfredo Ottaviani, de befaamde oerconservatieve prefect van het Heilig Officie die het op het Tweede Vaticaans Concilie vaak opnam tegen de veel progressievere Nederlandse kardinaal Alfrink.

Midden in Vaticaanstad staat het stadhuis van Vaticaanstad, het Governatorato. Hier zetelt het gemeentebestuur, dat voor het gemak ook Governatorato heet. Net als elk gemeentebestuur zorgt het ervoor dat het vuilnis wordt opgehaald en dat er branden worden geblust. Het Vaticaan heeft een veertienkoppig brandweerkorps en vijfhonderd brandkranen, maar geen grote brandweerauto, omdat de straten te smal zijn. Verder beheert het Governatorato de gebouwen, de winkels en de musea van Vaticaanstad. Naast de al eerder vermelde boetiek is er een supermarkt waar belastingvrij kan worden ingekocht, maar die is alleen toegankelijk voor werknemers van het Vaticaan en religieuzen die in Rome wonen, al zorgen veel Romeinen ervoor dat 'iemand die ik ken en die in het Vaticaan werkt', dingen voor hen koopt.

Een Amerikaanse kardinaal pleitte er onlangs voor om de verkoop van sigaretten in het Vaticaan te verbieden, maar zijn pleidooi was aan dovemansoren gericht. Sinds 2002 geldt in Vaticaanstad een rookverbod in de gebouwen en in de dienstwagens. Volgens de leer van de katholieke Kerk is roken geen zonde. De catechismus van de katholieke Kerk waarschuwt alleen voor verslaving aan nicotine. Pausen stonden in het verleden welwillend tegenover roken. Benedictus xiv, zelf een kettingroker, schafte de belasting op tabak af en Pius ix liet aan de Piazza Mastai in de Romeinse wijk Trastevere zelfs een sigarenfabriek bouwen. Het gebouw staat er nog en boven de ingang is een inscriptie te lezen die laat zien waarvoor het ooit gebruikt werd.

Het afval wordt in het Vaticaan gescheiden opgehaald. Anders dan in Rome gebeurt dat in vijf en niet in drie categorieën. Gele containers zijn bestemd voor plastic afval, grijze en rode voor papier, blauwe containers voor blik en in groene containers moet het glas worden gegooid. Ten slotte zijn er containers voor het overige afval, en die zijn – nogal verwarrend – ook groen.

Het Vaticaan doet er alles aan om een ecologisch verantwoorde staat te zijn. Het beroept zich er met trots op dat het de eerste CO_2-neutrale staat ter wereld is. Niet zo moeilijk voor zo'n klein land, maar toch: het mag gezegd worden. Voor de lantaarns op het Sint-Pietersplein worden sinds kort alleen nog maar spaarlampen gebruikt (een besparing van 6000 kwu per jaar) en op het dak van de grote audiëntiezaal zijn zonnepanelen geplaatst. Die leveren de energie voor de verlichting en de airconditioning van het gebouw, en dat scheelt op jaarbasis toch al een uitstoot van zo'n 315 ton. Om de zonde van de geringe CO_2-uitstoot waar het Vaticaan zich desalniettemin aan schuldig maakt te compenseren heeft een Amerikaans-Hongaars bedrijf een vijftien hectare groot bos laten aanleggen in Hongarije.[*] Sinds kort is er ook een tankstation voor elektrische wagens, alhoewel het Vaticaan er nog geen dozijn van heeft rijden.

Dan is er nog de al eerder vermelde Vaticaanse apotheek. Die dateert uit 1874, toen Eusebio Fronmen, in die tijd directeur van de apotheek in het Fatebenetratelli-ziekenhuis op het Tiber-eiland, op verzoek van kardinaal-staatssecretaris Antonelli een apotheek in het Vaticaan begon. De tegenwoordige apotheek is populair bij de inwoners van Rome en ver daarbuiten, omdat er medicijnen verkrijgbaar zijn die in Italië verboden zijn, omdat ze nog niet officieel zijn goedgekeurd. Dagelijks melden zich rond de 1500 mensen, op drukke dagen zelfs bijna tweeduizend, met hun paspoort in de ene en een doktersrecept in de andere hand, bij de Porta Sant' Anna. Maar de apotheek bezorgt tegen een geringe vergoeding ook aan huis. De apotheek is in de eerste plaats bedoeld voor medewerkers van het Vaticaan en hun familie. Sinds 1952 kent het Vaticaan een eigen ziektekostenverzekering, de Fondo Assistenza Sanitaria (FAS), met op dit moment zo'n tien-

[*] Smoltczyk, p. 66.

duizend deelnemers. Zij maken de helft van het klantenbestand uit; de rest van de klanten heeft geen band met het Vaticaan.

Niet alleen het uitgebreide assortiment zorgt voor een grote toeloop in de apotheek, maar ook de lage prijzen. Gemiddeld liggen de prijzen van de medicijnen in de Vaticaanse apotheek zo'n twaalf procent lager dan in Romeinse apotheken. Voor medicijnen waar geen recept voor nodig is is dat twintig procent, voor vitaminen en dieetproducten zelfs vijfentwintig procent. Het best verkochte product is Hamolid, een middel tegen aambeien. Het moge duidelijk zijn dat de apotheek een kleine goudmijn voor het Vaticaan is. Volgens het Italiaanse weekblad *l'Espresso* maakte de apotheek in 2001 zo'n 35 miljoen euro winst. Maar het ondernemerschap kent grenzen. 'Natuurlijk verkopen wij geen producten die niet verenigbaar zijn met de leer van de katholieke Kerk,' zegt directeur pater Joseph Katackal in *Der Kleinste Kosmos der Welt* van de Duitse journalist Jürgen Erbacher.* Voor de anticonceptiepil en Viagra kun je dus niet terecht bij de apotheek van de paus. Mocht een arts het nodig vinden deze producten voor te schrijven, dan moet je naar een Italiaanse apotheek.

Sinds kort heeft de apotheek ook een uitgebreide parfumerieafdeling. Hiermee houdt het Vaticaan gelijke tred met de laatste ontwikkelingen in de apotheekbranche. Steeds meer apotheken verkopen tegenwoordig naast medicijnen schoonheidsproducten. 'Het welbevinden van de mens wordt steeds belangrijker,' zegt pater Joseph. Mooi gezegd, maar de kassa moet rinkelen, ook in de Viale di Porta Angelica, en dus heeft hij een aparte ruimte ingeruimd voor de parfums en make-up van wereldse merken als Estée Lauder, Joop en Yves Saint Laurent. Allemaal belastingvrij verkrijgbaar.

Binnen de staf van de Vaticaanse apotheek is iemand speciaal vrijgesteld voor de paus. De zevenentwintigjarige Pool broeder Martin is privé-apotheker van Benedictus XVI. Hij is bij alle pau-

* Erbacher, 2009, p. 50.

selijke plechtigheden aanwezig met een noodkoffertje vol medicijnen en staat dag en nacht klaar om hulp te verlenen. Ook gaat hij mee op de buitenlandse reizen van de paus. 'Vroeger wisselden we elkaar af,' zegt pater Joseph. 'We hebben gemerkt dat het beter is als de lijfarts van de paus en zijn medewerkers één concrete gesprekspartner hebben.'* Ten slotte bevoorraadt de apotheek de tien eerstehulpposten in het Vaticaan, waarvan die op het Sint-Pietersplein de bekendste is.

Vaticaanstad heeft een eigen strafwet en eigen rechtbanken en twee gevangeniscellen, die echter nauwelijks gebruikt worden. Bij veroordeling zit iemand zijn straf uit in een Italiaanse gevangenis. Jaarlijks worden er zo'n achthonderd strafbare feiten gepleegd. Dat is zo'n anderhalve misdaad per inwoner, en daarmee is het Vaticaan met afstand het meest criminele land ter wereld. Het gaat daarbij vooral om kleine misdrijven als zakkenrollen en vernieling. Een groot probleem blijkt de opsporing; negentig procent van de misdrijven wordt niet opgelost. Daders kunnen probleemloos en snel naar het veilige Italië vluchten.†

Water en elektriciteit worden van Italië gekocht, al is er voor noodgevallen ook een eigen, kleine elektriciteitscentrale. Het Governatorato is een kleine en efficiënte organisatie die winst maakt. Het heeft zelfs een eigen krantje voor de bijna 1800 werknemers die het in dienst heeft: *All'ombra del Cupolone* ('In de schaduw van de koepel') bevat nieuwtjes en familieberichten uit het ministaatje.

Er wonen maar zo'n vijfhonderd inwoners permanent in Vaticaanstad. Daarvan bezit iets meer dan de helft het Vaticaanse burgerschap. Dit burgerschap gaat gepaard met een Vaticaans paspoort, dat dezelfde status heeft als een diplomatiek paspoort – heel handig als je in aanraking komt met justitie. Zo kon de Amerikaanse aartsbisschop Marcinkus, hoofdrolspeler in het beruchte Banco Ambrosiano-schandaal, vrij gemakkelijk naar de vs ontko-

* Idem, p. 52.
† Smoltczyk, p. 280.

men omdat hij als burger van Vaticaanstad immuniteit genoot. Het burgerschap wordt vaak tijdelijk verleend, bijvoorbeeld aan leden van de Zwitserse Garde of diplomaten van de Heilige Stoel.

De paus is soeverein vorst van Vaticaanstad; hij is de baas. Hij laat het bestuur van zijn dorp over aan een raad van kardinalen: de Pauselijke Commissie voor de Staat Vaticaanstad. Op dit moment maken daar de kardinalen Lajolo, Re, Martins, Tauran, Martino, Nicora en Sandri deel van uit. De commissie komt enkele malen per jaar bij elkaar om het bestuurlijk en financieel beleid vast te stellen, maar de eigenlijke macht berust bij de president, kardinaal Giovanni Lajolo, zeg maar de burgemeester van Vaticaanstad. Deze vijfenzeventigjarige Italiaan, van oorsprong diplomaat, was onder Johannes Paulus ii lange tijd minister van Buitenlandse Zaken van het Vaticaan. Dan ligt een burgemeesterschap niet echt voor de hand, maar het geval wilde dat Lajolo's baas, Angelo Sodano, vanwege zijn leeftijd moest opstappen als kardinaal-staatssecretaris, en volgens de mores van het Vaticaan was het logisch dat ook hij moest vertrekken. Hij was echter te jong om met pensioen te gaan en verdiende voor zijn trouwe dienst wel de rode bonnet. In zulke gevallen gaat men in het Vaticaan op zoek naar een post waarbij dat hoofddeksel is inbegrepen, en daarbij is het van ondergeschikt belang of iemand wel geschikt is voor de functie. Toevallig was net het gouverneurschap van Vaticaanstad vrijgekomen en daar kon Lajolo dus mooi heen.

Als wij op een dag filmen in de Vaticaanse tuinen zie ik Lajolo wandelen, in gezelschap van twee oudere en zo op het oog belangrijke heren. Ze zijn druk in gesprek over een kwestie van een zekere importantie, want ze stoppen regelmatig en kijken elkaar dan ernstig aan. Af en toe maakt Lajolo dan een weids gebaar met zijn armen, alsof het om zoeken naar een bouwlocatie gaat. De kardinaal moet een drukke agenda hebben, want dertig meter achter hem rijdt een auto met hem mee, zodat hij op elk moment de bijeenkomst kan verlaten en naar zijn kantoor kan worden teruggebracht.

De president geeft slechts op hoofdpunten leiding en laat de dagelijkse gang van zaken over aan de speciaal gedelegeerde. Onder hem staan weer een secretaris-generaal en een vicesecretaris-generaal. Dagelijks vergadert dit gezelschap met elkaar over de belangrijkste zaken die zich voordoen. Onder de gedelegeerde valt een aantal belangrijke afdelingen: Musea, Technische Diensten, Economische Diensten en Gezondheidsdiensten, Castel Gandolfo en een Bureau voor Archeologisch Onderzoek. Medewerkers kunnen elke dag tussen 12.30 en 13.30 uur bij Lajolo terecht als hun iets op het hart ligt; dan houdt de president namelijk een inloopspreekuur voor zijn personeel.

In 2007 had het Governatorato volgens eigen opgave 1795 medewerkers in dienst en bedroeg de begroting 186 615 905 euro. Een belangrijk onderdeel van de technische dienst is de Floreria, die verantwoordelijk is voor de technische voorbereiding van pauselijke plechtigheden op het Sint-Pietersplein. De werknemers van de Floreria zetten de stoelen klaar voor de algemene audiëntie alsook het enorme, overdekte podium waarop de paus de mis opdraagt en de pelgrims toespreekt. Elke dinsdag rijden ze met hun autootjes af en aan om alles op het Sint-Pietersplein gereed te maken voor de toestroom van de duizenden gelovigen.

De Floreria draagt ook zorg voor de af- en aanvoer van stoelen in de Sint-Pieter. Voor de rest wordt deze gigantische tempel beheerd door de Fabbrica di San Pietro en de *sampietrini*, de bewakers en vaste medewerkers van de Sint-Pieter. Elke dag bezoeken zo'n dertigduizend pelgrims de basiliek, zo'n tien miljoen per jaar. Vroeger was er een zekere spreiding te zien. In februari en maart kwamen de Aziaten, in april en mei de schoolklassen en in de zomer de Amerikanen.* Nu is het altijd spitsuur in de Vaticaanse basiliek, of, zoals kardinaal Angelo Comastri, aartspriester van de Sint-Pieter en president van de Fabbrica, zegt: 'Bij ons is het elke dag Palmzondag.'

* Erbacher, 2009, 16.

Giuseppe Vannini is al achttien jaar *sampietrino* en behoort tot het selecte gezelschap bewakers dat 's ochtends de machtige deuren van de Sint-Pieter mag openmaken. Hij neemt mij in alle vroegte mee naar het sleutelkastje van de kerk, in een klein gangetje vlak bij de lift die je naar de koepel brengt. Het is een nogal lelijk sleutelkastje, dat meer past bij een gebouw van de belastingdienst dan bij de belangrijkste kerk ter wereld. Hij haalt een paar enorme sleutels van hun haakje en samen lopen we door de Sint-Pieter naar het voorportaal van de basiliek. Een collega van Giuseppe maakt, gezeten op een enorme stofzuiger, ondertussen geruisloos de nog lege kerk schoon. Als we de ijzeren deuren naderen zie ik dat er al zo'n honderd gelovigen ietwat ongeduldig staan te wachten. 'Zij mogen er om zeven uur in,' zegt Giuseppe als hij de eerste deur met nogal wat lawaai openmaakt. 'Priesters kunnen al eerder via een andere ingang de sacristie in om zich om te kleden voor de mis.'

Als de deuren open zijn, lopen de gelovigen enigszins gehaast de kerk in. Velen hebben een afspraak met een priester die voor hen deze ochtend een mis zal opdragen. Ik loop met hen mee de kerk in, maar blijf achterin staan. Langzaam neemt het lawaai toe: uit alle hoeken en gaten komen nu priesters met misdienaars tevoorschijn, op weg naar een van de vierenveertig altaren die de Sint-Pieter rijk is. De eerste zonnestralen komen aarzelend door de ramen de basiliek binnen en geven de Sint-Pieter het aanzicht van een reus die langzaam wakker wordt. Even later verandert het lawaai van karakter: voetstappen en geschuifel maken plaats voor gemurmel. De missen zijn begonnen. Soms staan de priester en misdienaar met z'n tweeën bij een altaar. Op andere plekken heeft zich een groepje gelovigen bij hen gevoegd.

Ik loop de sacristie binnen, het zenuwcentrum van de basiliek. Twee misdienaars wachten verveeld op een priester die hen zal meenemen om de mis te dienen. Om de tijd te doden staren ze naar een beeldscherm waarop vermeld staat hoe laat en in welke kapel er een mis wordt opgedragen. De beheerder van de sacristie helpt ondertussen drie bisschoppen uit Colombia in hun kazui-fel. Elke priester kan in principe de mis opdragen in de Sint-Pieter. Bij vertoon van zijn *celebret*, een soort identiteitskaart voor pries-ters die bewijst dat de persoon in kwestie op geldige wijze tot priester is gewijd, heeft hij recht op liturgische kleding, een kelk, een pateen met hosties erop, een ampul water en een ampul wijn, een missaal (de Sint-Pieter beschikt over exemplaren in diverse talen, waaronder het Nederlands) en natuurlijk een misdienaar. Een bewaker wijst de priester een altaar toe, maar je kunt ook van tevoren een altaar reserveren. Alles is kosteloos, want men wil vooral gastvrij zijn tegenover de gelovigen die uit alle windstreken naar Rome komen.

Het meest populair zijn de altaren in de crypte van de kerk, de Sacre Grotte Vaticane. Die liggen het dichtst bij de tombe van Pe-trus en het graf van Johannes Paulus ii. 's Ochtends is het daar een drukte van belang en hoor je vanuit de kapellen de meest ver-schillende talen komen. (Ooit vierde ik de eucharistie met een groep Nederlandse pelgrims. We moesten ruim tien minuten wachten voordat de mis kon beginnen, omdat de kelken in de sacristie op waren.)

Rond negen uur is de laatste priester klaar met zijn mis en nemen de toeristen bezit van de kerk. Dan is het gedaan met de stilte en is de kerk klaarwakker. 'Iedereen is welkom,' zegt aarts-priester Angelo Comastri. 'We willen niemand tegenhouden. Wel hebben we een aantal maatregelen genomen om te zorgen dat het gewijde karakter van de kerk een beetje in stand wordt gehouden. Zo is de sacramentskapel alleen toegankelijk voor gelovigen die willen bidden, is de rechtertranseptarm gereserveerd voor biech-ten en kan er bij het altaar van Sint-Jozef in alle rust gebeden wor-den. Voor de rest is het voor gidsen nu verplicht om oortjes te gebruiken tijdens hun rondleiding. Dat scheelt iets in het lawaai.'

Opvallend is dat er in de belangrijkste kerk ter wereld geen kaarsje kan worden opgestoken. 'Dat is om de fresco's en mozaïe-ken in de kerk te beschermen,' zegt Comastri. Hij moet toegeven dat dit verbod een flinke inkomstenderving betekent. 'Nu moeten we het hebben van de entreegelden voor de koepel.'

Woensdagochtend is de Sint-Pieter dicht, omdat op het plein dan de algemene audiëntie van de paus plaatsvindt. Het is het moment waarop Giuseppe Vannini en zijn collega's de gelegenheid hebben de kerk goed schoon te maken en noodzakelijke reparaties te verrichten. Zo'n woensdagochtend in de basiliek is wonderlijk om mee te maken: alleen in de Sint-Pieter. Nou ja, bijna alleen. Een zuster rijdt met een karretje door het middenschip met daarop verse bloemen voor een van de altaren. Een elektricien vervangt een lampje bij de glazen kist waarin het lichaam van Johannes xxiii wordt bewaard. Ik kijk in een lege ruimte: de kerk lijkt zich voor het eerst echt aan mij te tonen. Er loopt niemand meer in de weg. Het lijkt alsof de vele pausen zittend of liggend op hun grafmonumenten de kerk weer voor zichzelf hebben. Als ik goed luister, meen ik ze zachtjes met elkaar te horen praten.

Om half twee gaan de deuren weer open en in een mum van tijd is de tempel gevuld met een lawaaiige en beangstigende meute toeristen die de kerk en haar monumenten bestormt op een manier die doet denken aan die van de Noormannen die rond 1100 Rome onveilig maakten. Weg is de gewijde sfeer van daarnet en verdwenen zijn de lijnen die ik kort daarvoor nog op de vloer dacht waar te nemen. In het middenpad ligt een Japanner op zijn rug op de grond in een poging een onvergetelijke opname van de koepel te maken.

Tegen het eind van de middag neemt de drukte geleidelijk af. Om zeven uur klinkt een bel, een heel gewone bel, die in Nederland op veel basisscholen gebruikt wordt om duidelijk te maken dat de leerlingen naar binnen moeten en hier om aan te geven dat de Sint-Pieter bijna dichtgaat. Dan begint een elegante drijfjacht om alle bezoekers de kerk uit te krijgen. Giuseppe Vannini loopt met een aantal collega's op één lijn van achter uit de kerk naar voren toe. Ze lijken te dansen. Onderweg nemen ze iedere bezoeker mee en leiden hem met zachte hand naar de uitgang. Om kwart over zeven lijkt de kerk leeg. Maar één van de sampietrini gaat nog een keer de hele ruimte door, nu in het gezelschap van een brandweerman en een ladder. Uiterst consciëntieus wordt de basiliek aan een laatste inspectie onderworpen. Bij het graf van Alexander vii klimt de brandweerman op de ladder en kijkt of zich niemand verstopt heeft achter de knielende gestalte van de paus. Het zou niet de eerste keer zijn dat dat gebeurde.

Tegen achten is de kerk leeg bevonden en gaat de laatste deur op slot. De pausen hebben de Sint-Pieter weer voor zichzelf. In Vaticaanstad keert de rust terug.

Buitengewoon alledaags

Een dag uit het leven van Benedictus XVI

De dag van Benedictus begint om zeven uur 's ochtends met een mis in zijn privékapel. De paus is dan al zo'n anderhalf uur op, heeft zich aangekleed en wat gelezen.* Bij de mis zijn de twee secretarissen en de vier zusters die voor hem zorgen aanwezig. Johannes Paulus II had de gewoonte om vaak gasten uit te nodigen, maar zijn opvolger doet dat maar zelden. Sowieso was het leven onder de Poolse paus een stuk opwindender: er kwamen veel gasten over de vloer, vooral uit Polen, en altijd schoven er wel één of twee gasten aan bij de lunch. Het leek wel een Poolse herberg. Benedictus leidt een wat meer teruggetrokken leven.

Na de mis blijft de paus in de kapel voor stil gebed. Daarna volgt een licht ontbijt, waarbij zijn privésecretaris Don Georg Gänswein voorleest uit de ochtendkranten. Na het ontbijt gaat hij de post ophalen. Gänswein ziet het als een van zijn belangrijkste taken om Benedictus 'te beschermen tegen de enorme hoeveelheden brieven en documenten die voor hem binnenkomen'.

Als de post is geopend, vergezelt Gänswein de paus naar de tweede loggia voor de audiënties. Het kan daarbij gaan om staatshoofden, ambassadeurs die hun geloofsbrieven komen aanbieden of bisschoppen die in Rome op bezoek zijn voor overleg. Ook heeft de paus regelmatig werkoverleg met de hoofden van de Vaticaanse ministeries. De belangrijkste prefecten komen op een vaste dag langs. Zo komt de prefect van de Congregatie voor de Geloofsleer, de Amerikaanse kardinaal Levada, elke vrijdag langs en de verant-

---

* Smoltczyk, p. 159.

woordelijke voor de bisschopsbenoemingen, kardinaal Marc Ouellet, elke zaterdag. Om twaalf uur zijn de audiënties afgelopen en gaat de paus terug naar zijn appartement voor de lunch.

Met enige regelmaat schuiven daarbij gasten aan om een bepaalde kwestie met Benedictus in een wat informelere setting te kunnen bespreken. Na de lunch maken Gänswein en Benedictus samen een korte wandeling door de Vaticaanse tuinen. Vaak bidden ze dan onderwijl de rozenkrans. De rest van de dag brengt de paus door in zijn werkkamer. Hij leest documenten en schrijft aan toespraken en encyclieken, met een vulpen. Benedictus heeft geen computer en hij heeft nog nooit iets gegoogled. Hij schrijft alles met de hand en zijn secretaresse Ingrid Stampa tikt het vervolgens uit. (De paus heeft wel een iPod, een cadeautje van Radio Vaticana toen hij in 2006 de jarige zender bezocht. De technici van de zender hadden er alvast maar wat muziek op gezet, voornamelijk Mozart, de lievelingscomponist van Benedictus. Of hij dit gadget, pauselijk wit van kleur, ook daadwerkelijk gebruikt is niet bekend. Ik heb de vraag neergelegd bij zijn woordvoerder, maar nooit antwoord gekregen.)

De eerste paar weken van zijn pontificaat woont Benedictus nog in het appartement dat hij als kardinaal bewoonde en dat nog altijd in zijn bezit is. Het pauselijke appartement is na ruim zesentwintig jaar door Johannes Paulus II te zijn gebruikt behoorlijk uitgewoond en moet gerenoveerd worden. Ook moet een oplossing gevonden worden voor de duizenden boeken die Benedictus naar zijn nieuwe huis wil meenemen, en er moet een goede plek voor een nieuw aan te schaffen piano worden gevonden. Er is één groot voordeel: Johannes Paulus II heeft de boel vrijwel leeg achter gelaten. Karel Kasteel, die als decaan van de Apostolische Kamer de appartementen van de overleden paus moet ontruimen en verzegelen, treft maar weinig van waarde aan. Op de kluis zit een dikke laag stof; die is tijdens het pontificaat van de overleden paus nooit gebruikt. In het nachtkastje van de overleden paus vindt hij slechts een stethoscoop die eigendom was van Wojtyla's jong gestorven broer Edmund, die arts was.

Het grootste probleem voor Benedictus vormt de sterk verouderde keuken van zijn nieuwe woning. Onder Johannes Paulus
liet de ventilatie van het kookgedeelte te wensen over. Bij grote
maaltijden hing er na afloop vaak een vette kookgeur in de pauselijke appartementen, en die dreigde eeuwenoude fresco's aan te
tasten. Als er ook nog muizen over de pauselijke plavuizen blijken te lopen, wordt besloten de keuken in zijn geheel af te breken
en een nieuwe te installeren. De nieuwe keuken is uitgevoerd in
blauw roestvrij staal en voorzien van de laatste technische snuf-
jes. Onder de Poolse paus werd nog op gas gekookt; nu gebeurt
dat op elektrische kookplaten. De keuken wordt ingewijd met een
heus feestje. Alle leveranciers en arbeiders – uitsluitend Italianen – zijn met hun gezin uitgenodigd. Daar waar normaal bisschoppen en kardinalen eerbiedig met de paus keuvelen, kruipen
nu kinderen over de vloer en deelt de secretaris van de paus snoep
uit, dat hij speciaal voor deze gelegenheid bij de Vaticaanse supermarkt heeft ingeslagen.

De paus heeft geen partner, maar toch heeft hij een soort gezin.
Samen met zijn privésecretarissen Don Georg Gänswein en Alfred Xuereb en de drie vrouwen die voor Benedictus de huishouding verzorgen – Loredana, Carmela en Cristina – vormt hij een
kleine, maar hechte familie.

Gänswein (54), bijnaam *Bello Giorgio* (Mooie George), komt in
1996 werken bij de Congregatie voor de Geloofsleer en treedt toe
tot de staf van de toenmalige prefect kardinaal Joseph Ratzinger.
Gänswein is ambitieus en komt al snel in aanvaring met de secretaris van de prefect, monseigneur Joseph Clemens. De twee wedij-
veren een aantal jaren om de sympathie van Ratzinger. Die hakt in
2003 de knoop door: Clemens moet het veld ruimen en wordt
secretaris van de Pauselijke Raad voor de Leken, en Gänswein
volgt hem op als privésecretaris.* Al voordat Ratzinger paus wordt
typeren insiders in Rome de band tussen de twee als zeer innig.

Gänswein zou in Ratzinger een soort tweede vader gevonden hebben en zich in discussies nog behoudender tonen dan zijn baas. Met recht een prestatie van formaat. Hij zou sympathiseren met Opus Dei, een conservatieve beweging binnen de katholieke Kerk die als doel heeft het bewustzijn onder mensen te bevorderen dat zij tot heiligheid geroepen zijn. De beweging, die vooral actief is in Spanje en Zuid-Amerika, heeft zich, ondanks een grotere openheid van de laatste jaren, nog altijd niet ontdaan van de zweem van geheimzinnigheid die er sinds de stichting in 1925 omheen hangt. Zo houdt Opus Dei er onduidelijke wervingstactieken op na, steunde de beweging met geld discutabele Zuid-Amerikaanse regimes, en is het niet altijd duidelijk wie er lid van is en wie niet. Altijd in de buurt van Benedictus, in het bezit van een nog uit te spreken of net uitgesproken toespraak en de pauselijke leesbril in de linkerbroekzak, is Gänswein de absolute nummer één van de pauselijke huishouding.

Er bestaat geen opleiding om privésecretaris van de paus te worden. In een interview met de biograaf van Benedictus, Peter Seewald, vertelt Gänswein hoe hij aan zijn bijzondere baan begon.† 'Ik heb slechts één gesprek onder vier ogen gehad met mijn voorganger monseigneur Stanislaw Dziwisz, de huidige aartsbisschop van Krakau. Dat was twee weken na de pauskeuze, op het moment dat we in de pauselijke appartementen gingen wonen. Daarbij drukte hij me een envelop in de hand, met wat papieren en de sleutel van een safe. Een heel oude kluis trouwens, van Duitse makelij. Hij zei alleen maar: "Voor je ligt een mooie, maar ook heel zware opgave. Het enige wat ik je zeggen kan, is dat jij ervoor moet zorgen dat de paus door niets en niemand weggedrukt wordt. Hoe je dat moet doen, moet je zelf uitvinden." Dat was het. Meer heeft hij niet gezegd. Dat was mijn eerste en enige les pauselijke etiquette.' Wat er in de envelop zat wilde hij niet zeggen.

*   Smoltczyk, p. 221-223.
†   *Süddeutsche Zeitung*, 26 juli 2007.

Privésecretarissen treden zelden op de voorgrond, zeker niet als hun baas nog in leven is. Macchi (Paulus vi), Magee (Paulus vi en Johannes Paulus i en ii) en Dziwisz (Johannes Paulus ii) waren dienstbare helpers van de bisschop van Rome. Ze zijn ook de achterdeur van de paus. Lukt het niet om via de voordeur in het pauselijke appartement te komen dan is er nog altijd de privésecretaris. Een rabbijn vertelde me dat als hij iets dringends met Johannes Paulus ii moest bespreken, dat niet in de publiciteit mocht komen, Dziwisz hem wel binnenloodste. Hij klaagde dat die sluipweg onder Gänswein een stuk moeilijker begaanbaar is geworden. Toen Johannes Paulus ii steeds zieker en zieker werd, nam Dziwisz langzaam maar zeker de macht over en besliste hij op het laatst bijna alles wat met de activiteiten van de paus te maken had en waakte dus ook over de voordeur.

Gänswein schikt zich aanvankelijk in zijn bescheiden rol, maar nu ook Benedictus ouder wordt en zijn krachten zienderogen afnemen, neemt zijn invloed volgens ingewijden toe, tot ergernis van verschillende curiefunctionarissen. Gänswein is overigens een populaire verschijning in de roddelbladen en is na Benedictus en Michael Schumacher met gemak de populairste Duitser in Italië. In 2007 geeft hij een interview aan het Italiaanse boulevardblad *Visto*. 'Ik weet wat liefde is, maar kan niet trouwen', is de kop boven het artikel. De bijnaam 'Mooie George' krijgt hij niet voor niets: zijn knappe verschijning maakt hem tot een gewild discussieonderwerp op internetforums voor Italiaanse homo's. Ooit stond ik achter twee Amerikaanse homo's op het Sint-Pietersplein. Ze wachtten tot de paus voor het raam zou verschijnen en staken ondertussen de loftrompet over Gänswein. '*Well, the pope is great, but did you see his secretary. He is gorgeous!*'

Benedictus was nog maar net paus toen hij een beleefdheidsbezoek bracht aan de toenmalige Italiaanse president Ciampi. Bij aankomst in het Quirinaal, het presidentiële paleis in Rome, kreeg hij een uitgebreide rondleiding door de net gerestaureerde zalen en werd hij voorgesteld aan Franca, de vrouw van de president. Ze wisselden een paar beleefdheden uit toen Franca's oog op Gäns-wein viel. 'Maar wat heeft u een charmante secretaris,' riep ze ver-volgens uit. Die uitspraak sierde de volgende dag de voorpagina's van de Italiaanse kranten. Een klerikale ster was geboren.

Gänswein ís niet alleen de schaduw van de paus, maar wil dat ook zelf zíjn. Als Benedictus na het eten nog even langs wil bij zijn goede vriend Joseph Clemens, vergezelt hij de paus in de limousine tijdens de rit van slechts een paar minuten en haalt hem een uurtje later weer op. Hij heeft het niet altijd naar zijn zin in het Vaticaan. Zo vindt hij dat er te veel geroddeld wordt en dat priesters te veel aan hun carrière denken. Slechts heel zelden zoekt hij de publiciteit en treedt hij uit de schaduw van zijn tweede vader. Zo bezoekt hij in januari 2010 Susanna Maiolo, die de paus in de kerstnacht had proberen aan te vallen, in het ziekenhuis om namens Benedictus te informe-ren naar haar welbevinden. Een paar maanden later mengt hij zich – zeer ongebruikelijk – in de discussie over de vraag of de paus voldoende excuses heeft ge-maakt aan slachtoffers van seksueel misbruik door priesters. 'Het helpt niet en het is niet zinvol als de paus bij elk afzonderlijk voor-val van seksueel misbruik iets zegt,' tekent het boulevardblad *Bild* op uit zijn mond. Deze interventie wordt hem door sommigen in de curie kwalijk genomen. Een privésecretaris hoort anoniem te zijn. In hetzelfde interview noemt Gänswein Benedictus een ex-cellente leraar: 'Hij heeft de gave van het woord; hij houdt van schrijven. Hij spreekt duidelijk en begrijpelijk.' Gevraagd naar drie persoonskenmerken van Benedictus, antwoordt de priester: 'On-wankelbaar in zijn geloof, deemoedige vastberadenheid, ontwa-penende mildheid. Hij is zacht in zijn manier van doen, maar inhoudelijk rotsvast.'

Alfred Xuereb werkt onder Gänswein en is officieel assistent-privésecretaris. De twee heren houden zich vooral met papier bezig, want het échte huishouden van de paus wordt gerund door vier ongetrouwde vrouwen, in het Vaticaan ook wel de 'be-schermengelen van het Apostolisch Paleis' genoemd. Het was paus Pius XI die er bij zijn aantreden in 1922 op stond vanuit Milaan, waar hij aartsbisschop was voordat hij tot paus gekozen werd, zijn huishoudster Teodolinda Banfi mee naar Rome te nemen. Het was tot dan toe ondenkbaar dat iemand van het andere geslacht zich in de buurt van de pauselijke slaapkamer vertoonde. Toen Pius erop gewezen werd dat het een noviteit betrof en dat hij er toch maar beter van af kon zien merkte hij droogjes op: 'Dat wil dan zeggen dat ik voor deze noviteit verantwoordelijk word...'

Sindsdien zijn vrouwen niet meer weg te denken uit de pauselijke vertrekken. Wie herinnert zich niet de vier Poolse zusters die achter de baar van Johannes Paulus II aan liepen? Tientallen jaren verzorgden ze hem met veel liefde. Meteen na zijn overlijden werden de pauselijke appartementen verzegeld en stonden de vrouwen letterlijk op straat. Ze verloren met de dood van hun geliefde paus alle rechten om zich in het Vaticaan op te houden. Uiteindelijk werden ze opgevangen in een Romeins klooster en inmiddels zijn ze alle vier teruggekeerd naar Polen. Daar doen ze het huishouden van oud-privésecretaris Dziwisz, inmiddels aartsbisschop van Krakau en kardinaal. Met z'n vieren zetten ze het oude huishouden voort.

De drie beschermengelen van Benedictus zijn geen religieuzen, maar het scheelt weinig. Ze zijn lid van Memores Domini, de lekenafdeling van Communione e Liberazione, een van oorsprong Italiaanse beweging binnen de katholieke Kerk die de wereld de redelijkheid van het geloof wil laten zien. Ze heeft nauwe banden met christendemocratische politici en is vooral in Italië erg machtig. Leden van Memores Domini leggen de gelofte van kuisheid, armoede en gehoorzaamheid af, willen hun leven volledig aan God wijden en tegelijkertijd in de wereld actief zijn. Loredana, Carmela en Cristina doen dat door zo goed mogelijk voor de paus te zorgen.

Loredana zwaait de scepter in de pontificale keuken. Mensen die met de paus mogen lunchen roemen vooral haar voorgerechten: de pasta met curry, de macaroni met ham, de pasta met zalm en de risotto met saffraan. Maar ook haar hoofdgerechten mogen er zijn. Genoemd worden de kiprollade en de *straccetti con rucola e parmigiano*: reepjes vlees met rucola en Parmezaanse kaas. Loredana doet ook de boodschappen, onderhoudt de contacten met de Vaticaanse supermarkt en kiest de groenten uit die elke ochtend uit de tuinen van het Vaticaan en die van Castel Gandolfo vers worden aangeleverd. Ook Carmela werkt in de keuken en is verantwoordelijk voor de toetjes, die volgens ingewijden weliswaar erg zoet zijn, maar toch niet zwaar op de maag liggen. Naast de onvermijdelijke strudel hebben we het dan over tiramisu met vruchten en vlaaien in alle soorten en maten. Carmela houdt ook de slaapkamer van de paus bij en zorgt dat zijn kledingkasten op orde blijven. Cristina draagt zorg voor de privékapel van de paus en doet voor hem ook wat licht administratief werk. Er was een vierde beschermengel: Manuela. Zij was verantwoordelijk voor de vertrekken van de secretarissen. Ook bestierde zij de voorraadkast met geschonken etenswaren en zorgde dat die eerlijk verdeeld werden. Benedictus krijgt zoveel lekkernijen aangeboden dat hij gedwongen is het meeste weg te geven. Manuela overleed in november 2010 nadat ze in Rome door een auto geschept was. Een grote klap voor de pauselijke familie. De dames nemen om de beurt vakantie en als de paus geen gasten heeft zitten ze met Gänswein en Xuereb bij hem aan tafel. Paolo Gabriele is de kamerdienaar van de paus die zorgt dat de paus altijd onberispelijk gekleed gaat, maar hij wordt ook ingezet als ober. Hij woont niet bij de paus, maar meldt zich elke ochtend in alle vroegte bij de deur van zijn appartement.

Dan is er nóg een vrouw die het dagelijks leven met de paus deelt. Als op 20 april 2005 de zegels van het pauselijk appartement worden verwijderd en de net gekozen Benedictus xvi voor het eerst zijn nieuwe omgeving ziet, loopt ze drie meter achter hem, gekleed in stemmig zwart: Ingrid Stampa, op dit moment de belangrijkste vrouw in het leven van de paus. Geboren in Kleef, vlak over de grens bij Nijmegen, komt de zeer katholieke Stampa eind jaren tachtig naar Rome om voor de zieke president van de pauselijke diplomatenacademie, de Italiaanse aartsbisschop Cesare Zacchi, te zorgen. Als hij na drieënhalf jaar liefdevolle verpleging overlijdt, krijgt ze een telefoontje van Renato Buzzonetti, de lijfarts van Johannes Paulus II, met de vraag of ze voor Maria, de zieke zus van kardinaal Ratzinger, wil zorgen.* (De ouders van Ratzinger heetten overigens Joseph en Maria, als dat geen voorteken is.) Als Maria Ratzinger in 1991 overlijdt treedt Stampa, tevens een professioneel vioiste, in dienst bij haar broer de kardinaal en wordt ze zijn secretaresse annex huishoudster. Ze kookt voor hem, eerst nog Italiaans, maar later Beierse specialiteiten als *Apfelstrudel*, *Dampfnudeln* en *Semmelknödel*.† Van het dakterras boven het appartement van Ratzinger aan de Piazza Città Leonina maakte ze een prachtige, meditatieve plek: een echte tuin, die ze met liefde verzorgt. Tussen de erudiete, verlegen prefect van de Congregatie voor de Geloofsleer en Stampa ontwikkelt zich een hechte vriendschap. Als hij tot diep in de nacht op een document voor Johannes Paulus II zwoegt, brengt zij hem een belegde boterham, die hij overigens niet aanraakt voordat hij met zijn werk klaar is. En als Ratzinger iets nodig heeft, draait hij het nummer van Ingrid.

Als Ratzinger tot paus wordt gekozen verhuist ze mee naar het Apostolisch Paleis. Haar werk blijft hetzelfde: teksten uittypen, zo nodig vertalen en allerlei andere hand- en spandiensten. In de zomermaanden komt ze eens in de zoveel tijd naar Castel Gandolfo om samen met de paus aan een boek te werken of een encycliek te redigeren. Dat gaat een tijdje goed, maar niet lang. Een vrouw met macht tot op de hoogste verdieping, dat vinden ze niet leuk in het Apostolisch Paleis. Dan krijgt men last van het syndroom van Pascalina Lehnert.

* Smoltczyk, p. 214.
† *Berliner Zeitung*, 19 juli 2005.

Deze Beierse non was de krachtige huishoudster van Pius xii, die toen deze paus tegen het einde van zijn pontificaat steeds zwakker werd nog als enige vat op hem had en op een gegeven moment niemand meer bij hem toeliet. Lehnert kwam bij Eugenio Pacelli in dienst toen hij in 1917 nuntius in Duitsland werd, met eerst München als standplaats en later Berlijn. Als Pacelli in 1929 wordt benoemd tot staatssecretaris, verhuizen Lehnert en twee medezusters mee naar Rome. Gedurende de pausverkiezing van 1939 zijn zij de enige drie vrouwen in het conclaaf omdat Pacelli tijdens de stemrondes in zijn eigen appartement in het Apostolisch Paleis blijft wonen. Als hij tot paus gekozen wordt, neemt Lehnert met straffe hand de leiding over het pauselijke huishouden. Wie bij Pius xii op bezoek wil, moet eerst langs haar. Een privésecretaris heeft Pius niet; hij heeft zuster Pascalina. Dit wekt wrevel en jaloezie in de curie en bezorgt Pascalina bijnamen als *Virgo Potens* (Machtige Maagd) en *La Papessa* (de Pausin).

Ingrid Stampa wordt het slachtoffer van de angst voor een nieuwe zuster Pascalina. Als iemand haar spot achter het raam van het pauselijk appartement, wordt ze gedwongen te verhuizen. Ze neemt haar intrek bij de franciscanessen, dicht bij de Porta Sant' Anna. Als je erlangs loopt zie je haar fiets tegen de muur staan.*

Bij het vertalen krijgt Stampa hulp van Birgit Wansing, een zuster van Schönstatt. Ook zij werkte al voor de paus toen hij nog prefect van de Congregatie voor de Geloofsleer was. Wansing is befaamd om haar vermogen uren achter elkaar, zonder pauze, door te werken. Volgens eigen zeggen houdt ze het vol door niets te eten.

Op 19 april 2005 verandert niet alleen het leven van Joseph Ratzinger, maar ook dat van zijn broer Georg. Die avond zit hij in zijn kamer in een verzorgingstehuis even buiten het Beierse Regensburg voor de televisie. Iemand heeft voor hem een speci-

* Smoltczyk, p. 212-213.

aal soort folie op het beeldscherm geplakt dat het beeld vergroot. Georg lijdt namelijk aan een oogziekte, waardoor hij nog maar heel weinig ziet. 'Toen de kardinaal-diaken de naam Joseph uitsprak, dacht ik: dat is de Duitse versie van de naam. Hij had beter Giuseppe kunnen zeggen, maar hij zei Joseph,' zegt hij tegen zijn biograaf Anton Zuber. 'Ik wist toen al wat er zou komen. Maar ik was echt onthutst en geschrokken toen de achternaam genoemd werd. Mijn en zijn achternaam: Ratzinger.'*

Georg is drie jaar ouder dan zijn broer Joseph. Na de oorlog gaan de broers tegelijkertijd naar het seminarie en ze worden op dezelfde dag, op 29 juni 1951, het hoogfeest van de apostelen Petrus en Paulus, in de dom van Freising samen tot priester gewijd door de aartsbisschop van München, kardinaal Michael Faulhaber. Joseph specialiseert zich in theologie, Georg in kerkmuziek. Hij wordt dirigent van de Regensburger Domspatzen, het koor van de kathedraal van de gelijknamige universiteitsstad. Dit jongenskoor zingt al zo'n duizend (!) jaar de sterren van de hemel en raakt in 2010 betrokken bij het schandaal rond seksueel misbruik door priesters en religieuzen in Duitsland als blijkt dat op het internaat van de Domspatzen in de jaren vijftig en zestig ook leerlingen seksueel zijn misbruikt. Bisschop Gerhard Müller van Regensburg haast zich om te zeggen dat het misbruik plaatsvond toen de broer van de paus nog geen dirigent van het koor was. Later komen er ook zaken naar boven uit de tijd dat hij wel bij het koor werkte. Georg zelf zegt nooit van het een en ander geweten te hebben, maar zelf wel regelmatig koorknapen een oorvijg te hebben gegeven. Deze bekentenis helpt niet echt om de gemoederen tot bedaren te brengen.

Georg is het enige echte familielid van de paus. In zijn mobiele telefoon is een supergeheim nummer geprogrammeerd waarmee hij directe toegang heeft tot zijn beroemde broer. Hij heeft een

* Anton Zuber, *Der Bruder des Papstes. Georg Ratzinger und die Regensburger Domspatzen*, Herder 2007.

eigen appartementje op de etage waar zijn broer woont, vlak onder het dak van het Apostolisch Paleis, met een woon- en slaapkamer en een eigen badkamer. Als hij bij Joseph logeert, leest deze hem 's ochtends het brevier voor, want dat kan hij zelf niet meer. Ze maken samen muziek en kijken 's avonds naar hun favoriete tv-serie *Commissaris Rex*, een Oostenrijkse tv-serie over een herdershond die met een feilloos instinct en een uitzonderlijke intelligentie menige misdaad weet op te lossen. De serie speelt zich af in eenzelfde soort glooiend landschap als dat waarin de broers zijn opgegroeid. Dat geeft een vertrouwd gevoel. Ook wordt met enige regelmaat een dvd uit de Don Camillo serie bekeken, een filmreeks over een pastoor die zich tegen een communistische burgemeester verzet.

Om een uur of zeven 's avonds gebruikt Benedictus nog een kleine maaltijd en daarna kijkt de paus in de salon net als de rest van Europa naar het achtuurjournaal. In zijn geval is dat het *Telegiornale 1*, van de Italiaanse staatsomroep Rai. (Hij zit daar overigens zelf bijna elke dag in. Dat moet een vreemde gewaarwording zijn: 'Even kijken wat ik vandaag nou weer gedaan heb.') Maar het liefst zit Benedictus 's avonds achter de piano. Daar komt hij echt tot rust.

De paus gaat ook wel eens uit, vooral naar concerten. Enig eigen initiatief zit daar evenwel niet bij. Vaak wordt het concert lang van tevoren te zijner ere georganiseerd. Wel wordt er met zijn muzieksmaak (Bach, Mozart) rekening gehouden. Voordeel is dat alleen de beste orkesten van de wereld goed genoeg zijn om voor de bisschop van Rome te spelen. De wachtlijst van symfonieorkesten die voor de paus willen spelen is lang. (Van Johannes Paulus II is bekend dat hij meerdere malen 'ontsnapt' is uit het Vaticaan. Om te skiën of om gewoon gezellig een eindje te rijden in de geblindeerde auto. Ook Benedictus schijnt incognito, gekleed in zwarte soutane en met een hoed op zijn hoofd, het veilige Vaticaanse thuis verlaten te hebben, onder meer om terug te gaan naar zijn oude appartement toen zijn boeken daar nog stonden.)

Een paus kan vanwege veiligheidsredenen, ook al is hij vermomd als gewone sterveling, niet naar de film. Daarom heeft het Vaticaan een speciale bioscoop voor de paus ingericht. Het gaat om een zaaltje in het Palazzo San Carlo, waar tot voor kort de Pauselijke Mediaraad in gehuisvest was. Het biedt plaats aan zo'n vijftig personen; de paus kan dus gerust iemand meenemen.

Ik word er rondgeleid door de curator van de Vaticaanse filmotheek Claudia di Giovanni. 'Het is niet alleen een bioscoop, hoor, we gebruiken hem ook voor kleine vergaderingen.' De stoeltjes zijn mooi rood (let maar eens op hoeveel rode stoelen je in het Vaticaan tegenkomt) en comfortabel. Veel komt de paus er trouwens niet. 'De laatste keer was in 2006 toen de Rai hier een voorvertoning van een telefilm hield, speciaal voor de paus. Maar we houden ook voorvertoningen voor de Romeinse curie en het *corps diplomatique* dat geaccrediteerd is bij de Heilige Stoel.' Ze wijst een tafeltje aan. 'Daar staat de stoel van de paus, de beste plek.'

'Heeft de paus een speciale stoel?' vraag ik.

'Dat is een beetje een treurig verhaal.'

Ze loopt naar een gordijn, waarachter een luxueuze fauteuil blijkt te staan, zo te zien nooit gebruikt.

'Deze stoel is ooit speciaal gemaakt voor Johannes Paulus II, maar om de een of andere reden beviel hij niet. En nu staat hij hier maar te staan.'

Mijn oog valt vervolgens op een klein rood ijskastje dat even verderop staat, achter hetzelfde gordijntje. Er staat met koeienletters Coca-Cola op geschreven.

'Dat wordt zeker ook nooit gebruikt?'

Claudia begint lachen. 'Ik geloof niet dat de paus cola drinkt.' (Dat klopt. De paus drinkt graag Fanta.)

De filmotheek van het Vaticaan bewaart duizenden films die met het leven van de Kerk te maken hebben of op een andere manier belangrijk zijn geweest voor de geschiedenis van de mensheid. Omdat het Vaticaan als het om nieuwe media gaat altijd vooraan staat is het al vroeg met verzamelen begonnen en heeft het een unieke collectie films die bij studenten filmgeschiedenis zeer geliefd is. De meeste films worden aan het Vaticaan gegeven. Zo schonk regisseur Steven Spielberg een kopie van *Schindler's List* aan paus Johannes Paulus II en verwierf de filmotheek een paar jaar geleden de volledige filmtrilogie van *Lord of the Rings.* 'Maar die heeft Benedictus nog niet gezien,' zegt Claudia.

We verlaten het palazzo en lopen in de richting van iets wat eruitziet als een garage. 'Ik wil je nog iets speciaals laten zien.'

We lopen de garage in, passeren een aantal auto's met Vaticaans nummerbord en gaan via een deur een donkere gang in. Ik loop gebogen, zodat ik mijn hoofd niet stoot. '*Piano, piano,*' roept Claudia. 'Langzaam, langzaam.'

We komen bij een nieuwe deur, die vanzelf opengaat. De geur van celluloid komt ons tegemoet. Het tl-licht floept aan en we blijken ons in een kleine ruimte te bevinden die volstaat met filmblikken.

'Dit is onze kelder, waar we films bewaren die extra zorg nodig hebben.' Klikklakkend met haar hoge hakken loopt Claudia langs de schappen. 'Kijk, de hele geschiedenis van het concilie. In kleur! Het conclaaf van Pius XII en natuurlijk de beroemde film over hem, *Pastor Angelicus.* Maar we hebben hier ook een originele filmrol van *Quo Vadis*, de spektakelfilm met Charlton Heston uit de jaren vijftig.'

We filmen dit bezoek voor *Kijk het Vaticaan* en Bart maakt nog wat extra shots met Claudia, die met een stuurwiel de verschillende kasten naar voren haalt. Een grappig gezicht. Het mooiste hebben we dan echter nog niet gezien.

Vlak voordat we de ruimte weer moeten verlaten loopt Claudia naar een kleine kast die in de hoek staat. 'Dit is onze ijskast. Hier bevinden zich de zeldzaamste films. Ze zijn nog van nitraat en moeten op een constante temperatuur van twee graden bewaard worden, anders bestaat het risico dat ze in brand vliegen.'

Ze pakt een filmblik en laat het aan me zien. 'Dit is een van onze oudste films met beelden van paus Leo XIII aan het eind van de negentiende eeuw. We hebben 'm inmiddels gedigitaliseerd, maar dit is het origineel.'

Ik heb die film ooit gezien. In een volle bioscoopzaal in Utrecht bij de première van de Nederlandse speelfilm *Antonia*. De zaal zat vol met de crème de la crème van de Hollandse cinema, die gekomen was voor de film met Willeke van Ammelrooy die later een Oscar zou winnen. Maar eerst moest men zich nog door een aantal voorfilmpjes heen worstelen, waaronder de unieke beelden van de paus die ons de beroemde sociale encycliek *Rerum Novarum* schonk. Je ziet een koets aankomen, waaruit een wit mannetje stapt, dat rustig op een bankje gaat zitten en iedereen in zijn nabijheid zegent. De intellectuele filmelite in Utrecht zag er een soort slapstick in en begon hard te lachen. 'Wat een grappig kereltje,' hoorde ik om me heen.

Later ga ik terug naar de huisbioscoop van de paus. We wilden nog filmen dat ik echt naar een film zit te kijken. Bij ons eerste bezoek was er geen technicus aanwezig om de vertoning van *Pastor Angelicus*, overigens een echte propagandafilm, mogelijk te maken. Die technicus is er nu wel en blijkt een mooie vrouw die met charmante precisie en lange, gelakte nagels de film in de projector legt. Daar zit ik dan in mijn eentje in de stoel waarin de paus wel eens een filmpje pikt.

Tegen tien uur trekt de paus zich terug in zijn slaapkamer, leest wat documenten en controleert nog eens een toespraak die hij de volgende dag moet houden. Tegen elf uur gaat het licht op de pauselijke slaapkamer uit. Mensen die rond dit uur op het Sint-Pietersplein lopen, zien op de bovenste etage van het Apostolisch Paleis nog een klein lichtje branden. Privésecretaris Gänswein staat erom bekend dat hij laat gaat slapen.

De leugens en die ene waarheid
Het Vaticaan en de media

'Dialoog is de kern van ons werk. Radio is geen kwestie van praten, maar ook van luisteren, nagaan wat mensen nodig hebben. Dus maken we veel straatinterviews.'

'Mogen die mensen dan ook kritiek geven op de paus?'

'Dat mag, maar we zijn heel goed in monteren.'

Ik knipper met mijn ogen, maar Sean Patrick Lovett, programmaleider bij 105 Live, de FM-zender van Radio Vaticana moet hartelijk lachen.

'Kritiek knippen we eruit, maar niet omdat we censuur willen plegen. Maar kritiek leveren op de paus is niet onze taak. We steunen de paus en helpen hem bij zijn werk. Talloze radiostations, tv-zenders en kranten zijn heel goed in het bekritiseren van de paus en de Kerk. Dat hoeven wij dus niet te doen. Nogmaals: wij moeten hem steunen en helpen bij zijn werk.'

We staan op het rookbalkon van het radiostation van de paus. Vier overvolle asbakken en een geweldig uitzicht op het oude centrum van Rome. Links ligt de Engelenburcht in het volle zonlicht. Lovett heeft me net een rondleiding gegeven door de burelen van Radio Vaticana, ook wel *la voce del papa* genoemd, de stem van de paus. Hypermoderne studio's en veel bevlogen, jonge mensen.

De programmering telt veel gesproken woord. Nieuwsprogramma's, catechese en elke ochtend een heilige mis. Rode draad in de programma's is de paus. Niet alleen in de actualiteitenprogramma's speelt hij de hoofdrol, elke openbare activiteit waar hij bij betrokken is, in binnen- en buitenland, wordt live uitgezonden door Radio Vaticana. 105 Live is gericht op een jong publiek. Behalve voor het geloof is er ook veel aandacht voor onder de jeugd populaire thema's als milieu en derde wereld, en men draait ook popmuziek.

Er is een duidelijk muziekbeleid: de playlist wordt met uiterste zorgvuldigheid samengesteld. 'Sommige popartiesten vinden we niet geschikt vanwege hun standpunt ten aanzien van de Kerk en morele kwesties.' De Beatles, Bach en Bacharach mogen wel op de zender van de paus, Snoop Dogg en Madonna niet. De laatste is uit de gratie sinds ze zich tijdens een van haar laatste tournees op het podium pontificaal liet kruisigen.

'Ik heb veel meer redactionele vrijheid bij Radio Vaticana dan bij ieder ander publiek station. Wij hebben erg veel redactionele vrijheid. Natuurlijk kennen we de grenzen. We brengen geen programma's waarin abortus wordt gesteund, of euthanasie, of waarin de leer van de Kerk wordt aangevallen. Maar binnen die grenzen kunnen we veel doen en zeggen. We kunnen veel goeds doen door te praten over onderwerpen die nergens anders aan bod komen. We hebben als een van de eersten de kwestie-Darfur aangesneden. Toen niemand nog wist waar Darfur lag, praatten wij met missionarissen uit dat gebied.'

De personeelssamenstelling van Radio Vaticana is gevarieerder dan je zou denken. 'Natuurlijk werken hier vrome katholieken, maar ook homo's, mensen die ongetrouwd samenwonen – ja, zelfs atheïsten. Maar iedereen weet heel goed wat wel en niet kan,' zegt een medewerker die anoniem wil blijven.

Met slecht nieuws over de Kerk wordt omzichtig omgegaan. Bisschoppen die de Holocaust ontkennen of priesters die aan kinderen zitten worden alleen in de nieuwsbulletins vermeld als het Vaticaan daar een verklaring over aflegt. Voor de rest blijft alles achter de muren en 'binnen de familie', zoals diezelfde medewerker het formuleert. 'Als je vader je moeder misbruikt, dan bel je toch ook niet bij de buren aan om dat eens uitgebreid te gaan vertellen? Dat los je onder elkaar op.'

Wat opvalt aan Radio Vaticana is het defensieve karakter van de zender: de paus moet beschermd worden tegen de boze buitenwereld. En dat is in feite al tientallen jaren het doel achter alle media-uitingen van het Vaticaan. De televisie, de radio en de krant: ze vormen een verdedigingslinie rondom de bisschop van Rome, zoals de Zwitserse gardisten Clemens VII beschermden tegen de Duitse troepen tijdens de Sacco di Roma.

Al bij de oprichting van de krant van het Vaticaan, *L'Osservatore Romano*, wordt duidelijk dat we hier niet met een onafhankelijk nieuwsmedium te maken hebben. Het eerste nummer van de krant komt uit op 1 juli 1861, een paar maanden nadat het koninkrijk Italië is geproclameerd met Victor Emanuel II als koning. Het is dan overduidelijk dat premier Camillo Benso di Cavour en legerleider Giuseppe Garibaldi van plan zijn Rome in te nemen en bij het koninkrijk te betrekken. Dat zou natuurlijk ten koste gaan van de pauselijke staat. *L'Osservatore* maakt deel uit van de verdediging van de pauselijke staat en is apologetisch en propagandistisch van karakter. De oprichting van de krant is een direct gevolg van de Slag bij Castelfidardo van 8 september 1860, waarbij de pauselijke troepen een verpletterende nederlaag lijden tegen de Piemontese troepen van Victor Emanuel II en het grondgebied van de pauselijke staat wordt gereduceerd tot de huidige provincie Lazio. Als blijkt dat geen van de grote Europese staten behoefte voelt om de paus te hulp te komen, besluiten vele katholieke intellectuelen naar Rome af te reizen en hun diensten aan te bieden aan Pius IX.

Onder hen zijn de notoire querulant Niccolo Zanchini en journalist Giuseppe Bastia. Zij worden door Marcantonio Pacelli, de grootvader van de latere paus Pius XII en viceminister van Binnenlandse Zaken onder Pius IX, benoemd als eerste hoofdredacteuren van *L'Osservatore Romano*. Op 26 juni 1861 keurt Pius IX de statuten goed.

De eerste maanden verschijnt de krant met de ondertitel: 'politieke en morele krant'. Later maakt die plaats voor de twee motto's die nog altijd de voorpagina van *L'Osservatore* sieren: *Unicuique suum* ('ieder het zijne') en *Non praevalebunt* ('Zij zullen niet overweldigen'). Als Garibaldi en zijn troepen op 20 september 1870 bij de Porta Pia Rome binnenvallen, de pauselijke troepen wel degelijk overweldigen en Pius IX zich terugtrekt in het Vaticaan, wordt *L' Osservatore* een oppositiekrant in het koninkrijk Italië en krijgt zelfs een publicatieverbod van een maand, maar vanaf 17 oktober 1870 verschijnt hij weer. Op de voorpagina staat dan een gehoorzaamheidsverklaring aan de paus die onder meer 'een totale onderworpenheid aan zijn beslissingen' belooft. Men zweert te zullen vasthouden 'aan de onveranderlijke principes van religie en moraal die als hun enige bewaarplaats en rechthebbende Plaatsbekleder van Christus erkennen'. Voor minder doet men het niet.

L'Osservatore wordt een belangrijk instrument in de koude oorlog die de pausen na 1870 voeren tegen het koninkrijk Italië. En in feite vervult de krant in onze tijd nog steeds de functie van pantservoertuig met de mogelijkheid om zelf ook te schieten, al is nu niet meer het koninkrijk Italië de agressor die moet worden tegengehouden, maar de boze buitenwereld in het algemeen. 'Ook vandaag de dag worden er karikaturen van de paus gemaakt, en van religie in het algemeen. Wij proberen te discussiëren, te debatteren en de confrontatie aan te gaan,' zegt de huidige hoofdredacteur Gian Maria Vian. Zo reageert de krant fel op de beslissing van Eurocommissaris Neelie Kroes om in 2007 een onderzoek in te stellen naar geruchten als zou de Italiaanse staat het Vaticaan bevoordelen bij het innen van de onroerendgoedbelasting. 'Wij hebben toen een eminent juriste gevraagd om voor ons een artikel te schrijven waaruit zou blijken dat de Europese Commissie het bij het verkeerde eind had. En dat hebben we vervolgens op de voorpagina gezet.' Als de Vaticaanse bank in het najaar van 2010 in opspraak raakt, springt de krant bij met een artikel op de voorpagina waarin de bank verdedigd wordt.

Vian wordt in september 2007 door Benedictus naar de krant gehaald; tegelijkertijd wordt Carlo di Cicco benoemd als adjunct-hoofdredacteur. Di Cicco weigerde ooit dienst en zat daarvoor zelfs in de gevangenis. Blijkbaar is dat geen beletsel om een hoge functie in het Vaticaan te krijgen. Vian is het prototype van de Italiaanse historicus: belezen, charmant en met een brede blik. En af en toe wijdlopig. Voor hij naar *L'Osservatore* ging schreef hij scherpe, maar buitengewoon pausvriendelijke hoofdartikelen voor de *Avvenire*, het dagblad van de Italiaanse bisschoppen. Zowel Vian als Di Cicco was een goede bekende van kardinaal-staatssecretaris Tarcisio Bertone. Zo studeerde Di Cicco bij de Salesianen en leerde daar Bertone kennen.

Vian en Di Cicco treffen *L'Osservatore* in een deplorabele toestand aan. 'Met een oplage van een schamele paar duizend en bijna afwezig op het internet, maakt de krant wel heel beperkt zijn opdracht waar om het grote publiek te laten kennismaken met de leer van de paus,' schrijft de Italiaanse vaticanist Sandro Magister bij hun benoeming terecht. *L'Osservatore Romano* lijdt op dat moment ook nog steeds aan wat al jaren een van zijn meest hardnekkige kwalen is: een te hoge pausdichtheid.

Elk nummer bevat ten minste tien foto's van de bisschop van Rome en zijn toespraken worden integraal en het liefst in diverse talen afgedrukt. Misschien nog eigenaardiger is het feit dat de krant voor een dagblad extreem vroeg sluit of in krantentermen 'zakt': namelijk aan het begin van de middag. Vervolgens wordt de krant dan meteen gedrukt, met de datum van de volgende dag erop. Dit in sterke tegenstelling tot kranten buiten het Vaticaan, die maximaal vier uur voor uitlevering gedrukt worden. Hierdoor loopt het dagblad altijd achter de nieuwsfeiten aan. De rooms-katholieke Kerk mag dan een boodschap hebben die nooit oud is, altijd actueel is en op de toekomst gericht (vandaar die opmerkelijke datering van de krant), in de krantenwereld gelden tegenwoordig toch andere wetten.

Vlak voor ze aan hun nieuwe baan beginnen lunchen Vian en Di Cicco bij Benedictus. De paus is tegenover hen heel duidelijk over wat voor krant *L'Osservatore* zou moeten zijn: minder foto's en meer ideeën. Zoiets als het Duitse weekblad *Die Zeit*, maar dan minder liberaal. Over de extreem vroege sluitingstijd rept de paus niet.

Als ik Vian in zijn ietwat bedompte kantoor in Vaticaanstad opzoek, is hij net een paar maanden hoofdredacteur. Onder zijn bewind is de krant radicaal van karakter veranderd. Was het eerst een lief parochieblaadje met een wel heel eenzijdige blik op de wereld – die wereld bestond vooral uit een man in het wit –, nu is het een krant met gedegen artikelen waar weer rekening mee wordt gehouden. Vian gooide al het Italiaanse nieuws eruit en ook de *cronaca* van de stad Rome (voornamelijk verkeersongelukken en moorden) verdween uit de kolommen. Natuurlijk blijft de paus prominent aanwezig; het is en blijft zijn krant, maar die krant is veel gevarieerder geworden. Zo mogen nu ook vrouwen, niet-katholieken en ongelovigen ervoor schrijven en worden er zelfs interviews gepubliceerd. Veel gekker moet het niet worden.

Onder het bewind van Vian prijst *L'Osservatore* de Beatles, Michael Jackson, de laatste Harry Potter-film en Oscar Wilde, en Vian schrijft hoogstpersoonlijk een hoofdcommentaar waarin hij stelt dat de eerste honderd dagen van president Barack Obama lang niet zo slecht waren als sommigen, onder wie het bijna voltallige Amerikaanse episcopaat en veel curiekardinalen, beweerden. Verder wil Vian graag een jonger publiek bereiken en dat valt nog niet mee. Daartoe moet de krant een modernere uitstraling krijgen, bijvoorbeeld door met kleurenfoto's te werken en lezers de mogelijkheid te bieden om de krant in zijn geheel op internet te lezen. Ook wordt geprobeerd de verspreiding te vergroten door hem als bijlage aan te bieden aan kleine regionale dagbladen in Italië. Zo krijgen de lezers van de *Eco di Bergamo* in het noorden van Italië er elke zondag gratis *L'Osservatore* bij. Of ze het nou leuk vinden of niet.

L'Osservatore geeft ook speciale weekedities uit in acht talen: Italiaans, Frans, Engels, Spaans, Portugees, Duits, Pools, en sinds 2007 ook het Malayam, de officiële taal van de zuidwestelijke Indiase staat Kerala.

Nog altijd is *L'Osservatore* een goed instrument om te weten te komen wat er leeft in het Vaticaan. Als naar aanleiding van het seksueelmisbruikschandaal op katholieke scholen in Duitsland op de voorpagina een commentaar staat waarin wordt gezegd dat slachtoffers gerechtigheid verdienen, kun je ervan uitgaan dat dit de mening van de paus weerspiegelt. En Benedictus leest kritisch mee.

'U weet dat wij op verzoek van de Heilige Vader het aantal foto's drastisch ingeperkt hebben,' vertelt Vian. 'Op een gegeven moment stond er nauwelijks meer een illustratie in. Dat bleek weer te veel van het goede voor de Heilige Vader. Toen heeft hij laten weten dat er best wel weer wat meer foto's in mochten en dus hebben we dat vervolgens gedaan, maar er staan minder foto's in dan voordat ik hoofdredacteur werd.

Van kardinaal-staatssecretaris Bertone ontvangt de redactie met enige regelmaat een aantal A4'tjes met klachten van kardinalen en bisschoppen die zich tekortgedaan voelen. Vroeger was het de bedoeling dat er dan onmiddellijk gerectificeerd werd, maar tegenwoordig wordt het aan de hoofdredactie overgelaten hoe met de klachten wordt omgegaan.'

De journalisten van *L'Osservatore* zijn niet bepaald nieuwsjagers en worden er in hun functioneringsgesprek niet op aangesproken dat ze in het voorbije jaar geen primeurs op hun naam hebben gekregen. 'Voor onthullingen over het Vaticaan moet je bij de seculiere pers zijn,' wordt er gezegd. 'Alleen als het niet klopt wat er geschreven wordt, reageren we.' Kritiek op de paus zul je in *L'Osservatore* ook niet aantreffen. Ook plaatst men geen ingezonden brieven. 'Noem mij eens een krant die zijn eigenaar in zijn eigen kolommen bekritiseert?' zegt Vian. En nog voordat ik antwoord kan geven volgt er een sarcastisch lachje. Ik noem een aantal voorbeelden in Nederland, maar Vian is niet onder de indruk. 'Wij zijn er niet om de paus te bekritiseren,' klinkt het kortaf. 'Bent u geïnteresseerd in een bezoek aan onze drukkerij?'

In die drukkerij is het een drukte van belang. Het is half drie in de middag en het nieuws van morgen wordt hier al papieren werkelijkheid. Op de een of andere manier word ik altijd vrolijk van kranten die de persen af rollen. Met mijn ogen volg ik een krant de hele pers door. Aan het eindpunt van de band staat een batterij mannen klaar om de kranten netjes op stapels te leggen. Iets in mij zegt dat hier wel eens sprake zou kunnen zijn van verborgen werkloosheid. Een deel van de kranten verdwijnt in weer een andere machine die ze in plastic verpakt: dit zijn de exemplaren voor de abonnees. Een ander deel verdwijnt op een klaarstaande pallet – bestemd voor de losse verkoop in Rome – en wat er dan nog overblijft wordt op zo'n twintig kleine stapeltjes gelegd, het ene iets groter dan het andere. 'Dit zijn de kranten die naar de verschillende Italiaanse steden gaan om daar in de kiosken te worden verkocht,' vertelt een medewerker van de drukkerij. Erg indrukwekkend zijn de stapeltjes niet. *L'Osservatore* heeft een oplage van 17 000. Daarvan zijn 12 000 exemplaren voor de abonnees en 5 000 voor de losse verkoop. Als eigenaar van deze dagelijkse krant kan de paus daar niet vrolijk van worden.

Als ik naar buiten loop, zie ik op een tafeltje enigszins verlaten het exemplaar van de eigenaar liggen, in plastic verpakt. 'Voor Zijne Heiligheid Benedictus xvi' staat er op het etiket.

De Kerk heeft al tweeduizend jaar als missie het evangelie te verkondigen, de Waarheid met een hoofdletter W. Bij die missie heeft ze de nieuwe media nooit geschuwd. Er komt een krant, eind negentiende eeuw worden in opdracht van het Vaticaan al films gemaakt en radiopionier Guglielmo Marconi is persoonlijk betrokken bij de stichting van Radio Vaticana in 1931. Tegenwoordig doet de radiozender van de paus aan podcasten en heeft de paus zelfs zijn eigen kanaal op YouTube.

Met die andere waarheid, de wereldse, die met een kleine letter w, heeft men het een stuk moeilijker. Ook al heel lang. Het Vaticaan heeft bijvoorbeeld een slechte reputatie als het gaat om de voorlichting rond zieke pausen. Leugens en verdraaiingen zijn aan de orde van de dag. Op 19 augustus 1914 publiceert *L'Osservatore* een fel hoofdredactioneel artikel waarin niet nader genoemde journalisten worden aangeklaagd die het gewaagd hebben te melden dat paus Pius x een griepje onder de leden had. Een dag later is de paus dood. Negentig jaar later ligt een van zijn opvolgers, Johannes Paulus ii, in het ziekenhuis met ademhalingsmoeilijkheden. Om hem wat meer lucht te geven besluiten de artsen een tracheotomie toe te passen; hierbij wordt via een snede in de hals een buisje in de luchtpijp geplaatst. Een ingrijpende operatie voor een man van vierentachtig. Toch meldt de woordvoerder van het Vaticaan al snel na de ingreep dat de paus goed herstelt en al yoghurt met koekjes heeft gegeten. Medici twijfelen in de media openlijk aan dit verhaal: een behandelend arts zou niet op het idee komen de paus dergelijk voedsel voor te zetten omdat het zijn gezondheid ernstig in gevaar zou brengen. Zijn die koekjes en die yoghurt niet vooral bedoeld om de katholieken in de wereld gerust te stellen?

Een ander voorbeeld van de geslotenheid van de Vaticaanse media over de gezondheid van de paus is de berichtgeving rond Paulus vi. Op 6 augustus 1978 wordt 's ochtends naar buiten gebracht dat hij last heeft van een verkoudheid. 's Avonds is hij dood. Bij de ziekte en het overlijden van Johannes Paulus ii in 2005 is het voorlichtingsapparaat van het Vaticaan inmiddels een stuk verder geprofessionaliseerd, ook al worden hier bewust dingen wel en niet verteld. De woordvoerder is op dat moment Joaquin Navarro Valls, een Spanjaard, lid van Opus Dei en van oorsprong arts met als specialisatie psychiatrie. Hij is goed bekend met de mores van de journalisten en dus wordt er gedoseerd informatie gegeven. 'Alles is erop gericht om ons te doen geloven dat het met de paus allemaal wel meevalt. Grote leugens worden niet verteld, maar de hele waarheid horen we ook niet,' zegt de Amerikaanse vaticanist John Allen voor de Nederlandse televisie. 'Bij een zieke Amerikaanse president zou er elk uur een persconferentie zijn en zou de lijfarts van de president zelf zijn behandelplan toelichten. Hier moeten we het doen met een paar korte communiqués, en ik heb nog geen dokter gezien.'

Het wederzijdse wantrouwen tussen journalisten en het Vaticaan is groot. Journalisten hebben het idee dat het Vaticaan informatie achterhoudt, waardoor ze hun werk niet goed kunnen doen. Volgens veel curiefunctionarissen zijn journalisten vooral uit op sensatie en zijn ze geobsedeerd door seks. Je kunt ze maar het beste ver uit je buurt houden, al zullen ze je als journalist met een brede glimlach tegemoet treden. 'De kerkelijke documenten over de media zijn heel positief. Ze hebben allemaal positieve titels: *Inter Mirifica* [letterlijk: 'Onder de Wonderbaarlijke Uitvindingen', het conciliedocument over de media], *Miranda Prorsus* [letterlijk: 'De Prachtige Uitvinding', een encycliek van Pius XII] en ga zo maar door. Het is mooi dat het menselijk verstand de media gebruikt om zich uit te drukken en te communiceren,' zegt de huidige woordvoerder van de paus, pater Federico Lombardi. 'De houding van de Kerk tegenover de media is extreem positief. We hopen dat ze benut worden om goed nieuws en positieve waarden over te brengen, om dialoog en broederschap tussen de mensen te creëren'. Mooie woorden, maar in de praktijk valt het met die liefde voor de media dus wel mee. Begin 2008 lucht Lombardi voor de Italiaanse televisie zijn hart: 'We moeten ons afvragen of de media het goede met ons voorhebben. Vaak is er aanleiding om daaraan te twijfelen, of worden we ernstig teleurgesteld. Media doen vaak niet hun best om de werkelijkheid weer te geven, maar maken hun eigen werkelijkheid, door dingen te suggereren die er niet zijn.'

Federico Lombardi is al directeur van Radio Vaticana en de Vaticaanse televisie als paus Benedictus hem in 2006 ook nog eens benoemt tot zijn persoonlijk woordvoerder en directeur van de persdienst van het Vaticaan: de Sala Stampa della Santa Sede. De Sala Stampa geeft elke dag een bulletin uit met de belangrijkste besluiten en toespraken van de paus en organiseert persconferenties om pauselijke documenten aan de wereld bekend te maken.

Zo'n persconferentie is een wonderlijke ervaring. In de Johannes Paulus II-zaal van het Vaticaanse perscentrum zit Lombardi met een of meer prelaten die op de hoogte zijn van het te presenteren pauselijke document. Een van hen neemt het woord. Onder de journalisten wordt ondertussen een aantal A4'tjes uitgedeeld met grote lappen tekst. Al snel krijgt de aanwezige pers door dat de bewuste prelaat bezig is het A4'tje integraal voor te lezen.

Lombardi is in alles de tegenpool van zijn voorganger Navarro Valls. Die kende de journalistiek door en door, was slim en behendig, op het arrogante af. Zo beweerde hij dat negentig procent van het Vaticaanse nieuws van hem afkomstig was. Hij was zo vaak in de buurt van paus Johannes Paulus II dat hij een van de bekendste gezichten van het pontificaat werd. Hij maakte deel uit van het kernkabinet dat de koers onder de Poolse paus bepaalde. Lombardi is veel bescheidener; hij is nauwelijks zichtbaar en stelt zich vooral dienstbaar op. Dat valt nog niet mee, want door zijn driedubbele functie is hij een drukbezet man. Hij begint zijn werkdag in alle vroegte bij Radio Vaticana, loopt dan naar de Sala Stampa, om zijn dag ten slotte bij de Vaticaanse televisie af te sluiten. Het heeft hem de bijnaam 'de Heilige Drie-eenheid' opgeleverd. En dat is niet altijd als compliment bedoeld.

In 2009, een absoluut rampjaar voor de communicatieafdeling van het Vaticaan, komt Lombardi zwaar onder vuur te liggen. Het begint allemaal in januari met het besluit van paus Benedictus om de excommunicatie van bisschop Richard Williamson op te heffen. Williamson hoort bij de schismatieke Priesterbroederschap Pius X van de uiterst conservatieve Franse aartsbisschop Lefebvre.

Lefebvrianen wijzen de liturgische vernieuwingen van Vaticanum II, een kerkvergadering van alle rooms-katholieke bisschoppen die tussen 1962 en 1965 in Rome plaatsvond, af. Katholieken mogen vanaf dat moment de mis vieren in hun eigen taal en de priester kan zich voortaan naar de gelovigen toe keren. Lefebvrianen blijven de mis vieren volgens de oude, Tridentijnse rite, zoals die vóór het Concilie gebruikelijk was in de katholieke Kerk: in het Latijn, met de rug naar het volk. Ze gruwen ook van de concilie-decreten *Dignitatis Humanae* (Over de godsdienstvrijheid) en *Nostra Aetate* (Over de interreligieuze dialoog). Ze wijzen zowel de dialoog met het jodendom als die met de islam af, terwijl beide godsdiensten in de concilieverklaringen met waardering worden genoemd. De Lefebvrianen worden regelmatig beschuldigd van racisme en antisemitisme. Lefebvre zelf wordt in 1990, een jaar voor zijn dood, veroordeeld tot een boete omdat hij in een discussie over islamitische migranten waarschuwt dat 'jullie vrouwen, jullie dochters, jullie kinderen zullen worden gekidnapt en meegesleept naar plekken zoals die bestaan in Casablanca'. Met Johannes Paulus 11, een paus die veel heeft gedaan voor de toenadering tussen de katholieke Kerk enerzijds en joden en moslims anderzijds, maakt Lefebvre regelmatig de kachel aan.

Jarenlang wordt hij echter min of meer gedoogd en mag hij zelfs zijn eigen priesters wijden. Namens de paus voert kardinaal Joseph Ratzinger eind jaren tachtig gesprekken met Lefebvre om hem en zijn beweging weer volledig in de Kerk te laten functioneren. Als Lefebvre tegen de wil van Rome vier bisschoppen wijdt, onder wie Williamson, is het afgelopen met de dialoog.

Als paus doet Ratzinger er alles aan om de Lefebvrianen te laten terugkeren in de schoot van de moederkerk. Hij bewondert hun trouw aan de Tridentijnse mis en deelt met hen het gevoel dat met de liturgiehervormingen van het Tweede Vaticaans Concilie het kind met het badwater is weggegooid, hetgeen op vele plekken, volgens de paus, heeft geleid tot liturgische wantoestanden. Ook hij is zich altijd goed thuis blijven voelen in de wereld van de Tridentijnse spiritualiteit. Om de Lefebvrianen tegemoet te komen maakt hij het eerst door middel van een decreet mogelijk dat de preconciliaire mis gemakkelijker gevierd kan worden en haalt hij vervolgens de vier geëxcommuniceerde bisschoppen terug in de Kerk. En dat leidt tot een grote crisis in het pontificaat van Benedictus en een publicitaire ramp.

Het nieuws van de opheffing van de banvloek lekt op woensdag 21 januari 2009 uit via het weblog van de Italiaanse vaticanist Andrea Tornielli. Dezelfde avond zendt de Zweedse televisie een interview uit met bisschop Williamson waarin hij beweert dat de Holocaust nooit heeft plaatsgevonden. Volgens hem bestaan er 'overweldigende' bewijzen dat er nooit gaskamers hebben bestaan. Weliswaar zijn er volgens hem tussen de 200 000 en 300 000 joden in de naziconcentratiekampen gestorven, maar niemand van hen kwam om in een gaskamer. Joodse groeperingen, maar ook veel katholieken, zijn woedend en dringen er bij Benedictus op aan Williamson niet te rehabiliteren. Die laat niets van zich horen en ook de persafdeling onder leiding van pater Lombardi houdt haar mond.

Op vrijdag 23 januari trommelt de Vaticaanse persdienst alle geaccrediteerde journalisten op voor een persconferentie over het belangwekkende feit dat het Vaticaan een eigen kanaal op You-Tube krijgt. Over Williamson geen woord. Een dag later, als het decreet met de opheffing van de excommunicatie door het Vaticaan dan eindelijk officieel naar buiten wordt gebracht, is er geen persconferentie. Ook is op het moment van bekendmaking de Vaticaanse perszaal al lang en breed gesloten. Iedere Nederlandse parochie die een bazaar voor Haïti organiseert maakt een communicatieplan en het Vaticaan, dat een van de meest controversiële beslissingen van een paus ooit moet communiceren, slingert het bericht op zaterdagmiddag na sluitingstijd zonder enige begeleiding de wereld in.

Pas op 4 februari, elf dagen later, komt het Vaticaan met een officiële verklaring waarin Williamson wordt opgeroepen zijn uitspraken over de Holocaust ondubbelzinnig in te trekken wil hij ooit nog een functie in de katholieke Kerk uitoefenen. Een week eerder geeft de paus tijden de algemene audiëntie uiting aan zijn 'volledige en onbetwistbare solidariteit met de joden'. Over Williamson rept hij met geen woord. Iedere andere grote organisatie had een persconferentie georganiseerd en de CEO een verklaring laten afleggen. Zo niet het Vaticaan, terwijl men daar kan weten hoe het wel moet.

In april 2008 maakt de paus een reis naar Amerika. Dat bezoek dreigde overschaduwd te worden door de crisis rond seksueel misbruik door priesters, die op dat moment de Amerikaanse Kerk nog in zijn greep hield. In het vliegtuig naar Washington houdt de paus een persconferentie op tien kilometer hoogte. Journalisten die met de paus meereizen konden van tevoren vragen indienen en de paus heeft daar, waarschijnlijk in overleg met Lombardi, een keuze uit gemaakt. Benedictus heeft ervoor gekozen dat de eerste vraag die hij gaat beantwoorden over seksueel misbruik gaat. Wat gaat de Kerk daaraan doen? Zijn antwoord is glashelder en wordt in voor zijn doen uitstekend Engels uitgesproken: 'We schamen ons en we willen dat het stopt. We willen meewerken met justitie, de slachtoffers pastoraal bijstaan en priesters beter screenen. Beter goede priesters dan veel priesters.'

Als we in Washington landen, melden de tv-journaals dat Benedictus door het stof is gegaan en de historische woorden 'Wij schamen ons' heeft uitgesproken. Niet alleen komt hij tegemoet aan dringende verzoeken van slachtoffers om het boetekleed aan te trekken en zijn excuses te maken, ook trekt hij publicitair het initiatief naar zich toe. Een geslaagde – of beter: eindelijk een geslaagde – media-operatie van het Vaticaan. Zo kan het en zo moet het. De Williamson-affaire laat zien dat Amerika blijkbaar een toevalstreffer was. In maart 2009 gaat het namelijk opnieuw fout.

De paus is op weg naar Afrika, om precies te zijn naar Kameroen en Angola. En weer is er, als de lichtjes 'stoelriemen vast' uit zijn, een persconferentie op grote hoogte. Ook nu is Lombardi voor vertrek naar de paus gegaan met de vragen die journalisten van tevoren hebben ingediend. De paus kiest er, in het bijzijn van Lombardi, vijf uit. Daar zit ook een vraag bij over het standpunt van de Kerk aangaande bestrijding van de ziekte aids. Iedere andere woordvoerder zou de paus aanraden om de vraag over aids even te laten voor wat hij is; de kans is namelijk groot dat de vraag, en vooral het antwoord, al het andere wat de paus tijdens de persconferentie te zeggen heeft zal overschaduwen. De Europese pers en ook de politici van het oude continent, zijn extreem gevoelig voor alles wat de Kerk over aids zegt. Maar Lombardi houdt zijn mond en dus loopt het uit de hand.

Op een vraag van een Franse journalist zegt de paus in het vliegtuig dat condooms niet de oplossing zijn tegen de verspreiding van aids. Sterker nog: ze verergeren het probleem. De enige weg om seksueel overdraagbare ziektes effectief te bestrijden is volgens de paus een 'geestelijke en menselijke vernieuwing' van de seksualiteit. Nog voordat de paus in Yaoundé landt hebben de journalisten in zijn gevolg met de telefoons die elke stoel in het pauselijke vliegtuig rijk is zijn uitspraken al naar het thuisfront doorgebeld. Europa is te klein. Politici van links tot rechts haasten zich naar de microfoon om de paus de wind van voren te geven. Ook de Nederlandse minister voor Ontwikkelingssamenwerking Bert Koenders haalt fel uit naar Benedictus: 'Ik vind het buitengewoon schadelijk en ernstig dat deze paus mensen verbiedt om zichzelf te beschermen.' Het Belgisch parlement wijdt zelfs een speciale vergadering aan de uitspraken van de paus. Ondertussen hoort niemand in Europa dat de paus zich in het bijzijn van de omstreden president van Kameroen keihard uitspreekt tegen corruptie en in Angola opkomt voor de rechten van vrouwen.

Twee dagen na de bewuste persconferentie op grote hoogte reageert het Vaticaan met een officiële verklaring op de ontstane commotie:

Wat betreft bepaalde reacties op de opmerkingen van de paus over HIV/aids tijdens zijn apostolische reis naar Afrika heeft de perschef van de Heilige Stoel, pater Federico Lombardi S.J., verklaard dat de Heilige Vader het standpunt van de katholieke Kerk heeft herhaald, alsmede basislijnen van haar toewijding om de verschrikkelijke plaag van HIV/aids te bestrijden: in de eerste plaats door mensen te vormen tot een verantwoordelijke seksualiteit en door de bevestiging van de wezenlijke rol van huwelijk en gezin; in de tweede plaats door er onderzoek naar te doen en effectieve behandelmethoden van HIV/aids toe te passen en deze voor een zo groot mogelijk aantal zieken beschikbaar te stellen door talloze initiatieven en zorginstanties; in de derde plaats door menselijke en geestelijke bijstand te verlenen aan aidsslachtoffers en alle andere lijdende mensen, die de Kerk na aan het hart liggen.

Dit zijn de gebieden waarop de Kerk haar activiteiten concentreert. Zij gelooft niet dat het eenzijdige vertrouwen op de grotere verspreiding van condooms de beste, meest vooruitziende of doelmatige manier is om de plaag van HIV/aids te bestrijden en het menselijk leven te beschermen.

Al eerder probeerde de Vaticaanse persdienst de schade te beperken door te beweren dat de paus verkeerd is geciteerd. En dus passen Lombardi en zijn collega's de gewraakte uitspraak van de paus in de officiële transcriptie op de Vaticaanse internetsite gewoon aan. Condooms *verergeren* plotseling niet meer het probleem, maar herbergen slechts het *risico* van verergering in zich. Later zet het Vaticaan een meer waarheidsgetrouwe transcriptie van de persconferentie aan boord van het pauselijke vliegtuig op zijn website, zonder het woordje 'risico'.

Een paar maanden later, tijdens het bezoek van Benedictus XVI aan het Heilig Land, maakt Lombardi weer een uitglijder als hij beweert dat de paus nooit lid is geweest van de Hitlerjugend, terwijl Benedictus notabene dit gedwongen lidmaatschap in zijn autobiografie *Het zout der aarde* zelf vermeldt.

Lombardi gaat zelf uitgebreid in op de kritiek aan zijn adres: 'Ik zeg niet dat alles wat we op het gebied van de communicatie vanuit het Vaticaan hebben gedaan volmaakt is. Maar ik denk wel dat we, in een wereld zoals de onze, onszelf een rad voor de ogen zouden draaien indien we ervan zouden uitgaan dat communicatie altijd zorgvuldig kan worden gecontroleerd of dat die altijd gestroomlijnd en vanzelfsprekend zou kunnen zijn.' Daar heeft Lombardi gelijk in. Nergens gaat zoveel mis als op het gebied van communicatie, zonder dat dat overigens leidt tot dodelijke slachtoffers. Maar bij het Vaticaan gaat wel héél veel mis.

Dat komt enerzijds door een gebrek aan professionaliteit. Lombardi is te zwaar belast. Een woordvoerder van de paus heeft alle aandacht nodig voor zijn belangrijke taak en hoort er niet twee andere banen bij te hebben. Voor de rest ontbreekt het aan een eenduidige regie op het gebied van communicatie in het Vaticaan. Er is een Pauselijke Mediaraad, maar die geeft pasjes uit aan televisieploegen, denkt namens de paus na over de laatste ontwikkelingen op mediagebied, maar heeft niets te vertellen over de eigen media van het Vaticaan. Lombardi heeft weliswaar de leiding over de tv, de radio en de persdienst, maar heeft weer niets te zeggen over *L'Osservatore Romano*. Als woordvoerder van de paus moet hij verantwoording afleggen aan het Staatssecretariaat, maar als directeur van Radio Vaticana is hij weer veel autonomer. Al jaren wordt er door curiemensen gevraagd om één ministerie van Mediazaken dat al die instanties aanstuurt, maar daar is het nog altijd niet van gekomen.

Behalve aan gebrek aan samenhang lijdt het Vaticaanse mediabeleid ook aan een verouderde visie op communicatie. Benedictus XVI heeft weliswaar zijn eigen YouTube-kanaal en het Vaticaan zorgt ervoor in de pas te lopen met de laatste technische ontwikkelingen, maar de paus moet toch vooral beschermd worden tegen die verderfelijke buitenwereld.

Daarom gebeurt er ook niets met zoiets moderns als interactiviteit. *L'Osservatore* heeft geen rubriek met ingezonden brieven en de drukbezochte internetsite kent geen forum. Als ik het hoofd Internet, zuster Judith Zoelbelein, ernaar vraag, zegt ze dat erover nagedacht wordt. 'Een trend moet ergens toe dienen. Cowboylaarzen dragen is ook een trend. Je moet kijken of de trend bij jou past qua cultuur en als persoon. Ik verwacht dat de site binnenkort interactief zal worden. Maar aan interactie zit een grens: het Vaticaan kan immers niet dienen als een gigantisch callcenter dat alle vragen voor de hele wereld beantwoordt. Dat is niet de taak van het Vaticaan.' Als ik haar vervolgens vraag welke grote gevaren interactiviteit nou eigenlijk met zich meebrengt, raakt ze geïrriteerd: 'U probeert mij in een hoek te drukken.' Op het moment dat dit boek ter perse gaat (oktober 2010) heeft de internetsite van het Vaticaan nog altijd geen forum.

Het Vaticaan zendt het liefst uit en wenst weinig te ontvangen. 'We hebben een heel lange traditie van communicatie naar buiten toe, om de wereld van dienst te zijn, zodat iedereen weet wat de Heilige Vader denkt. Het is niet onze taak om het debat te stimuleren, een verdieping die juist zou moeten plaatsvinden in de landen, in de lokale kerken of bepaalde kerkprovincies,' zegt Lombardi.*

Al met al is het Vaticaan niet veel opgeschoten sinds in 1861 het eerste nummer van *L'Osservatore Romano* verscheen. De leer moet verkondigd worden, de paus moet worden beschermd en de wereld moet vooral op afstand worden gehouden.

 Sinds kort is het Vaticaan ook actief op het gebied van de sociale media: Facebook en Twitter. Er zijn maar liefst Twitter-accounts in zeven talen. Het verdient aanbeveling de tweets vooral te lézen. Reageren heeft namelijk geen zin: reacties worden niet beantwoord.

* Interview met de auteur, oktober 2007.

Vlucht az-4000

Aan boord van het pauselijke vliegtuig

Het gebeurt voordat ik er erg in heb. De man stond toch echt achter me in de rij, maar dringt voor en mag eerder inchecken dan ik. Op mijn verbaasde blik reageert een collega door naar de nek van de voordringer te wijzen. 'Ah, een boordje.' De voordringer is een priester en ik ben maar een leek. Mijn reis met de paus naar Amerika is begonnen.

Twee uur later sta ik samen met mijn collega's te wachten bij de gate waarvandaan een bus ons naar het pauselijke vliegtuig zal brengen. De paus en ik gaan samen op reis. Ik maak samen met zo'n zestig collega's deel uit van het pauselijke gevolg. De groep bestaat uit Vaticaan-veteranen die elkaar goed kennen van vorige reizen. Ze begroeten elkaar als oude vrienden en halen herinneringen op. Ook dagen ze elkaar uit om alle pausreizen naar de Verenigde Staten op te noemen, met jaartallen en alle steden die toen werden bezocht. Met mij wil niemand praten. Ik ben nieuw in dit reisgezelschap, dat al jaren met elkaar op vakantie gaat, en voel me als op een verjaardag waar ik alleen de jarige ken en voor de rest niemand. Maar als ik goed kijk, herken ik toch een paar gezichten. Marco Politi van *La Repubblica*, John Allen van cnn en Andreas Englisch van *Bild*.

Van 15 tot en met 20 april 2008 brengt Benedictus een bezoek aan de Verenigde Staten. Hij bezoekt Washington en New York, gaat op visite bij president Bush in het Witte Huis, draagt een aantal missen op en heeft een ontmoeting met de Amerikaanse bisschoppen. Van tevoren is me verteld dat ik bij de gate vooraan moet gaan staan. Dan sta je ook vooraan in de bus en ben je sneller bij de vliegtuigtrap, en dat kan weer van levensbelang zijn om een goede stoel in het vliegtuig te krijgen voor als de paus mocht besluiten de journalisten te komen begroeten in de toeristenklasse. Hijzelf reist natuurlijk business. Van Alitalia krijg je wel een instapkaart, maar geen vaste plaats toegewezen.

Scherp houd ik de bewegingen van de anderen in de gaten. Het is grappig om te zien dat als iemand een paar passen richting de gate doet, de anderen meteen volgen. Zoals in natuurfilms waarin honderden zebra's gefilmd worden die bij elkaar staan op de savanne. Zelfs de lichtste beweging van één zebra brengt de hele kudde in beweging.

De belangstelling onder journalisten om met de paus naar Amerika mee te reizen was groot, maar er zijn maar zestig plaatsen in het vliegtuig beschikbaar. Aan pater Lombardi uiteindelijk de keuze wie er wel en wie er niet mee mag. De grote Italiaanse dagbladen (*Repubblica, Corriere della Sera, Il Giornale* en *La Stampa*) zijn verzekerd van een plek en dat geldt ook voor de Italiaanse tv-journaals, de persbureaus AP en Reuters en Duitse media als ZDF en *Bild Zeitung*. Er wordt ook rekening gehouden met het land dat de paus bezoekt, dus mogen deze keer de Romeinse correspondent van *The New York Times* en een verslaggeefster van *The Washington Post* mee. Ook gaat er een groep fotografen en cameramensen mee. Na bij twee eerdere reizen te zijn uitgeloot, ben ik nu toegelaten tot dit unieke schoolreisje met Benedictus.

Pausen reizen nog niet zo lang. Nadat de pausen in 1870 bijna al hun grondgebied waren kwijtgeraakt, komen ze het Vaticaan alleen uit voor de zomervakantie in het buitenverblijf te Castel Gandolfo aan het Meer van Albano. Johannes XXIII is de eerste paus die weer echt op reis gaat, al blijft hij wel binnen Italië. Op 4 oktober 1962, ruim een maand voordat het door hem bijeengeroepen Concilie zal worden geopend, maakt hij per trein een pelgrimstocht naar Loreto en Assisi. In zijn gezelschap bevindt zich de Italiaanse premier Amintore Fanfani, waardoor de reis een soort bezegeling wordt van de verzoening van 1929. Heel Italië loopt uit voor deze bijzondere treinreis. Bij iedere halte langs de route wordt Johannes door een enthousiaste menigte begroet.*

Zijn opvolger Paulus VI maakt negen buitenlandse reizen en bezoekt als eerste paus zes van de zeven continenten; alleen Antartica slaat hij over. Hij reist onder meer naar het Heilig Land, Israël (1964), de Verenigde Naties (New York, 1965), de Wereldraad van Kerken (Genève, 1969) en het Verre Oosten en Oceanië (1970). Tijdens die laatste reis ontsnapt hij in Manilla, op de Filippijnen, aan een moordaanslag. De gestoorde Boliviaanse schilder Benjamin Mendoza y Amor probeert hem met een kris dood te steken. Don Pasquale Macchi, privésecretaris van de paus, duwt hem nog net weg voordat hij wil uithalen naar de paus.

Paulus VI plaveit de weg voor zijn opvolger Johannes Paulus II, de globetrotterpaus. In januari 1979, nog geen drie maanden na zijn uitverkiezing, vliegt hij naar de Dominicaanse Republiek en Mexico. Hier zet hij de toon voor de maar liefst 103 reizen die hierna zouden volgen: hij kust de grond bij aankomst op het vliegveld, knuffelt baby's, schudt bejaarden de hand en gaat voor in massale openluchtmissen. In de ruim zesentwintig jaar dat hij paus is bezoekt hij negen keer zijn vaderland Polen, acht keer Frankrijk en is hij zeven keer in de Verenigde Staten. In totaal 129 landen verwelkomen hem op hun grondgebied, waaronder islamitische staten als Marokko en Syrië en exotische oorden als de Seychellen en Curaçao. Overal is het enthousiasme groot en breekt de paus het ene na het andere toeschouwersrecord, behalve in ons land. In Nederland is de ontvangst ronduit kil. Het bezoek in mei 1985 wordt gekenmerkt door vreugde van een kleine schare getrouwen, door vijandigheid van een handjevol krakers en door onverschilligheid van de massa. Als de paus in zijn pausmobiel door de straten van Den Bosch rijdt ziet hij slechts een dunne rij mensen. 'Met een zucht van verlichting zag iedereen die iets met

* Hebblethwaite, 1985, p. 506.

het pausbezoek te maken had gehad op woensdag 15 mei tegen negen uur in de ochtend het toestel met het pauselijk wapen van Schiphol opstijgen richting Luxemburg,' schrijft Ton van Schaik. 'Het zat erop.'*

De reizen zijn in de eerste plaats pastoraal; de opperherder van de rooms-katholieke Kerk gaat op bezoek bij zijn kudde overal ter wereld. Ze vormen een uitgekiend instrument voor Johannes Paulus 11 om de katholieken na de roerige jaren zestig en zeventig weer bij de les te brengen en hen te verenigen rond de bisschop van Rome en de leer van de Kerk, die hij dan ook onverkort aan de miljoenen toegestroomde gelovigen verkondigt. Daarnaast gebruikt hij de bezoeken om politiek te bedrijven. Tijdens een bezoek aan Centraal-Amerika in 1983 kapittelt hij enerzijds de Nicaraguanen omdat ze het communisme hebben omarmd, anderzijds roept hij de strijdende partijen in de regio op om hun bloedige oorlogen te stoppen. Zijn vaderland Polen begeleidt hij via de bezoeken aan het land op het moeilijke pad naar vrijheid en democratie.

Johannes Paulus 11 wordt wel de eerste moderne paus genoemd, omdat hij het belang van de media inzag voor het welslagen van de door hem gewenste herevangelisatie van (vooral) de westerse wereld. Televisiestations van over de hele wereld zenden verslagen van zijn reizen in hun geheel of gedeeltelijk uit. Johannes Paulus wordt een mediafenomeen. Het weekblad *Time* zet hem in 1993 op de cover met als bijschrift: 'John Paul superstar', als ware hij een popster. Maar wel een van drieënzeventig jaar oud, die met een soms ongemakkelijke boodschap meer toeschouwers trekt dan U2 en Madonna samen.

Om de publiciteit rond een pausbezoek nog wat beter in de hand te houden worden journalisten vanaf begin jaren tachtig actief uitgenodigd om mee te reizen met Johannes Paulus in het

* Ton H.M. van Schaik, *Bedankt voor de bloemen, Johannes Paulus 11 en Nederland*, Lannoo 2005, p. 161.

pauselijke vliegtuig. In die jaren is de paus nog zeer benaderbaar en kun je als journalist gewoon op hem af lopen en hem vragen wat je wilt. Beroemd is de scène op vliegveld Welschap bij zijn bezoek aan Nederland, wanneer de paus als hij wil uitstappen stuit op KRO-verslaggever Willibrord Frequin.

'Heiligheid, heeft u een beetje Nederlands geleerd?'

'Un beetje, un beetje,' antwoordt de paus in moeizaam Nederlands.

'Wat is uw boodschap?'

'Aaah', zegt de paus. 'Het evangelie, het evangelie...'

Ik ben de eerste Nederlandse journalist sinds Willibrord Frequin die meereist met de paus in zijn vliegtuig.

Meevliegen met de paus is niet goedkoop. Het vliegticket kost mij – of liever gezegd: mijn werkgever de KRO – alles bij elkaar zo'n 2300 euro. Daarvoor vlieg ik met de paus van Rome naar Washington, van Washington naar New York en van New York terug naar Rome. Ik moet dan zelf nog een retour Amsterdam-Rome kopen. Ook de hotels zijn over het algemeen niet goedkoop. En het is samen uit, samen thuis. Als je met de paus meereist moet je, vanwege veiligheidsvoorschriften, de hele reis meemaken. Je kunt niet – wat in mijn geval logisch was geweest – direct vanuit New York naar Amsterdam terugvliegen. Michelle Boorstein, van *The Washington Post*, kan niet als het bezoek afgelopen is naar huis gaan, maar moet het hele eind mee terug naar Rome en dan weer een vliegtuig naar Washington pakken.

Een dag voor vertrek moet je al in Rome zijn om bij Alitalia je ticket te kopen en bij de perszaal van het Vaticaan je pasjes op te halen en het fameuze witte boekje, dat onder pausvolgers wel de 'bijbel' of het 'evangelie' genoemd wordt. Een pausreis heeft een heel strak schema en in dat witte boekje staat precies hoe laat alle evenementen beginnen, wanneer je tijd hebt om te eten en hoe laat de pendelbussen naar de verschillende evenementen vertrekken. Er staat nog net niet in hoe laat je naar bed moet. Het boekje moet er na afloop van de reis uitzien alsof je het wel honderd keer gelezen hebt. Als het nog gaaf is, heb je niet hard genoeg gewerkt.

Het Vaticaan regelt alles voor je. Zij boeken je hotel en de bussen die je vervoeren. In dat opzicht proberen ze echt met de pers samen te werken. 'Aan de andere kant houden ze de regie wat al te strak in de hand. Als je je om vijf uur bij de bus moet melden moet je er ook echt om vijf voor vijf staan,' zegt John Allen.* Als Rachel Donadio van *The New York Times* voor het eerst met paus Benedictus op reis gaat, naar Frankrijk, verbaast ze zich erover dat het Vaticaan het zo belangrijk vindt dat je je aan het schema houdt. 'Ik dacht dat ik me moest voorbereiden en boeken over het Vaticaan moest lezen. Maar niks hoor: je moet je alleen op het juiste moment op de juiste plek melden.'†

Niet elk evenement is voor iedere deelnemer aan de pausreis toegankelijk. Soms is het aantal plaatsen beperkt en kan er maar een klein aantal mee. Ik heb geluk, want ik ben ingeloot voor het bezoek van Benedictus aan het Witte Huis.

Een uur voor vertrek pakt een stewardess van Alitalia de microfoon en zegt: 'Vlucht az-4000 is gereed om in te stappen.' Binnen enkele seconden staan er zestig journalisten voor haar neus. Ik sta vooraan en loop als een van de eersten naar de bus. John Allen is al binnen. 'Waar kan ik het beste staan?' vraag ik. 'Naast mij,' is zijn antwoord. Als we wegrijden, zie ik al snel in de verte het pauselijke vliegtuig staan, met veel politie en militairen eromheen en een batterij fotografen in de aanslag voor als de paus komt aanrijden. Hij komt met een helikopter van het Vaticaan en hoeft niet in te checken. Waarschijnlijk hoeft hij niet eens zijn eigen koffer in te pakken.

Inmiddels vragen wij ons in de bus af aan welke kant we zullen uitstappen: links of rechts? Zeer belangrijk als het gaat om de uitgangspositie bij het beklimmen van de vliegtuigtrap. De bus draait wat en het is niet helemaal duidelijk hoe hij uitkomt. Wij raken

* Interview met de auteur, oktober 2008.
† Idem.

in verwarring en lopen van de ene naar de andere kant. Een grappig gezicht. John Allen vertelt me dat de veteranen in het reisgezelschap strategische deals met elkaar sluiten en elk een uitgang afdekken. Degene wiens deur opengaat houdt, eenmaal in het vliegtuig, voor de ander een stoel vrij. Hij heeft zo'n deal met Phil Pulella van Reuters. Ik heb met niemand een deal.

Als de bus bij het pauselijke vliegtuig aankomt en de deuren rechts van ons opengaan, veranderen al die lieve katholieke huisvaders om me heen van het ene op het andere moment in beesten. Iedereen wil als eerste bij de vliegtuigtrap zijn. Het lijkt nog het meest op een scrum bij rugby: mensen slaan om zich heen, gebruiken hun ellebogen en schouders. 'Je moet vooral andere journalisten de weg versperren. Je tas moet zwaar zijn om andere mensen op hun hoofd te kunnen slaan of te blokkeren,' vertelt Andreas Englisch van *Bild*. Hoe gewelddadig het eraan toegaat blijkt uit het feit dat bij een van de vorige pausreizen John Allen in het gedrang ten val kwam, lichtgewond raakte aan zijn linkerarm en noodgedwongen de hele reis met één hand moest typen. Ik ben als zesde binnen, wat niet slecht is voor een eerste paus-scrum. Op mijn stoel ligt een schattig wit kussentje met het wapen van de paus erop te wachten en ook de hoofdsteun is pauselijk aangekleed.

'Zitten, ga zitten!' schreeuwt Vik van Brantegem, die namens de Vaticaanse persdienst de journalisten die met de paus meereizen begeleidt. Dat hij te maken heeft met top-vaticanisten met vaak meer dan twintig jaar ervaring en met bestsellerauteurs, maakt deze ambtenaar niets uit. Orde moet er heersen.* Zijn regels zijn strikt, onbetwistbaar en af en toe onbegrijpelijk. Elke ochtend tussen 6.00 en 6.15 uur kun je bij hem op zijn hotelkamer (we slapen in hetzelfde hotel) de toespraken die de paus die dag zal houden, ophalen. Ik ben al gewaarschuwd dat hij je als je

* Michelle Boorstein, *The Washington Post*, 'Inside the Papal "Bubble", a Curious Air', 18 april 2008.

om 6.16 uur komt wegstuurt met de mededeling dat je maar moet gaan meeschrijven met de televisie.

De paus heeft geen eigen vliegtuig. Alitalia haalt een van zijn vliegtuigen uit de roulatie en bouwt dat om voor de bisschop van Rome als die op reis gaat. Voor de reis naar Amerika is dat een Boeing 777. De businessclass is groter gemaakt, zodat de paus met zijn gevolg comfortabel kan reizen. Hij zit in wat in het veiligheidsplan 'zone A' heet. Rechts van zijn vliegtuigzetel staat een tafel met vier stoelen, zodat Benedictus in klein gezelschap kan lunchen of dineren. De paus neemt zijn eigen bestek en glazen mee van huis.

Het personeel van Alitalia wordt speciaal getraind voor pausreizen. Ook is er altijd een volledige schaduwbemanning aanwezig. In het speciale draaiboek dat ze vooraf uit hun hoofd moeten hebben geleerd, staat onder meer dat ze de paus met 'Uwe Heiligheid' moeten aanspreken en nooit zelf iets aan de paus mogen vragen. Al het intermenselijk verkeer tussen de bemanning en Benedictus moet via zijn secretaris plaatsvinden.

In 'zone B' zitten de naaste medewerkers van de paus: priesters, bisschoppen, kardinalen, veiligheidsmensen en zijn lijfarts. Ook hoofdredacteur Vian van *L'Osservatore* zit in dit gedeelte van het vliegtuig. Dit keer reist de cardioloog van de paus mee en ook heeft Benedictus zijn eigen bloed meegenomen: achter in het vliegtuig staat een kist met zakken bloed van dezelfde bloedgroep als die van de paus. Bij zijn uitverkiezing als paus ging het verhaal dat Benedictus van zijn doktoren niet meer intercontinentaal mocht vliegen vanwege gezondheidsproblemen. Inmiddels is hij al naar Brazilië geweest, maar voorzichtigheid is blijkbaar nog altijd geboden.

Een vliegtuig delen met de paus is iets bijzonders. Het is ook de enige kans die je als journalist krijgt om de opvolger van Petrus een vraag te stellen. De paus geeft vrijwel geen interviews en wie de euvele moed heeft een interviewaanvraag in te dienen wordt niet serieus genomen en nog net niet uitgelachen. Maar in het pauselijke vliegtuig wordt het onmogelijke mogelijk.

Op weg naar Brazilië in mei 2007, geeft de paus ergens boven Sicilië een persconferentie. Journalisten mogen vrije vragen stellen. In antwoord op een vraag over de Braziliaanse politiek maakt de paus een opmerking over abortus die het hele bezoek de media in Brazilië zal blijven beheersen. Dat nooit meer, zullen ze in het Vaticaan gedacht hebben. Daarom is er bij dit bezoek aan Amerika voor gekozen de boel te reguleren, zoals we al eerder zagen. Voor aanvang van de reis kon je vragen indienen. Het Vaticaan zou de vijf beste uitkiezen en die konden aan Benedictus worden gesteld. Ik diende twee vragen in, om zo mijn kansen te spreiden.

Als ik hoffotograaf Francesco Sforza in ons gangpad zie verschijnen, weet ik dat het niet lang meer kan duren. En jawel, even later verschijnt Benedictus en posteert zich in het midden van de cabine. Hij ziet er ontspannen uit en de gezonde kleur op zijn gezicht doet vermoeden dat hij een weekje zon heeft gepakt op een Spaans of Italiaans eiland.

De paus geeft een korte voorbeschouwing van zijn bezoek aan de Verenigde Staten en beantwoordt vier, en dus niet vijf vragen van journalisten. Over seksueel misbruik door priesters, immigratie, het werk van de Verenigde Naties en ten slotte komt mijn vraag over de vergelijking Europa-Amerika. Alleen mag ik hem niet stellen, maar collega Andrea Tornielli van *Il Giornale*. Over de crisis rond seksueel misbruik in de Kerk die het bezoek dreigt te zullen overschaduwen is hij glashelder: 'We schamen ons en we willen dat het stopt.' Verder is Amerika een prachtig land en de Verenigde Naties moeten zich meer inspannen voor de bescherming van het leven. De paus is op dreef en zijn Engels is beter dan ik had verwacht.

Als hij is teruggekeerd naar zone A begint iedereen zijn uitspraken met speciale telefoons aan boord door te bellen naar de verschillende redacties. Ondertussen neemt een verslaggeefster van een Mexicaans tv-station presentatieteksten op in het gangpad, hetgeen nogal afleidt.

Ik doe ook een poging Hilversum de belangrijkste nieuwsfeiten van de persconferentie door te bellen met de in mijn stoel bevestigde speciale vliegtuigtelefoon. Helaas is de verbinding niet al te best. 'Heb je te veel wijn op of zo? Je klinkt zwaar dronken! Ik kijk wel even bij Associated Press,' zegt een collega.

Acht uur later landen we op Andrews Airforce Base vlak bij Washington. Het is een aangename sensatie op een vliegveld te landen en te weten dat iedereen op jou staat te wachten. President Bush begroet de paus bij de vliegtuigtrap en de twee verdwijnen uit ons gezichtsveld. Wij rijden onder politie-escorte en met zwaailichten naar ons hotel. Het pauselijke vliegtuig blijft eenzaam achter. Het is een bijzonder toestel, en dat is het. Niet alleen door wie erin zat, maar ook door de codenaam die het kreeg op het moment dat deze Boeing 777 het Amerikaanse luchtruim binnenvloog: *Shepherd One.* Het neefje van *Airforce One.*

De volgende dag sta ik om 6.00 uur voor de deur van Van Brantegem. Hij staat me al op te wachten in het voorportaaltje van zijn suite. In de verte zie ik Phil Pulella van Reuters pauselijke toespraken verzamelen die op een aantal stoelen liggen uitgestald. Ik groet Van Brantegem hartelijk en loop meteen door om het eerste A4'tje te pakken, als stond ik in een ontbijtzaal voor een rijk gevuld buffet. Maar nog voordat mijn hand het eerste blaadje te pakken heeft hoor ik achter me een luid gesis. Van Brantegem wenkt me boos terug. Dat gaat zomaar niet. 'Wachten,' zegt hij in het Italiaans. Ik moet Phil zijn rondje laten afmaken en mag dan pas naar binnen. Ik wacht geduldig mijn beurt af en pak dan, heel voorzichtig, de toespraken mee.

Het is vandaag een bijzondere dag, want de paus is jarig. Hij wordt eenentachtig en zal zijn dag beginnen met een bezoek aan George W. Bush in het Witte Huis. Ik mag mee. De veiligheidsmaatregelen zijn streng. De Amerikaanse geheime dienst heeft een tent voor ons hotel neergezet. Drie uur voordat we in het Witte Huis verwacht worden, moeten we ons daar melden. Van Brantegem draagt ons op een nette rij te vormen. 'Structuur, structuur!'

roept hij, en als makke schapen voldoen we aan zijn verzoek. Iedereen mag een voor een de rij uit en moet dan zijn spullen achterlaten in de tent en dan weer plaatsnemen in de rij. Een speciale hond snuffelt vervolgens op zijn gemak aan jouw tas. Dan mag iedereen zijn tas weer pakken, die aansluitend doorzocht wordt door een medewerker van de geheime dienst. Ook word ik gefouilleerd. Het duurt allemaal heel lang, maar uiteindelijk kom ik in een bus terecht die me naar het Witte Huis moet brengen.

Onder politiebegeleiding rijden we langs hagen van enthousiaste mensen naar 1600 Pennsylvania Avenue. Benedictus mist het charisma van zijn voorganger, die als een popartiest door de wereld trok, van het ene stadion naar het andere, en graag voor een toegift terugkeerde op het podium om zich door zijn fans nogmaals te laten toejuichen. De huidige paus is als een toneelspeler die na het uitspreken van zijn laatste woorden beleefd buigt, maar als de zaallichten aangaan alweer in de bus naar huis zit. Toespraken leest hij monotoon voor, alsof hij collegedictaten voordraagt. Hij is nooit helemaal paus geworden en altijd professor gebleven. Toch lijkt dat hier in Amerika weinig uit te maken. Washington is massaal uitgelopen om de bisschop van Rome te begroeten.

De bus zet ons af voor de zijingang van het Witte Huis. In de verte zie ik een paar boze katholieken met spandoeken waarop de paus wordt aangeklaagd voor zijn rol in het seksueelmisbruikschandaal. Ze zijn zo ver weg gezet dat de paus straks bionische ogen nodig heeft om de teksten te kunnen lezen.

Eenmaal binnen de hekken moeten we weer in een rij gaan staan. Ik raak aan de praat met een medewerkster van de Amerikaanse bisschoppenconferentie die naast me komt staan. Dat is niet naar de zin van Van Brantegem. 'Dit is ongelooflijk! Dit is toch geen rij? Als jullie niet luisteren, zorg ik er persoonlijk voor dat jullie worden teruggebracht naar jullie hotel. Dan bekijken jullie het allemaal maar op de televisie.'

De vrouw wordt gesommeerd achter mij te gaan staan. De vormeloze rij is voor Van Brantegem het teken om eens helemaal los te gaan: 'Journalisten kunnen helemaal niets. Ze kunnen niet lezen, niet schrijven en niet praten. En ik kan het weten, want ik werk al jaren met journalisten.'

Gelukkig mogen we na deze tirade snel naar binnen. We worden naar de achtertuin (de South Lawn) gebracht, waar een speciaal vak voor ons is vrijgehouden.

Om half elf komen de paus en Bush onder luid applaus de trappen van het Witte Huis af. Je kunt veel slechte dingen over George Bush zeggen, en dat doen veel mensen ook, maar hij heeft voor de hoge gast werkelijk alles uit de kast gehaald. De achtertuin staat vol met wit-gele bloemen, het muziekkorps van de marine is er en de beroemde operazangeres Kathleen Battle zingt speciaal voor de paus het Onzevader begeleid door een enorme harp. En dit alles wordt bijgewoond door negenduizend dolenthousiaste verjaardagsgasten die 'Happy Birthday' voor de paus zingen. Een normale sterveling wordt op zijn verjaardag één of misschien twee keer toegezongen, maar een paus tientallen keren. Zo gaat het ook met Benedictus. Heel veel 'Happy Birthday' dus, gezongen door kardinalen, bisschoppen, gewone gelovigen, toevallige voorbijgangers en ook schoolkinderen uit het aartsbisdom Washington. Die hebben zelfs de Duitse versie ingestudeerd.

Bush en de paus houden allebei een toespraak. Beiden zeggen dat geloof en religie een belangrijke rol moeten spelen bij politiek handelen. 'Een democratie zonder waarden kan haar eigen ziel verliezen,' stelt Benedictus. Bush roept op tot verzet tegen 'de dictatuur van het moreel relativisme', een uitdrukking die hij van de paus heeft overgenomen. De president wil indruk maken op de paus en dus begint zijn toespraak met een verwijzing naar de favoriete kerkvader van zijn gast. '*We welcome you with the ancient words commended by Saint Augustine: Pax tecum.*' Jammer alleen dat hij het uitspreekt als *Peks teco*, dat je als je weinig geslapen hebt, zoals ik, al snel verstaat als 'Texaco'. Volgens sommigen van het reisgezelschap waar ik nu twee dagen deel van uitmaak en met wie ik langzaam een heel klein beetje contact krijg – zeg maar de groep-Ratzinger – is dat *Pax tecum* helemaal niet zo van Augustinus als de Amerikaanse president doet voorkomen. Als de vredeswens al van iemand is, dan toch eerder van Jezus zelf, die na zijn verrijzenis verschillende keren aan zijn leerlingen verschijnt met de woorden: 'Vrede zij met jullie' – *Pax Vobis*.

Na een privéonderhoud met Bush gaat de paus lunchen met alle Amerikaanse kardinalen. Wij worden door Van Brantegem met een inmiddels bijna vertrouwde agressiviteit weer verzameld en naar ons hotel gebracht. In de bus maken verschillende collega's lunchafspraken met elkaar. Ik eet alleen in een verlaten bar om de hoek van het hotel.

's Middags rijdt de paus in zijn pausmobiel naar de Basilica of the National Shrine of the Immaculate Conception, de grootste katholieke kerk van Noord- en Zuid-Amerika en jaarlijks goed voor een miljoen bezoekers. Daar is ook een vesperviering, waarna Benedictus de Amerikaanse bisschoppen zal toespreken. Ook voor dit evenement ben ik ingeloot en dus onderga ik, al een beetje routineus, het ritueel van in de rij staan, tas in de tent zetten, terug in de rij stappen, tas weer ophalen en na gefouilleerd te zijn plaatsnemen in de bus.

Het is inderdaad een enorme kerk, die National Shrine. Daarom valt het des te meer op dat hij nog niet voor eenderde gevuld is. 'Wat is dit?' roept Andreas Englisch uit. 'Wat moet de wereld wel niet denken als ze dit op tv zien? Dat de paus helemaal niet populair is in Amerika?'

De bisschoppen zie ik nergens. Die zitten beneden in de crypte op de paus te wachten. Als het aan hen had gelegen, had er trouwens helemaal niemand in de kerk gezeten. Op het laatste moment worden hun eigen medewerkers wel toegelaten, maar die kunnen de leegte niet helemaal vullen. Het zal niet vaak voorkomen dat Benedictus een halflege kerk ziet.

We zijn vroeg. De paus zit nog aan de lunch in de pauselijke nuntiatuur waar hij logeert en zal hier pas over twee uur aankomen. Ik zou de kerk wel eens willen bekijken, maar van Van Brantegem moeten we op de banken blijven zitten die ons zijn toegewezen. Het duurt niet lang of ik verveel me. Had ik maar iets te lezen meegenomen. Ook moet ik nodig plassen. Ik ben niet de enige. Na een smeekbede van onze kant mogen we, onder begeleiding van Van Brantegem, naar de toiletruimte beneden in de crypte van de kerk. Als we maar wel beloven heel erg stil zijn.

Als we terug zijn van ons 'uitje' begint in de basiliek het voorprogramma van het bezoek van de paus aan de National Shrine. Drie dominicanen bidden de rozenkrans en geven een korte inleiding over twee onderwerpen die veel met deze paus te maken hebben: het Petrus-ambt en de hoop, onderwerp van de laatste encycliek van Benedictus. Ook wordt nog aandacht gevraagd voor een ander belangrijk punt: 'Happy Birthday'. Ook op deze plek moet dit lied gezongen worden. Volgens de joligste van de dominicanen heeft het de organisatie zes maanden voorbereiding en de toestemming van maar liefst vier Romeinse curiedepartementen gekost om 'Happy Birthday' correct te zingen, maar het zal gaan lukken. De jarige moet in het lied *Holy Father* genoemd worden en wie niet meedoet wordt meteen geëxcommuniceerd. Daar wordt hard om gelachen.

De paus komt naar de Verenigde Staten om zíjn katholieken te ontmoeten, van hoog tot laag. Bisschoppen hebben een streepje voor. In elk land waar de paus komt, staat een uitgebreide ontmoeting met zijn broeders in het bisschopsambt op het programma en spreekt hij hen liefdevol en soms vermanend toe. Ook hier is dat het geval. Wij zien de toespraak van de paus op twee grote videoschermen, net als de rest van de aanwezigen in de kerk. Hij komt terug op de kwestie van seksueel misbruik, maar zet het in een breder kader. Hij bekent nogmaals schuld en benadrukt dat de slachtoffers alle steun verdienen, maar volgens Benedictus is dat slechts een deel van de oplossing. De seksualisering van de Amerikaanse maatschappij en de steeds grotere mogelijkheden om naar porno te kijken zorgen er volgens hem voor dat kinderen opgroeien met een misvormde kijk op seksualiteit. Wil je misbruik echt uitbannen, dan moet er een hele andere kijk op het leven komen. Verder krijgen de bisschoppen op hun donder van hun baas uit Rome dat ze de problemen niet goed hebben aangepakt. Pijnlijk om dat te horen van de eregast op het feest dat jij voor hem georganiseerd hebt.

Als wij met onze speciale bus naar ons hotel vertrekken, staan de bisschoppen op de treden van de kathedraal op hun bus te wachten. Ze staan erbij als een schoolklas die collectief in de hoek is gezet.

Wanneer ik de volgende ochtend de ontbijtzaal binnenkom, zie ik opvallend veel collega's zitten. Gelukkig, ik ben niet de enige die spijbelt. Want zo voelt het wel een beetje. Eigenlijk hadden we allemaal al in de bus moeten zitten op weg naar het National Stadium, waar de paus die ochtend een mis zal opdragen. Een uur eerder was ik wakker geschrokken van de sirene van de politieauto die onze bus steevast begeleidt. Ik raakte in paniek: had ik me verslapen en stonden nu Vik van Brantegem, al die lieve collega's plus de halve Amerikaanse geheime dienst op mij te wachten? O nee, ik had de avond ervoor besloten in het hotel te blijven.

'Ga jij ook niet naar het stadion?' vraag ik aan een Italiaanse collega.

'Nee,' antwoordt hij, maar eigenlijk wil hij zeggen: ik heb er de kracht niet voor. Na drie dagen begint bij ons journalisten die met de paus meereizen de vermoeidheid aardig toe te slaan. Ik zie strakke, witte gezichten aan het ontbijt. Anderen liggen zelfs nog te slapen en hebben blijkbaar besloten om, net als ik, de mis op televisie te volgen.

Op reis gaan met de paus is spannend en heeft zo zijn voordelen. Je zit de paus dicht op de huid. Je maakt gemakkelijk contact met de omgeving van de paus: bisschoppen, kardinalen, zijn secretaris. Zo heb ik in het vliegtuig op de heenreis even met Gian Maria Vian, de hoofdredacteur van *L'Osservatore Romano*, kunnen praten. De paus zelf zie je tijdens de persconferentie in het vliegtuig even en dan verdwijnt hij weer. Hij slaapt in de nuntiatuur en ik in een hotel. We zijn elkaar een beetje kwijt. 'Als er iets gebeurt, zit je er in theorie direct bovenop. Maar ik ben er ook van overtuigd dat als er echt wat met de paus gebeurt, als hij niet goed wordt of wordt neergeschoten, dat ze hem dan meenemen en ons laten staan,' zegt Greg Burke van Fox News.

Meereizen met de paus geeft ook prestige. Dit is mijn vijfde pausreis, maar het feit dat ik nu meereis in het gevolg van de paus zorgt ervoor dat veel Nederlandse radio- en tv-programma's mij in hun uitzending willen hebben. John Allen zegt: 'Ik ben er heel duidelijk in dat ik voor een groot deel meega voor de marketing. Ik verkoop mezelf in Amerika als een Vaticaan-expert. Een van de manieren waarmee ik de indruk kan wekken dat ik een expert ben, is het feit dat ik met de paus meereis. Bij elke lezing word ik aangekondigd als een journalist die met de paus meereist. Op CNN zullen ze altijd opmerken: "John, jij reist toch met de paus mee?" Al dan niet terecht gaat daar een bepaalde magie van uit.

Er is ook nog het logistieke aspect. Als een pausreis lang is en er binnen het land veel moet worden gereisd, is het handig bij de Vaticaanse kudde te horen, zeker als de paus een derdewereldland bezoekt. Het Vaticaan regelt immers alles. En je hoeft niet na te denken, je hoeft slechts de heilige orders op te volgen om weer veilig thuis te komen.'

Aan de andere kant valt er ook veel voor te zeggen om los van het Vaticaanse gevolg een reis van de paus mee te maken, zegt Allen. 'Ten eerste omdat het veel goedkoper is, want je kunt eerder komen en later vertrekken. Een deel van het verhaal is altijd het voorwerk dat je verricht van een pausbezoek. En de uitwerking ervan als het weer voorbij is. Het is moeilijk dat verhaal te maken als je met de paus komt en gaat.'[*]

Op vrijdag 18 april vliegen we van Washington naar New York. Het vliegtuig vertrekt om acht uur in de ochtend en dus moeten

---

[*] Interview met de auteur, 2008

wij ons al om half zes in de lobby van het hotel melden. De avond ervoor al hebben we vanwege veiligheidsredenen onze koffers moeten inchecken bij een mobiele incheckbalie van Alitalia in diezelfde lobby, dus heb ik mijn toilettas en vuile ondergoed in mijn werktas moeten proppen. Mijn leed valt echter nog mee in vergelijking met dat van Delia Galagher van CNN: met drie tassen aan haar armen beklimt ze moeizaam de bus.

'Zijn al die tassen wel goed gelabeld?' vraagt een collega haar.

'Weet ik veel. Maar met minder kan een vrouw een reis als deze niet overleven.'

Als we aankomen op JFK-airport verlaat de paus direct het toestel om met een helikopter naar Manhattan te vliegen. Daar zal hij in het gebouw van de Verenigde Naties de verzamelde landen toespreken. (Volgens de New York Daily News vliegt de paus in Rome regelmatig in zijn eigen helikopter en dat doet hij misschien ook wel in New York.) Een deel van ons mag ook per helikopter; de rest moet met de bus. Ik behoor tot de laatste categorie. We worden weggeleid naar een onduidelijke parkeerplaats in de schaduw van een hangar. En daar blijven we staan. Lang. Te lang. De bus komt niet. Voor de eerste keer tijdens deze reis gaat er logistiek iets mis, en goed ook.

Eerst reageert de groep nog wat lacherig. Iemand oppert dat onze bus misschien gestolen is door een groep Amerikaanse bisschoppen. Het lachen vergaat ons echter al snel en de spanning loopt op. Iedereen wil zo snel mogelijk naar de Verenigde Naties om de toespraak van de paus live te verslaan, maar na een halfuur staan we nog altijd onder aan de startbaan van JFK niets te doen in de zon. Onze reisleider raakt over zijn toeren en probeert wanhopig bussen tevoorschijn te toveren. In de verte zien we taxi's staan, maar we mogen van Van Brantegem onze plek niet verlaten: 'Jullie blijven hier staan en mogen pas gaan lopen als ik dat zeg.' Een collega ziet het hoofdschuddend aan. 'Ik heb ook een slecht huwelijk, maar dat betekent nog niet dat ik me ga gedragen als een dictator.'

Even later zijn er toch twee bussen, maar is er weer geen politie om ons de stad in te begeleiden.

Uiteindelijk vertrekken we een uur te laat. We worden afgezet bij ons hotel; de paus heeft zijn rede voor de VN allang gehouden. Achteraf blijkt dat de helikoptergroep de VN ook niet heeft gehaald. Ze werden een straat te ver afgezet en mochten van de politie niet verder. De paus bereikte de vergaderzaal gelukkig wel.

In het hotel zie ik Bart en Gerard van de KRO. Eindelijk twee bekende gezichten! Bart en ik moeten een reportage maken voor de uitzending van *Kruispunt TV*, waardoor ik de dagen erna de groep-Ratzinger uit het oog verlies. Ik haal zelfs 's ochtends om 6.00 uur de toespraken niet meer op in de kamer van Van Brantegem. Op een gegeven moment zie ik mijn reisgenoten in een rij staan om naar een evenement af te reizen. Het lijkt een beeld uit een vorig leven. Ik zie ze pas weer allemaal terug in de bus naar het vliegveld JFK, waarvandaan we zullen terugvliegen naar Rome. Als we langzaam de straat van het hotel uit rijden, wordt er hevig op de bus gebonsd: twee collega's hadden zich niet aan de afgesproken tijd gehouden.

In een hangar van het vliegveld moeten we onze handbagage weer op een rijtje neerzetten. Vervolgens snuffelen speciale honden van de geheime dienst aan onze tassen.

Een Britse collega komt naast me staan. 'Ik heb jou nog nooit op een pausvlucht gezien, was het je eerste keer?'

Ik knik bevestigend.

'Vond je het leuk?'

'Nou...' zeg ik. 'Als je niet al jaren meegaat of een mooie vrouw bent, praat niemand met je.' Hij moet lachen. 'Maar ik praat nu toch met je?'

In het vliegtuig schrijf ik een column en daarna val ik in een diepe slaap. Nadat we geland zijn op Ciampino, het tweede vliegveld van Rome, hebben we in een recordtijd onze koffers. Opgelucht stap ik alleen in een taxi naar het centrum van de stad. Mijn reis met de paus zit erop.

Gay Pride op het Sint-Pietersplein

Het Vaticaan en homo's

Op het prikbord van het Noord-Amerikaans priestercollege in Rome hing een paar jaar geleden een briefje met de volgende mededeling: 'Openlijke homoseksualiteit wordt op dit seminarie niet getolereerd.'

Een op het eerste gezicht heldere boodschap, maar als je er langer over nadenkt komt er toch een aantal vragen bij je op. Als openlijke homoseksualiteit is verboden, is verborgen homoseksualiteit dan wel toegestaan? En is openlijk homoseksueel gedrag búíten het seminarie wel toegestaan?

Homoseksualiteit is het grootste taboe in het Vaticaan. Iedereen weet dat het er is, maar niemand praat er hardop over. 'Rome lijkt heel veel op Afrika,' zegt een Nederlandse priester die het Vaticaan goed kent. 'Een probleem bestaat niet zolang je het maar doodzwijgt.' En dat er een probleem is, valt door niemand te ontkennen. De Kerk veroordeelt homoseksualiteit en een deel van de priesters die in het Vaticaan werken en die dit standpunt aan de wereld moeten verkondigen, is zelf homoseksueel. Bij een gemiddelde pausmis op het Sint-Pietersplein lijkt het of er meer homo's aanwezig zijn dan bij de jaarlijkse Gay Pride in Amsterdam.

De leer van de katholieke Kerk is duidelijk als het gaat om homoseksualiteit. De catechismus van de katholieke Kerk wijdt er maar liefst drie paragrafen aan, nummer 2357 tot en met nummer 2359. Nummer 2357 luidt als volgt:

Onder homoseksualiteit verstaat men de betrekkingen tussen mannen of tussen vrouwen die zich seksueel exclusief of overwegend aangetrokken voelen tot personen van hetzelfde geslacht. Homoseksualiteit kent, door de eeuwen heen en binnen de veelheid van culturen, verschillende verschijningsvormen. De psychische oorsprong is moeilijk op te helderen. Steunend op de Heilige Schrift, die deze betrekkingen voorstelt als een ernstige ontaarding, heeft de Overlevering steeds verklaard dat 'homoseksuele daden intrinsiek ongeordend zijn'. Ze zijn in strijd met de natuurwet. Homoseksuele handelingen sluiten de seksualiteit af voor de gave van het leven. Ze komen niet voort uit een ware affectieve en seksuele complementariteit. Daarom kunnen ze in geen geval goedgekeurd worden.

Je mag wel homoseksueel zijn, maar je homoseksualiteit niet praktiseren. Homoseksuele daden gaan tegen de natuur in en zijn 'intrinsiek ongeordend'. Bovendien zijn homoseksuele relaties tweederangs, want ze kunnen niet affectief wederkerig zijn, omdat de mogelijkheid van nageslacht nu eenmaal is uitgesloten. Echte liefde tussen homo's bestaat niet in de ogen van de katholieke Kerk. God schiep Adam en vond het niet goed dat hij alleen zou blijven, dus gaf hij hem een partner die bij hem paste: een vrouw. Man en vrouw vullen elkaar aan. 'Zo komt het dat een man zich losmaakt van zijn vader en moeder en zich hecht aan zijn vrouw, met wie hij één wordt' (Genesis 2:24). De Bijbel ziet homoseksualiteit als iets abnormaals, als een afwijking van wat God bij de schepping bedoeld heeft.*

In paragraaf 2358 van de catechismus van de katholieke Kerk wordt begrip gevraagd voor homo's en lesbiennes. Hun geaardheid is vaak diepgeworteld – ze kunnen er niets aan doen – en dienen met respect, begrip en fijngevoeligheid behandeld te worden. In paragraaf 2359 wordt gezegd dat homoseksuele mensen tot kuisheid zijn geroepen, en wel door de deugd die zelfbeheersing

* Wim Houtman, *Ongeordende Liefde. In gesprek met Antoine Bodar*, Ten Have 2006, p. 80-81.

heet. Dat geldt voor gewone gelovigen, maar ook voor priesters die homoseksueel zijn. Priesters, heteroseksueel of homoseksueel, dienen zich op seksueel gebied te beheersen. Dat heet ook wel het celibaat.

In de rooms-katholieke Kerk 'wordt voor het priesterschap het wijdingssacrament gewoonlijk slechts toegediend aan kandidaten die bereid zijn in vrijheid het celibaat te aanvaarden en die publiek te kennen geven het te willen onderhouden uit liefde voor het rijk Gods en ten dienste van de mensen', zo schrijft de catechismus. Het Bijbelse fundament voor het celibaat is terug te voeren tot twee citaten uit het Nieuwe Testament. In Matteüs 19:12 zegt Jezus: 'Er zijn mannen die niet trouwen omdat ze onvruchtbaar geboren werden, andere omdat ze door mensen onvruchtbaar gemaakt zijn, en er zijn mannen die niet trouwen omdat ze zichzelf onvruchtbaar gemaakt hebben met het oog op het koninkrijk van de hemel. Laat wie bij machte is dit te begrijpen het begrijpen!'

Deze gedachte komt terug in de eerste brief uit Korintiërs van de apostel Paulus, zelf celibatair uit vrije wil: 'Ik zou liever zien dat alle mensen waren zoals ik, maar iedereen heeft van God zijn eigen gave gekregen, de een deze, de ander die.' Jezus was celibatair, maar Petrus, de eerste paus, niet. Hij was getrouwd en had kinderen.

In de vroege Kerk leefden getrouwde en niet-getrouwde priesters naast elkaar. Geen van beide levensstaten werd als superieur gezien. Ook veel pausen waren getrouwd en hadden kinderen. Er waren zelfs een paar pausen die hun eigen opvolger verwekten. Anastasius I (399-401) was de vader van zijn opvolger Innocentius I (401-417) en Hormisdas (514-523) was de verwekker van Silverius (537-537).

Toch zie je dat in de geschiedenis van de Kerk langzaamaan de celibatairen het gaan winnen van diegenen die vinden dat priesters moeten kunnen trouwen. Al in 310, bij het Concilie van Elvira in Spanje, werd eenmaal gewijde priesters verboden te trouwen.

Als een priester al getrouwd was, mocht hij geen seks meer hebben met zijn vrouw. Die echtgenotes zouden hun mannen maar afhouden van een vroom gebedsleven. Deze regels werden niet universeel doorgevoerd en lang bleven getrouwde en niet-getrouwde priesters naast elkaar bestaan. Naarmate de eeuwen vorderden werden de celibaatregels strenger en werden vrouwen steeds meer gezien als een last voor het priesterschap. De redenen daarvoor lijken vooral economisch gemotiveerd. Al in 992 verklaart het Concilie van Sevilla zonen van priesters tot bastaards, die dan ook niet van hun vader konden erven. De goederen van de Kerk mochten in geen geval in verkeerde handen komen. De Concilies van Limoges en Bourges verklaarden in 1031 dat een getrouwde man niet tot subdiaken gewijd kon worden, tenzij hij zijn vrouw verliet of beloofde zich voortaan van seks met haar te onthouden. In 1139 verklaarde het Tweede Lateraans Concilie onder Innocentius 11 alle huwelijken van priesters ongeldig en bepaalde ook dat een getrouwde man pas tot priester gewijd kon worden als zijn huwelijk ontbonden werd.

Het verbod op het huwelijk zorgde er niet voor dat priesters zich gedroegen zoals Christus het ooit had voorgeleefd. Veel pausen hebben er moeite mee zich in te houden als het om vrouwen gaat. Clemens vi (1342-1352) is weliswaar een vroom man en neemt het op voor de armen, maar hij houdt er tientallen vriendinnen op na. Als de beruchte Rodrigo Borgia, beter bekend als paus Alexander vi, carrière maakt in de Romeinse curie, verwekt hij maar liefst vier kinderen bij een van zijn maîtresses, Vanozza dei Cattanei, van wie zoon Cesare en dochter Lucrezia de bekendste zijn. Eenmaal paus krijgt hij nog een kind van Giulia Farnese.

Op het Concilie van Trente (1545-1563) worden de celibaatregels nog eens verder aangescherpt. Huishoudsters worden nog toegestaan, maar priesters die trouwen worden geëxcommuniceerd. Maar hoe meer seksualiteit wordt verboden, des te aantrekkelijker die voor priesters en ook voor pausen lijkt te worden. Zo heeft paus Julius III (1550-1555) een verhouding met een vijftien-jarige jongen die hij later tot kardinaal maakt.

Vanaf de achttiende eeuw lijkt het celibaat definitief vaste grond te krijgen in de rooms-katholieke Kerk, althans in die van het Westen. (De Kerken van het Oosten kennen voor priesters de mogelijkheid om te trouwen, maar monniken en bisschoppen dienen celibatair te leven.) Zo wordt het leven van Christus het dichtst benaderd en berust de sleutel tot de macht bij de Kerk. Alleen celibatair levende mannen kunnen priester worden en car-rière maken in de Kerk. Dat geldt dus ook voor bisschoppen en kardinalen die de ambitie hebben om op de stoel van Petrus terecht te komen. Op hun levenswandel lijkt de laatste tweehon-derd jaar weinig meer aan te merken. Des te groter is dan ook de schok als de Franse schrijver Roger Peyrefitte paus Paulus VI er in april 1976 van beschuldigt homoseksueel te zijn en als jonge priester een verhouding met een man te hebben gehad. Het Vati-caan reageert furieus en roept een Dag van Troost uit als verweer tegen deze 'grove leugen tegen de Heilige Vader'. Het levert Pey-refitte alleen nog maar meer publiciteit op.

Het celibaat moet ervoor zorgen dat een priester geheel vrij is om op aarde aan het Koninkrijk van God te werken. Hij mag niet trouwen, maar het celibaat is veel meer. Een priester mag geen seks hebben met wie dan ook, van welk geslacht dan ook; zelfs elke seksuele gedachte moet vermeden worden. Dat is geen ge-makkelijke opgave, en veel priesters hebben er dan ook moeite mee zich aan de celibaatbelofte te houden. De Amerikaanse psy-chiater Richard Sipe deed onderzoek naar de seksualiteitsbeleving van Amerikaanse priesters. Van hem zijn ook de enige enigszins betrouwbare cijfers afkomstig over de seksuele voorkeur van pries-ters. Volgens Sipe houdt maar de helft van de door hem onder-vraagde Amerikaanse priesters zich aan het celibaat. De meerder-heid, zo'n 52 procent, is heteroseksueel. Van de rest (48 procent dus) is volgens Sipe tussen de 30 en 45 procent homoseksueel. Van de homoseksuele priesters houdt ongeveer de helft zich min of meer aan het celibaat (masturbatie is bij deze groep echter gemeengoed, en dat is nog altijd een grote zonde); de andere helft heeft seks met een of meer partners.*

Deze cijfers zeggen iets over het aantal homoseksuele Amerikaanse priesters, maar niet over de hoeveelheid homoseksuele priesters in het Vaticaan. Sipe zelf is daar voorzichtig in. Hij heeft alleen cijfers over de priesters in Amerika, maar hij acht een percentage van dertig à vijftig procent een 'redelijke en veilige schatting'.† Deze groep priesters bevindt zich in een benarde positie. Ze hebben een seksuele voorkeur, diepgeworteld of niet, die door de Kerk die ze vaak met hart en ziel dienen als abnormaal wordt beschouwd. Als ze hun homoseksualiteit in praktijk brengen, maken ze zich schuldig aan intrinsiek ongeordende daden die tegen de scheppingsorde van God ingaan. Ze zijn volgens de leer van hun eigen Kerk niet in staat tot echte liefde. Veel priesters, bisschoppen en kardinalen aarzelen niet dit alles met kracht naar buiten te brengen. Onder hen, zo beweren belangenorganisaties van homo's, zijn ook priesters, bisschoppen en kardinalen die zelf homoseksueel zijn en liefdesrelaties onderhouden met mannen. Maar wie dat zijn wordt niet bekendgemaakt. Makkelijker is het om kerkelijke hoogwaardigheidsbekleders te vinden die homo's verbaal schofferen.

Zo noemt aartsbisschop John Foley (hij is dan nog geen kardinaal) de ziekte aids een 'logische straf voor mensen die zich op een bepaalde manier gedragen'.‡ Bij de benoeming in 1999 van Wim Eijk tot bisschop van Groningen komen collegedictaten van de nieuwe bisschop boven water uit de tijd dat hij moraaltheologie doceerde aan het Sint-Jans-centrum, de priesteropleiding van het

---

*   Richard Sipe, *A Secret World. Sexuality and the Search for Celibacy*, Brunner/Mazel 1990, z.p.

†   E-mail aan de auteur.

‡   *Time Magazine* 'I come as a Pilgrim', 24 juni 2001.

bisdom 's-Hertogenbosch. Hierin wordt vermeld dat homo's niet in staat zijn tot liefde en slechts aan 'wederzijdse zelfbevrediging' doen. In een brief aan de gelovigen van het bisdom Groningen verklaart hij dat hij de uitspraken die aan hem worden toegeschreven nooit heeft gedaan en dat ze naar het rijk der fabelen verwezen moeten worden.

Wanneer homo's in het jaar 2000 feestelijk door Rome paraderen, toont Johannes Paulus II openlijk zijn verbittering als hij zijn gelovigen vanuit het raam van zijn studeerkamer toespreekt. Hij noemt de Gay Pride 'een belediging voor de Kerk en het rooms-katholieke jubeljaar'. Benedictus XVI spreekt zich – hij is nog maar een paar maanden paus – uit tegen 'de vrije verbintenissen en de gewaagde huwelijken, zoals het pseudohuwelijk tussen mensen van hetzelfde geslacht'. Deze relaties zijn volgens Benedictus 'uitingen van een anarchistische vrijheid, die zich ten onrechte voordoet als de ware bevrijding van de mens. Dergelijke pseudovrijheid is gebaseerd op het banaal maken van het lichaam, wat onvermijdelijk met zich meebrengt dat de mens banaal wordt gemaakt.'

Nu homoseksuelen de laatste jaren in steeds meer landen steeds meer rechten krijgen en in een aantal westerse landen zelfs een huwelijk kunnen sluiten, lijkt het standpunt van de Kerk over homoseksuelen zich te verharden. In haar poging de wereld te behoeden voor wat in haar ogen een groot kwaad is – twee homo's die met elkaar trouwen – is bisschoppen en kardinalen niets meer te gek. Kardinaal Angelo Bagnasco, aartsbisschop van Genua en voorzitter van de Italiaanse bisschoppenconferentie zegt: 'Waarom "nee" zeggen tegen wettig goedgekeurde vormen van samenleven [hij bedoelt hier het homohuwelijk] als alternatief voor de familie? Waarom "nee" zeggen tegen incest? Waarom "nee" zeggen tegen een partij voor pedofielen in Nederland?' Zijn collega Angelo Amato, prefect van de Congregatie voor de Heiligverklaringen, vergelijkt op een congres voor luchthavenpastors de gevolgen van een homohuwelijk met het leed dat een zelfmoordterrorist aan-

richt als hij zijn explosieven op een markt in Bagdad tot ont-
ploffing brengt.

Naast deze harde uitspraken zien we de laatste jaren ook een
toenemend aantal priesters en bisschoppen die in het nieuws
komen omdat ze zelf homoseksuele contacten zouden hebben of
zouden hebben gehad. In 2002 neemt Reginald Cawcutt, hulp-
bisschop van Kaapstad, ontslag als uitkomt dat hij actief is op een
internetnieuwsgroep voor homoseksuele priesters waarop ook
porno wordt uitgewisseld. In augustus 2005 aanvaardt paus Benedictus vanwege 'gezondheidsredenen' het ontslag van monseigneur Juan Carlo Maccarone, bisschop van het Argentijnse San-
tiago del Estero. Die gezondheidsredenen blijken te bestaan uit
een video waarop te zien is hoe de bisschop seks heeft met een
man. In 2009 neemt Francisco Domingo Barbosa da Silveira, bisschop van Minas in Uruguay, ontslag nadat bekend is geworden
dat hij is afgeperst door twee gevangenen met wie hij een verhouding had. In maart 1993 neemt Philippe Bär plotseling ontslag als
bisschop van Rotterdam. In de Nederlandse kranten verschijnen
meteen berichten dat zijn vertrek te maken zou hebben met vermeende homoseksuele contacten. Bär zou met compromitterende
foto's gechanteerd zijn door conservatieve krachten binnen de
Nederlandse Kerk. Bär heeft de verhalen altijd ontkend, maar
heeft zelf nooit opheldering over zijn ontslag gegeven.

Ook het Vaticaan is niet gevrijwaard gebleven van dit soort
schandalen. Op 1 oktober 2007 zendt de Italiaanse commerciële
televisiezender La 7 het programma *Exit* uit. Hierin vertellen vier
homoseksuele priesters over hun verborgen seksleven. Hun gezichten komen niet in beeld en hun stemmen worden elektro-
nisch vervormd. Bij nadere bestudering van de beelden blijkt een
van hen monseigneur Tomasso Stenico te zijn, afdelingshoofd van
de Vaticaanse Congregatie voor de Clerus. Ook Stenico is onher-
kenbaar gemaakt, maar collega's herkennen hem aan het meubi-
lair van zijn kantoor, dat in de uitzending, uitgelicht en wel, duidelijk in beeld komt. In het programma, dat gebruikmaakt van

een verborgen camera, is te zien is hoe Stenico op het Sint-Pietersplein een jonge homo probeert te versieren door te zeggen dat hij van sm houdt en hem meevraagt naar zijn kantoor.

Daar vraagt Stenico aan de jongen: 'Vind je mij leuk?' en hij vertelt hem dat hij er erg aantrekkelijk uitziet. Als de jongeman – in werkelijkheid een verslaggever van het programma – zegt bang te zijn dat seks met een man 'in de ogen van de Kerk een zonde is', antwoordt de afdelingschef van de Congregatie voor de Clerus dat hij niets hoeft te vrezen. 'Het gaat hier om persoonlijke keuzes.' Wanneer de verslaggever religieuze en morele bezwaren blijft aanvoeren raakt Stenico geïrriteerd; hij zegt dat hij verder geen tijd meer heeft en brengt de jongen naar de lift. Bij vertrek voegt de monseigneur hem nog toe dat hij werkelijk 'heel smakelijk' is en dat hij hem altijd kan bellen als hij nog eens langs wil komen.

Het Vaticaan schorst Stenico direct en belooft een grondig onderzoek. Gevraagd naar het hoe en waarom van zijn actie komt Stenico met een eigenaardige verklaring. Volgens het afdelingshoofd heeft hij de Kerk slechts een dienst verleend in de strijd tegen het kwaad. 'Goed, ik wilde een boek schrijven en uitgeven, een onderzoek naar het probleem van homoseksualiteit onder de priesters. Tegenwoordig heeft de duivel zijn intrede in de Kerk gedaan. Verlaten wij ons daarom enkel op de paus. Dus ik heb op internet op homosites gezocht. Daar kreeg ik contact met een jongen en die is naar mij toe gekomen. Dat was in juli, ik weet niet meer op welk tijdstip, maar het was op een zondag. Het was voor mij in wezen slechts een experiment, een studie over het thema. En ik ben erin getrapt, en dat moet ik zien uit te leggen aan mijn superieuren.'

Als we Stenico goed begrijpen, had hij recht gehad op een studiebeurs bij zijn jacht op jonge mannen. Of zijn superieuren in het Vaticaan dit verhaal hebben geslikt, valt te betwijfelen. Zijn website vermeldt overigens dat hij nog steeds werkzaamheden verricht voor de Congregatie voor de Clerus. De uitkomsten van het grondige onderzoek naar zijn activiteiten zijn door het Vaticaan nooit bekendgemaakt.

Het Vaticaan is een dorp. Met weliswaar heel bijzondere inwoners, maar het is een dorp. En in een dorp wordt geroddeld. In het Vaticaan is er een grote groep mensen die vindt dat er te veel homo's in de curie werken en die van het nieuwe regime-Ratzinger/Bertone had verwacht dat die 'de stal eens goed zouden uitmesten'. Zo ging na de ontmaskering van Stenico in het Vaticaan het verhaal de ronde dat er op zijn afdeling van de Congregatie voor de Clerus alleen maar homoseksuelen werkten. Een medewerker van de curie: 'Onze chauffeur was met vakantie, dus kregen we er een van [de Congregatie voor de] Clerus; die was natuurlijk ook van de verkeerde kant.' Wanneer een bisschop vanuit het Vaticaan wordt weggepromoveerd naar een onbeduidend Italiaans bisdom wordt dat normaal gevonden, want 'hij ging immers achterom' – Vaticaans voor homoseksueel actief zijn. Homoseksualiteit heeft binnen het Vaticaan een dubbele functie. Het kan je carrière helpen, maar het kan ook uiteindelijk de stok worden om jou mee te slaan en reden zijn om je uit de curie te verwijderen.

'Ik had het goed naar mijn zin op het seminarie, maar al snel deed ik een verbijsterende ontdekking: ik was hetero,' zei een Nederlandse priester die was begiftigd met een gezonde dosis ironie ooit tegen me. Het priesterschap is en blijft aantrekkelijk voor homoseksuele mannen. Met zijn hemelse muziek, zijn aandacht voor haute couture en de alomtegenwoordigheid van de Moeder aller Moeders: Maria. Ook veel heteroseksuelen en een grote groep 'sekslozen' vinden hun weg naar de priesteropleiding, maar het aantal homo's blijft groot.

Ook weldenkende mensen die geen homohaters zijn, zijn bezorgd over het grote aantal homo's op de seminaries. Het priesterschap zou een afspiegeling moeten zijn van de maatschappij en dan kan niet één bepaalde groep de overhand hebben. Vanuit Amerika komt midden jaren negentig het verzoek aan het Vaticaan maatregelen te nemen om deze ontwikkeling een halt toe te roepen. Het seksueelmisbruikschandaal dat in Amerika dan tot uitbarsting is gekomen, speelt ook een rol. Sommigen leggen een verband – overigens niet gestaafd door wetenschappelijk onderzoek – tussen homoseksualiteit en pedofilie. Een wel heel gemakkelijke manier om homo's weer eens ergens de schuld van te kunnen geven.

Paus Johannes Paulus 11 geeft aan de Vaticaanse Congregatie voor de Opvoeding, die verantwoordelijk is voor de seminaries, opdracht om met maatregelen te komen die het aantal homo's op de seminaries moeten verminderen. Vervolgens blijft het enige jaren stil. Een bekend Vaticaans fenomeen. Sommigen dachten – of liever gezegd: hoopten – dat van uitstel afstel zou komen. Totdat er in de zomer van 2004 een schandaal uitbreekt in het Oostenrijkse bisdom Sankt Pölten. In de computers van het diocesaan seminarie worden veertigduizend foto's van seksuele handelingen aangetroffen, inclusief kinderporno, foto's van seks met dieren en van homoseksuele handelingen van docenten met studenten. Het schandaal leidt tot een onderzoek door een pauselijke gezant en, al vrij snel, tot de sluiting van het seminarie. Een van de betrokken ex-studenten wordt veroordeeld tot een voorwaardelijke gevangenisstraf van een halfjaar. Het schandaal leidt ook tot het aftreden van Kurt Krenn, de conservatieve bisschop van Sankt Pölten. Het Oostenrijkse slagveld leidt ertoe dat bij de Congregatie voor de Opvoeding het homodossier opnieuw met kracht ter hand wordt genomen.

Op 29 november 2005 is het document, dat de vorm heeft van een instructie, dan eindelijk daar. Het heeft de lange Engelse titel *Instruction Concerning the Criteria for the Discernment of Vocations with Regard to Persons with Homosexual Tendencies in View of their Admission to the Seminary and to Holy Orders*. Praktiserende homoseksuelen en mannen met 'diepgewortelde' homoseksuele neigingen mogen niet meer worden toegelaten tot de priesteropleidingen en het gewijde ambt. Ook mannen die 'steun geven aan de zogenoemde gaycultuur' moeten worden geweerd. Het document zegt verder dat mannen van wie blijkt dat zij al ten minste drie jaar hun neiging tot homoseksueel gedrag 'duidelijk overwonnen' hebben, wel welkom zijn op de seminaries. Je vraagt je natuurlijk meteen af hoe je dat kunt controleren. Is daar wellicht medische apparatuur voor beschikbaar?

De bekende Nederlandse priester Antoine Bodar, die zelf voordat hij priesterkandidaat werd twee langdurige homoseksuele relaties had, kan zich wel vinden in het document. 'Dat lieden die homoseksualiteit in praktijk brengen worden uitgesloten van het seminarie is evident. Want van eenieder die begint met een opleiding tot priester wordt volledige onthouding in kuisheid gevraagd.'* Dus ook van hetero's. Volgens Bodar is de ideale priester een 'volledige hetero': 'Hij kan volledig naar het ideaal de Christus vertegenwoordigen die – in Zijn plaats – als bruidegom werkelijk tegenover de gemeenschap als bruid kan staan.'†

De Nederlandse bisschoppenconferentie en ook die van België houden zich in een reactie op de vlakte. Niets nieuws onder de zon: celibatair levende homo's kunnen nog altijd priester worden. Onthouding en kuisheid staan immers los van de geaardheid van de kandidaat-priester. Kardinaal Zenon Grocholewski, prefect van de Congregatie voor de Opvoeding en verantwoordelijk voor de instructie, bestrijdt dit. Homo's en hetero's moeten wel degelijk verschillend behandeld worden. 'Hoewel veel mensen denken dat homoseksualiteit iets normaals is, is het dat niet. Het is absoluut in tegenspraak met de antropologie van de mens [het pleonasme van het jaar, SF] en het is in strijd met de natuurwetten.'‡ Hij benadrukt dat er voor reeds gewijde homoseksuele priesters geen gevaar dreigt, alleen kunnen zij geen rector of leraar op seminaries meer zijn. Een opmerkelijke toevoeging aan de instructie.

* Katholiek Nederland, 29 november 2005.
† Idem.
‡ Interview met Radio Vaticana, 29 november 2005.

Onduidelijk is of reeds aangestelde functionarissen nu uit hun functie moeten worden gezet.

Met name in Angelsaksische landen (Amerika, Engeland, Australië) zorgt de instructie voor veel rumoer. Dat is niet zo gek, want het document was vooral voor die landen bedoeld. Het Vaticaan probeert de zaak te sussen door te benadrukken dat de instructie niet mag leiden tot een heksenjacht op homo's. Er staat immers niet voor niets in het document, zo zegt een woordvoerder, dat 'zulke personen met respect en gevoeligheid moeten worden geaccepteerd. Elk teken van onterechte discriminatie jegens hen moet worden voorkomen.' Deze oproep lijkt aan kardinaal Grocholewki voorbij te zijn gegaan. De Poolse kardinaal vindt het helemaal geen discriminatie dat een homo niet tot priester gewijd kan worden, want 'iemand met hoogtevrees wordt toch ook niet toegelaten tot de astronautenopleiding?'. Een raadselachtige metafoor.

Op de dag dat de instructie wordt gepubliceerd doet *L'Osservatore Romano* ook een duit in het zakje. Op de voorpagina verschijnt een commentaar van de Franse priester en psycholoog Tony Anatrella. Hij noemt hierin homoseksualiteit 'destabiliserend en onvolwassen'. Ook meent hij dat 'in de laatste jaren homoseksualiteit zich heeft ontpopt als een steeds verontrustender fenomeen, dat inmiddels in verschillende landen normaal wordt gevonden, terwijl het in het verleden beschouwd werd als een probleem in de psychische ordening van de seksualiteit en nooit beslissend is geweest in de keuze die samenlevingen maken. Ze vertegenwoordigt geen enkele waarde en nog minder een morele deugd die zou kunnen bijdragen aan het menselijker maken van de seksualiteit.' Tot zover de eerste les van de cursus 'Hoe behandel ik homoseksuelen met respect?' door Tony Anatrella.

John Allen benadrukt dat we hier met een instructie van doen hebben. Een instructie legt reeds bestaand beleid uit, en dat geldt ook voor dit document, dat weliswaar is goedgekeurd door de paus, maar geen pauselijk document is. Geen *motu proprio* of 'apostolische constitutie'. Dit feit op zich geeft bisschoppen enige vrijheid op een creatieve manier met het document om te gaan en vele excellenties geven vlak na de publicatie ervan dan ook aan dat te gaan doen. 'Bij mij is elke kuis levende homo welkom als priesterkandidaat,' lijken ze te willen zeggen.

Terugkijkend moet men constateren dat de instructie niets heeft uitgehaald. Op de priesteropleidingen van de rooms-katholieke Kerk zitten nog evenveel homo's als voor het verschijnen van de instructie met de lange naam. Want kom er maar eens achter wie van de kandidaten diepgewortelde homoseksuele neigingen heeft of juist neigingen van voorbijgaande aard. Bisschoppen worden in Rome al jarenlang afgerekend op het aantal priesterkandidaten en bij een gering aanbod voel je als bisschop niet de behoefte om allerlei ingewikkelde criteria los te laten op die enkeling die zich bij jou meldt met de wens priester te worden.

Toch lijken er de laatste tijd enige barsten te komen in de antihomohouding van het katholieke episcopaat. Enkele bisschoppen en kardinalen laten zich in de media positief uit over de homoseksuele medemens. Zo pleit de vooraanstaande kardinaal Christoph Schönborn er in mei 2010 voor met meer waardering over monogame homoseksuele verhoudingen te spreken. 'Bij het thema homoseksualiteit zouden we sterker op de kwaliteit van de relatie moeten letten. En over die kwaliteit moeten we ons ook met meer waardering uitspreken. Een stabiele relatie is toch zeker beter dan het uitleven van je promiscuïteit,' zegt hij.

Maar homoseksualiteit blijft de open zenuw van de katholieke Kerk. Dat blijkt ook in ons land. Als pastoor Luc Buyens van het Brabantse Reusel prins carnaval Gijs d'n Urste tijdens een speciale 'Carnavalsmis' de communie weigert, leidt dat tot een nationale rel. Tijdens een voorbereidend gesprek liet de pastoor de prins weten dat hij niet ter communie kon gaan omdat hij openlijk homoseksueel is.

In Italië stelt een publicatie van het weekblad *Panorama* in de zomer van 2010 de discussie over homoseksuele priesters weer op scherp. Homopriesters leven er lustig op los in Rome, conclu-deert het tijdschrift in een verhaal met als kop 'De mooie nachten van de homopriesters'. Op de cover van het blad is een priester te zien met roze gelakte nagels die een rozenkrans vasthoudt.

Panorama onthult dat priesters er in het Romeinse uitgaans-circuit een spannend dubbelleven op na houden. Op zondag dra-gen ze de mis op, maar op vrijdag en zaterdag frequenteren ze sauna's, gaybars en discotheken met passende namen als Colos-seum en Coming Out. Daar pikken ze hun mannen op. De jour-nalist van *Panorama* schakelde de hulp in van een 'medeplichtige homoseksuele vriend' die met priesters in bed belandde. Op met een verborgen camera gemaakte beelden is te zien hoe de Franse priester Paul eerst de mis opdraagt in het centrum van Rome, ver-volgens in een gaybar wordt gemasseerd en daarna samen met een man halfnaakt op bed ligt. Een priester die drie jaar geleden ontdekte dat hij homoseksueel is, zegt in het artikel dat minstens achtennegentig procent van de priesters die hij kent homosek-suele neigingen heeft.

Die opwindende homonachten van priesters brengen het Vati-caan in grote verlegenheid. 'Dergelijke uitspattingen horen niet te gebeuren,' hoor je in het Vaticaan zeggen. 'En zeker niet in de voortuin van de paus.' Rome wordt toch gezien als de showroom van de katholieke Kerk, en elk onzedelijk gedrag, en dan van het eigen personeel, doet afbreuk aan die voorbeeldfunctie. Hetzelfde zagen we bij het televisieavontuur van monseigneur Stenico. Het Vaticaan weigert commentaar op het verhaal in *Panorama*, maar laat het aan het vicariaat Rome over, waar de priesters formeel onder vallen, om te reageren. 'Niemand verplicht hen priester te blijven. We kunnen niet aanvaarden dat door hun gedrag alle andere priesters door het slijk worden gehaald. Ze brengen het imago en de integriteit van de Kerk schade toe,' schrijft *Romasette*, het informatieblad van het vicariaat. Maar directeur Giorgio Mulè van *Panorama* (het weekblad is eigendom van de familie Berlus-coni) vindt dat de Kerk moet ophouden de andere kant op te kijken. Het dubbelleven van de homopriesters is volgens hem 'diep verontrustend'.

Homo's in de katholieke Kerk, het blijft een wereld vol geheimen, waar moeilijk duidelijkheid over te krijgen is. Dat geldt nog in sterkere mate voor de homo's in het Vaticaan. Te midden van al die hardwerkende ambtenaren die de anonieme gangen van de curiegebouwen bevolken, zitten veel goede priesters dag in dag uit in een voor hen vijandige omgeving. Ze offeren alles op voor een instituut dat hun diepste wezen – hun seksuele identiteit – afwijst, en dat vaak doet op een harde, beledigende wijze. Ooit vroeg ik Henk Krol, hoofdredacteur van de *Gay Krant*, hoe het zou komen dat de hardste woorden en meest abjecte vergelijkingen aan het adres van homo's en lesbiennes vaak afkomstig zijn van prelaten die zelf homo zijn. Krol antwoordde dat elke psycholoog je dat kon uitleggen en wees me op de overeenkomst tussen die Vaticaanse functionarissen en potenrammers. Dat zijn vaak homo's die niet kunnen omgaan met een geaardheid die ze vaak als inferieur beschouwen en dus slaan ze het 'kwaad' er bij een ander uit in de hoop dat het bij henzelf verdwijnt. In die zin was de vergelijking van kardinaal Grocholewski tussen een homoseksuele priester en een astronaut met hoogtevrees geen metafoor, maar een voorbeeld van een ouderwets potje verbaal potenrammen.

Allemaal geklets

Het Vaticaan en het seksueelmisbruikschandaal

Hij zit er lichtelijk geamuseerd bij. Met een gezicht van: 'wat me nu toch overkomt...' Paus Benedictus xvi zit op zijn zetel en luistert naar een toespraak van kardinaal Angelo Sodano. Het is 4 april 2010, paaszondag, het Sint-Pietersplein staat vol met Nederlandse bloemen en tienduizenden gelovigen die zijn gekomen om samen met de bisschop van Rome de Verrijzenis van de Heer te vieren. De mis wordt in meer dan zestig landen uitgezonden. Het regent, en dus gaan de gelovigen en ook een deel van de bloemen schuil achter een woud van paraplu's. Sommigen op het plein vragen zich af of de paus nog iets zal zeggen over het seksueelmisbruik-schandaal dat de katholieke Kerk in zijn greep houdt. De paus ligt de laatste weken onder vuur, omdat hij ervan wordt beschuldigd dat ook hij zou hebben meegewerkt aan het doofpotbeleid van de Kerk inzake seksueel misbruik. Hij kan iets zeggen tijdens de mis, maar als hij slim is doet Benedictus dat in zijn paastoespraak, direct nadat de mis is afgelopen. Dan kijken de meeste mensen en is hij verzekerd van minstens vijfhonderd miljoen kijkers.

De mis begint zoals het in het misboekje vermeld staat. Maar als de paus het altaar gezegend heeft en op zijn zetel is gaan zitten, staat daar plotseling Angelo Sodano, eerste onder de kardinalen, voor een microfoon. Hij wil de paus, die het zo moeilijk heeft, voor het oog van de wereld een hart onder de riem steken. 'Vandaag wil de hele Kerk, door middel van mij, u in koor zeggen: "Zalig Pasen, geliefde Heilige Vader! Zalig Pasen, de Kerk is met u,"' zegt Sodano. Hij is de paus dankbaar voor de geestkracht en de apostolische moed waarmee hij het evangelie verkondigt. 'Met u is ook het volk van God, dat zich niet laat imponeren door het geklets van het moment of door de beproevingen waardoor de gemeenschap van gelovigen soms getroffen kan worden.'

Slachtoffers van seksueel misbruik zijn woedend over met name deze passage. Hoe kunnen in hun ogen terechte beschuldigingen aan de Kerk en de paus door Sodano als roddel en achterklap worden afgedaan? Zelfs woordvoerder Lombardi moet later toegeven dat de deken van het kardinalencollege zich ongelukkig heeft uitgedrukt.

Het misbruikschandaal is de grootste crisis uit het pontificaat van Benedictus. Groter dan de ruzie met de moslims na de rede in Regensburg in 2006, waarin hij een middeleeuws citaat gebruikt dat Mohammed in een kwaad daglicht stelt. Groter dan de aanvaring met joodse groeperingen en een deel van zijn eigen bisschoppen na het opheffen van de excommunicatie van bisschop Williamson. Deze crisis raakt het hart van de Kerk. Alleen al in de eerste maanden van 2010 laten dertigduizend Oostenrijkse katholieken zich uitschrijven. In België moet een bisschop aftreden als blijkt dat hij jarenlang zijn neefje heeft misbruikt. Uiteindelijk komt ook de paus zelf onder vuur te liggen. Ook hij heeft steken laten vallen bij de aanpak van het misbruik, zeggen slachtoffers van seksueel misbruik door priesters. Ze trekken op naar Rome, staan met een handjevol betogers voor de hoge muren van het Vaticaan die de paus moeten beschermen tegen het lawaai van buiten en eisen het hoofd van de paus: hij moet aftreden. Hoe heeft het zover kunnen komen?

Vlak nadat Benedictus in april 2005 tot paus gekozen is, vraagt kardinaal Francis George, aartsbisschop van Chicago, hem wat hij denkt te gaan doen aan het probleem van seksueel misbruik door priesters. Hij antwoordt: '*I will take care of it.*' Begin jaren negentig is het schandaal in Amerika in volle hevigheid naar buiten gekomen. Wanneer Joseph Ratzinger de zetel van Petrus in bezit neemt, heeft de Amerikaanse Kerk al ruim een miljard dollar schadevergoeding aan slachtoffers betaald en hebben al diverse bisschoppen en één kardinaal het veld moeten ruimen.

Tijdens zijn bezoek aan Amerika in april 2008 ontmoet Benedictus in de pauselijke nuntiatuur, de ambassade van het Vaticaan in Washington, vijf misbruikslachtoffers. De vijfentwintig minuten durende ontmoeting vindt plaats achter gesloten deuren en is erg emotioneel. Veel van de aanwezigen huilen. En een voor een spreken de slachtoffers met de paus over hun gebroken geloof. 'Ik vroeg hem me te vergeven dat ik zijn Kerk haatte en dat ik hem haatte,' zegt de achtenveertigjarige Olan Horne na de ontmoeting tegen de *Boston Globe.* Hij geeft de paus een tekening van hemzelf als negenjarig jongetje, gemaakt vlak voordat het misbruik begon. 'De paus zei: "Mijn Engels is niet goed, maar ik wil dat je weet dat ik je versta, en dat ik denk dat ik je verdriet kan begrijpen."'* De ontmoeting is uniek: nog nooit heeft de paus een dergelijk gebaar gemaakt.

Hierna blijft het even rustig, maar in het najaar van 2009 waait het schandaal over naar Europa. Op 26 november 2009 komt in Ierland het Murphy-rapport uit, een onderzoek van een staatscommissie naar seksueel misbruik in parochies en instituten in het aartsbisdom Dublin in de periode 1975-2004. Het is al het tweede onderzoek naar misbruik door priesters in het door en door katholieke Ierland. De resultaten zijn schokkend. Honderden kinderen blijken in die dertig jaar door katholieke geestelijken te zijn misbruikt. Het zevenhonderd pagina's tellende rapport stelt dat de Ierse bisschoppen er alles aan hebben gedaan om de schandalen in de doofpot te stoppen. 'De vooringenomenheid van het aartsbisdom Dublin met betrekking tot zaken van seksueel kindermisbruik, minstens tot het midden van de jaren negentig, bleek uit de geheimhouding, het ontlopen van schandalen, de bescherming van de reputatie van de Kerk en het behoud van haar eigendommen.' De commissie concludeert dat het aartsbisdom de veiligheid en het welzijn van kinderen minder belangrijk vond dan de 'goede naam' van de Ierse Kerk. Dat blijkt uit de tientallen

* Katholiek Nederland, 16 april 2008.

gevallen waarbij pedoseksuele priesters keer op keer naar andere parochies werden overgeplaatst.

De Ierse bisschoppen vragen hun verslagen gelovigen 'nederig' om vergeving. Benedictus handelt voor zijn doen opmerkelijk snel in deze kwestie. Hij roept de top van de Ierse bisschoppenconferentie, kardinaal Seán Brady, aartsbisschop van Armagh en primaat van Ierland en Diarmuid Martin, aartsbisschop van Dublin, naar Rome voor overleg. Na de ontmoeting maakt het Vaticaan bekend dat de paus de gevoelens van 'woede, verraad en schaamte' van de Ierse bisschoppen over het seksueel misbruik van minderjarigen deelt. Hij roept alle Ierse bisschoppen naar Rome om samen met hem de crisis te bespreken en kondigt aan een brief aan de Ierse katholieken te zullen schrijven. Ook wordt er door het Vaticaan zachte druk uitgeoefend op een aantal Ierse bisschoppen die gefaald hebben in hun aanpak van het probleem om hun verantwoordelijkheid te nemen en af te treden. De bisschoppen van Limerick, Coyne, Kildare en Leighlin en twee hulpbisschoppen van Dublin doen dat. Het ontslag van de hulpbisschoppen wordt door de paus uiteindelijk niet aanvaard. Tot woede van slachtoffers krijgen de twee alleen andere taken toegewezen maar blijven in functie.

Op 15 en 16 februari 2010 praten de overgebleven Ierse bisschoppen met de paus. 'Dit is een eerste, belangrijke stap in het tonen van berouw,' zegt kardinaal Brady, voor het begin van de topontmoeting. Hij wordt er zelf van beschuldigd een groot misbruikschandaal te hebben willen stilhouden. Er wordt gevraagd om zijn aftreden.

 Elke bisschop krijgt zeven minuten met de hoogste leider van zijn Kerk. Na afloop van het beraad wordt er een groepsfoto vrijgegeven door het Vaticaan. Vijfentwintig oudere mannen die vermoeid en verslagen ogen, en die vooral proberen niet te lachen. De paus staat in het midden. Hij oogt van al die oudere, vermoeide mannen nog het krachtigst. De prelaten om hem heen lijken de moed al te hebben opgegeven dat het ooit nog goed komt.

Maar niet alleen Ierland heeft problemen. Op het moment dat de Ierse prelaten weer naar hun vaderland vertrekken, is een volgend schandaal alweer in alle hevigheid losgebarsten: Duitsland. Op 28 januari bericht de *Berliner Morgenpost* dat leerlingen van het Canisius college, een prestigieuze jezuïetenschool in Berlijn, jarenlang het slachtoffer zijn geweest van seksueel misbruik door minstens twee professoren. In een brief met excuses aan oud-leerlingen geeft pater Klaus Mertes, de rector van het gerenommeerde privécollege toe dat er in de jaren zeventig en tachtig 'systematisch en gedurende jaren' agressie is gepleegd. Het bericht leidt tot grote ophef in Duitsland. Op de school zaten verschillende Duitse prominenten. De volgende dag melden zich meteen vijftien andere slachtoffers. Niet veel later meldt ook de eerste dader zich. In het weekblad *Der Spiegel* erkent de nu vijfenzestigjarige sportleraar en jezuïetenpater dat hij kinderen en jongeren onder 'pseudopedagogische voorwendselen' heeft misbruikt en mishandeld.

Algauw blijkt ook de Duitse Kerk te maken te hebben met een schandaal van enorme omvang. Op 20 maart hebben zich al tweehonderdvijftig slachtoffers gemeld bij de zevenentwintig bisdommen die het land telt. De Duitse bisschoppen zijn dan al bij elkaar gekomen en hebben, onder zware druk van de Duitse politiek en de publieke opinie, maatregelen afgekondigd. Het plan draait vooral om preventie van misbruik. Bisschop Stephan Ackermann van Trier wordt speciaal afgevaardigde voor de strijd tegen misbruik. In elk bisdom moet een aanspreekpunt zijn waar mensen misbruik kunnen melden of waar ze terechtkunnen met hun vragen. De bisschoppen streven naar openheid, zowel bij nieuwe gevallen als bij misbruik uit het verleden. Bisdommen, scholen en andere kerkelijke instellingen moeten volgens het episcopaat een cultuur van waakzaamheid ontwikkelen. Volgens de bisschoppen heeft het misbruik niets te maken met het celibaat. Zij spreken nogmaals hun spijt en medeleven uit: 'Beschaamd en geschokt bieden wij onze verontschuldigingen aan en bidden om vergiffenis bij de slachtoffers van deze afschuwelijke daden.'

De paus houdt zich ondertussen stil over de enorme crisis die de Kerk in zijn vaderland in zijn greep houdt. Wel veroordeelt hij op 8 februari in een toespraak ter gelegenheid van de jaarvergadering van de Pauselijke Raad voor het Gezin kindermisbruik. 'In navolging van Christus heeft de Kerk eeuwenlang de bescherming en de waardigheid van kinderen bevorderd. Op verschillende manieren heeft zij voor hen gezorgd. Helaas hebben sommige van haar leden, in strijd met deze plicht, deze rechten geschonden. De Kerk betreurt en veroordeelt dit gedrag te allen tijde. De harde woorden van Jezus aan het adres van diegenen die deze kleinen aanstoot geven,* sporen ons aan ons respect en onze liefde nooit te verminderen,' aldus de paus. Over de situatie in Duitsland zegt Benedictus geen woord.

In de eerste maanden van 2010 breidt het seksueelmisbruikschandaal zich als een olievlek over het vasteland van Europa uit. Na Duitsland volgt Nederland, waar half februari bekend wordt dat paters salesianen op een internaat in 's-Heerenberg gedurende de jaren zestig en zeventig jarenlang systematisch minderjarige jongens hebben misbruikt. Het bericht over het misbruik van de salesianen is het begin van een ware lawine aan onthullingen. De bisschop van Rotterdam, Ad van Luyn, voorzitter van de Nederlandse bisschoppenconferentie en zelf salesiaan, komt onder vuur te liggen als hij niet wil zeggen of hij op de hoogte was van het misbruik binnen zijn congregatie. Uiteindelijk laat hij via zijn woordvoerder weten dat hij als provinciaal overste van de salesiaanse orde 'inderdaad uit hoofde van zijn functie formeel kennis gekregen [heeft] van enkele concrete gevallen en daarbij ook maatregelen [moest] nemen'. De Nederlandse katholieke Kerk en de

---

*   Marcus 9:42 ('Wie één van deze kleinen die op Mij vertrouwen ten val brengt, kan beter met een molensteen om zijn nek in zee geworpen worden.')

wandaden uit het verleden zijn wekenlang voorpaginanieuws. De bisschoppen benoemen een onafhankelijke commissie die alles rond seksueel misbruik binnen de Nederlandse Kerk moet onderzoeken. In Zwitserland en Oostenrijk komen tientallen gevallen van seksueel misbruik aan het licht. In België treedt eind april bisschop Roger Vangheluwe van Brugge af nadat hij bekend heeft dat hij voordat hij bisschop werd, en ook nadien, een neef jarenlang seksueel heeft misbruikt.

De paus concentreert zich aanvankelijk op Ierland. Op 20 maart verschijnt zijn brief aan de Ierse katholieken. Hierin richt hij zich tot alle leden van de Kerk van Ierland en tot diverse groepen van gelovigen. Zo zijn er speciale passages opgenomen voor slachtoffers, misbruikplegers, de ouders en de verantwoordelijke bisschoppen. In de brief gaat de paus ongekend ver in het veroordelen van de fouten die de Ierse Kerk gemaakt heeft. Zijn broeders in het bisschopsambt krijgen onder uit de zak. Ze hebben grove fouten gemaakt en als leiders gefaald bij de aanpak van kindermisbruik. Benedictus xvi maakt zijn excuses aan de slachtoffers en zegt dat hij kampt met gevoelens van schaamte en wroeging. 'U hebt zwaar geleden, en dat spijt mij zeer,' aldus de paus. Het Vaticaan kondigt aan een eigen onderzoek te zullen instellen naar gevallen van seksueel misbruik in parochies en andere kerkelijke instellingen. Dat is dan het derde onderzoek naar de katholieke Kerk in Ierland in korte tijd.

De brief wordt door sommige Ieren welwillend ontvangen, maar voor veel slachtoffers gaat hij lang niet ver genoeg. Zij hadden graag gezien dat Benedictus bisschoppen de laan uit zou sturen en ook zou ingaan op zijn eigen rol en die van het Vaticaan in het Ierse misbruikschandaal. In de Romeinse curie hebben sommige kardinalen ervoor gepleit om de brief niet te beperken tot Ierland, maar uit te breiden naar de hele wereldkerk. Ierland is immers lang niet het enige land waar de Kerk onder druk staat. Benedictus volgt dit advies niet op. Hij is een paus die wel luistert, maar toch zijn eigen zin doet.

In Duitsland neemt het ongenoegen over het stilzwijgen van de paus toe. Zeker als daar bekend wordt dat Benedictus als aartsbisschop van München in 1980 heeft ingestemd met de opname van een pedofiele priester in zijn diocees. Die was in de fout gegaan in het bisdom Essen. Hij zou in München therapie ondergaan, maar ging alweer snel aan de slag als kapelaan. De toenmalige vicaris-generaal Gerhard Gruber neemt meteen alle schuld op zich en zegt dat híj alleen voor de beslissing verantwoordelijk is en dat Ratzinger van niets wist. Robert Zollitsch, aartsbisschop van Freiburg im Breisgau en voorzitter van de Duitse bisschoppenconferentie vraagt een ontmoeting aan met de paus om hem bij te praten over het uitdijende schandaal in de Duitse Kerk. 'De paus moet iets zeggen,' laat hij na afloop van zijn gesprek met Benedictus weten. Maar die houdt zijn kaken op elkaar. Ondertussen kruipt het schandaal steeds dichter naar hem toe als een bosbrand die niet onder controle te krijgen is.

De paus ligt al snel niet alleen meer onder vuur om wat hij als aartsbisschop van München wel of niet zou hebben gedaan, maar ook om hoe hij als prefect van de Congregatie voor de Geloofsleer met seksueel misbruik is omgegaan. De paus, die het probleem wil oplossen, wordt zelf deel van het probleem. Zo zou hij een Amerikaanse priester die tweehonderd doofstomme jongens had misbruikt de hand boven het hoofd hebben gehouden. Ook zou hij te lang geaarzeld hebben om een priester uit het bisdom Oakland, die zich schuldig had gemaakt aan seksueel misbruik, uit zijn ambt te zetten. Woordvoerder Lombardi maakt overuren om alle berichten te ontzenuwen en de paus van alle blaam te zuiveren.

Wie goed kijkt, ziet dat kardinaal Ratzinger er weliswaar nog wel eens lang over deed een priester uit het ambt zetten – dat lag ook aan de procedures – maar van het toedekken van misbruik is geen bewijs. Hoezeer journalisten Ratzinger beschuldigen, een *smoking gun* wordt niet gevonden. In feite is het *track record* van Joseph Ratzinger op het gebied van misbruik helemaal niet zo slecht. Natuurlijk maakte hij ook deel uit van de zwijgcultuur, het incestueuze nietsdoen waar de Kerk zich jarenlang schuldig aan heeft gemaakt als het om seksueel misbruik gaat, maar als kardinaal dringt hij er regelmatig bij Johannes Paulus II op aan om actie te ondernemen. Deze is daar huiverig voor en ziet de ernst van de situatie niet in. Uiteindelijk trekt de Duitse kardinaal het dossier naar zich toe. Vanaf 2001 moeten alle zaken van priesters die hun handen niet hebben kunnen thuishouden behandeld worden door de Congregatie voor de Geloofsleer. Ratzinger komt met nieuwe, strengere richtlijnen. Zo maakt hij het makkelijker om een priester uit zijn ambt te zetten. In de brief met de nieuwe regels staat dat alle zaken vertrouwelijk moeten worden behandeld. Die zin zou Ratzinger nog lang achtervolgen, omdat hij de indruk wekt dat alles de doofpot in moet. Ratzinger doelt op het kerkelijke proces, een interne klachtenprocedure waarbij privacy op z'n plaats is. Er staat nergens dat een slachtoffer geen aanklacht mag indienen of moet afzien van een civielrechtelijke procedure. Maar Ratzinger heeft de schijn tegen.

Voor die schijn is onder meer het Vaticaan zelf verantwoordelijk. Sinds het uitbreken van de crisis laat het twee gezichten zien. Woordvoerder Lombardi pleit voor openheid. 'Hoe moet de Kerk nu verder,' vraagt hij zich hardop af. In de eerste plaats 'door de waarheid te blijven zoeken, en vrede voor de slachtoffers'. Volgens hem zijn transparantie en gestrengheid vereisten als de Kerk zich van deze crisis wil herstellen. 'Naast zorg voor slachtoffers moeten we, daadkrachtig en waarheidsgetrouw, de correcte procedures blijven implementeren voor de kerkrechtelijke beoordeling van de schuldigen, en voor de samenwerking met de burgerlijke autoriteiten [...]. Alleen op die manier kunnen we hopen effectief een klimaat te herscheppen van rechtvaardigheid en compleet vertrouwen in het kerkelijk instituut.'[*]

Dit klinkt allemaal redelijk overtuigend, maar tegelijkertijd kan

[*] Interview met Associated Press, 10 april 2010.

of wil Lombardi zelf niet voldoende transparant zijn. Het Vaticaan loopt constant achter de feiten aan en reageert onvolledig op beschuldigingen aan het adres van de paus. Als *The New York Times* de paus ervan beschuldigt als kardinaal het misbruik van tweehonderd dove kinderen in het aartsbisdom Milwaukee tussen 1950 en 1974 in de doofpot te hebben gestopt door het proces tegen de betrokken priester, Lawrence Murphy, in 1998 te laten stopzetten, reageert Lombardi verontwaardigd op deze nieuwe aanval op Benedictus. Hij wijst op de verantwoordelijkheid van het aartsbisdom Milwaukee zelf dat jarenlang niets deed omdat de civiele autoriteiten de 'zaak' niet rond konden krijgen. Wel gaf hij toe 'dat het een tragische zaak betrof'. Als Lombardi meteen alle belangrijke documenten uit het archief van de Congregatie voor de Geloofsleer op tafel had kunnen leggen, was gebleken dat het verhaal van *The New York Times* rammelde en was de schade voor de paus beperkt gebleven. Door de halve reactie suddert die rel echter nog een week of wat voort, en het is de Duitse krant *Die Zeit* die Benedictus moet redden. *Die Zeit* krijgt de bewuste documenten wél in handen en toont overtuigend aan dat de Amerikaanse bisschoppen weliswaar de hulp van kardinaal Ratzinger hebben ingeroepen, maar dat kardinaal Bertone, in 1998 secretaris van de Congregatie voor de Geloofsleer, degene was die de zaak op zich nam en aan het aartsbisdom Milwaukee vroeg om Murphy, gezien zijn hoge leeftijd en slechte gezondheid, in zijn ambt te laten. Natuurlijk: Ratzinger blijft als prefect van de Congregatie verantwoordelijk, maar zijn ondergeschikte heeft de zaak behandeld. En niet hij.

Het slechte communicatiebeleid van het Vaticaan in het seksueelmisbruikschandaal en de halfslachtige houding die Lombardi aanneemt, weerspiegelen de verdeeldheid in het Vaticaan over de aanpak van het probleem. Een groep wil volledige openheid en pleit ervoor telkens opnieuw door het stof te gaan. Zij verwacht ook van de paus dat hij in het openbaar, dus niet alleen per brief, zijn excuses aan de slachtoffers aanbiedt. Zij vindt bovendien dat de Vaticaanse persdienst proactief moet reageren en de wereld moet vertellen dat Joseph Ratzinger geen heilige is, maar in de afgelopen vijftien jaar als kardinaal en als paus veel heeft gedaan om het probleem binnen de Kerk aan te pakken. Veel meer dan bisschoppen, kardinalen en pausen om hem heen. 'We hebben een goed verhaal te verkopen over deze paus, maar om de een of andere onbegrijpelijke reden vertellen we het niet. Het is om gek van te worden,' vertelt een curiemedewerker mij.

Er is ook een stroming in het Vaticaan die vindt dat het nu wel mooi is geweest. Er zijn excuses aangeboden, de Heilige Vader heeft zelfs een brief geschreven aan de Ierse katholieken, misschien kunnen bepaalde regels nog worden aangescherpt – maar daar moet je wel goed over nadenken – en natuurlijk is er veel respect voor de slachtoffers, maar die weten domweg niet van ophouden. Genoeg is genoeg. En er is nu zelfs een speciale website over seksueel misbruik. Dat het enige nieuwe dat daar te vinden is een verklaring uit 1962 is, die inmiddels weer is achterhaald, zeggen ze er niet bij.

Vertegenwoordigers van die laatste stroming zien een complot achter alle pijnlijke onthullingen, een samenzwering van liberale politici en linkse kranten om Benedictus en de Kerk van Christus onderuit te halen. Ook geven ze de schuld van het hele schandaal aan de seksuele revolutie. Het is een argument dat de Kerk al lang gebruikt om haar eigen blazoen te zuiveren: al die vrije seks die, toen er een paar ramen te veel werden opengezet en er muren werden afgebroken, van al die brave paters en broeders beesten maakte. Bovendien is pedofilie geen katholiek probleem, zeggen ze. Die komt voor in alle lagen van de maatschappij, in het onderwijs, bij de padvinderij en bij sportverenigingen. En als er één voetbaltrainer wordt aangeklaagd vanwege misbruik van kinderen, dan wordt toch niet meteen de hele voetbalbond aangeklaagd? Dat het imago van de Kerk en haar leider grote schade heeft geleden door het onhandige optreden van de verantwoordelijken in het Vaticaan, vinden ze geen ramp.

En die imagoschade is er. Uit een onderzoek van het Italiaanse dagblad *La Repubblica* uit mei 2010 blijkt dat van de Italianen nog maar 47 procent vertrouwen heeft in de rooms-katholieke Kerk. In het Jubeljaar 2000 was dat nog bijna 60 procent. En ook Benedictus mag zich zorgen maken over zijn *approval ratings*. Nog maar 46,6 procent ziet het zitten met Ratzinger. Drie jaar eerder was dat nog 55 procent. In zijn vaderland hebben de schandalen ook hun tol geëist en is de situatie nog dramatischer. De dag na zijn uitverkiezing kopte *Bild Zeitung*: 'Wir Sind Papst'. Het land was euforisch. Vijf jaar later heeft nog maar 24 procent van de Duitsers vertrouwen in hun eigen paus. Maar deze paus maakt zich niet druk over opiniepeilingen. 'Ik ben als de cellist Mstislav Rostropovitsj,' zei kardinaal Ratzinger ooit na een speech in Parijs. 'Ik lees nooit de recensies.' Hij doet wat hij denkt dat goed is voor de Kerk en trekt zich van niemand iets aan. Benedictus heeft, in de woorden van de Italiaanse vaticanist Marco Politi, een solitaire en absolute regeerstijl, en leidt de Kerk vanuit een ivoren toren. Veel kritiek van de buitenwereld lijkt de studeerkamer van de paus niet te bereiken. Hij krijgt weliswaar nog altijd bezoek: bisschoppen, regeringsleiders en andere vooraanstaande wereldburgers gaan door de Bronzen Poort het Apostolisch Paleis binnen en passeren de Zwitserse wachten, om vele securitychecks later bij de paus uit te komen. Maar veel van wat buiten de muren van het Vaticaan speelt lijken ze niet met de paus te delen.

Binnen het Vaticaan vertrouwt hij op een paar intimi, van wie tweede man kardinaal Bertone en zijn privésecretaris Georg Gänswein de belangrijksten zijn. Prefecten van congregaties en pauselijke raden klagen daar voorzichtig over. Onder Johannes Paulus II hadden ze op gezette tijden hun audiënties bij de Heilige Vader, nu voelen ze zich als uitzendkrachten: op afroep beschikbaar. Bij het schrijven van de beruchte rede van Regensburg raadpleegde hij zijn eigen Raad voor de Interreligieuze Dialoog niet.

Terug naar 4 april 2010, de hoogmis van eerste paasdag op het Sint-Pietersplein. Kardinaal Angelo Sodano steekt voor honderden miljoenen tv-kijkers wereldwijd paus Benedictus XVI een hart onder de riem. Hij eindigt zijn toespraakje met een driewerf hoera. Daarbij heft hij zijn vuist de lucht in zoals een Eerste Kamerlid dat doet bij het uitroepen van 'Leve de Koningin!' na de troonrede in de Ridderzaal. De woede van de slachtoffers van seksueel misbruik wordt nog groter als blijkt dat de paus in het vervolg van de plechtigheid met geen woord rept over het misbruikschandaal. Duizenden slachtoffers zijn de afgelopen maanden over de hele wereld met hun verhaal naar buiten gekomen. Enkele van hun bisschoppen blijken de misdrijven jarenlang in de doofpot te hebben gestopt. En de leider van hun Kerk die voor het eerst voor het oog van de wereld openlijk zijn spijt kan betuigen of een woord van troost kan laten horen voor de slachtoffers, zwijgt in alle vijfenzestig talen waarin hij de gelovigen via radio en televisie wél een zalig Pasen wenst.

Ik volg de mis vanuit de coulissen. In een daarvoor speciaal ingerichte ruimte in het Vaticaan geef ik commentaar bij de plechtigheden op het plein voor de Nederlandse televisie. Samen met onder meer collega's uit Ierland, Oostenrijk en Zwitserland, landen die zwaar getroffen worden door het schandaal. Normaal beperkt ons commentaar zich tot het vertalen van de lezingen en de gebeden en het beschrijven van de Nederlandse bloemenpracht op het plein. Nu zijn we allemaal boos. Mijn Ierse collega, een doorgaans rustige dominicaan, is buiten zinnen door het optreden van Sodano en het zwijgen van de paus. 'Ik kan dit thuis echt niet meer uitleggen. En ik probeer het ook niet meer.' Ik ben ook kwaad en teleurgesteld, maar tegelijkertijd wordt van mij verwacht op een objectieve manier de gebeurtenissen van commentaar te voorzien. Aan het einde van de uitzending zeg ik dat het toch vreemd is dat de paus niks gezegd heeft over het grote schandaal dat zijn Kerk teistert en dat een excuus of een woord van troost voor de slachtoffers op zijn plaats was geweest.

Waarom zei de paus niets? Niet omdat hij niet diep getroffen is door het wangedrag van zijn eigen priesters, of omdat hij dingen goed wil praten. Nee, soms zit de professor Ratzinger heel eenvoudig de paus Ratzinger in de weg. De paus moet gedacht hebben: ik heb het toch al een keer uitgelegd aan mijn *studenten*? Ik hoef toch niet nog een keer mijn excuses aan te bieden? Zijn voorganger sprak namens de Kerk tijdens een indrukwekkende viering in de Sint-Pieter in het Jubeljaar 2000 een *Mea Culpa* uit voor alle uit naam van de Kerk in het verleden begane zonden. Zoiets zit er bij deze paus niet in. Hij houdt van de nuance van de wetenschapper die college geeft en niet, zoals zijn voorganger, van het grote gebaar voor de massa.

In september 2010 ga ik weer naar Rome, voor het eerst sinds Sodano de paus geruststellend toesprak. In het vliegtuig lees ik het verslag van de commissie-Adriaenssens, die namens de Belgische bisschoppen onderzoek deed naar seksueel misbruik in de Belgische Kerk. Een deel van de slachtoffers was niet ouder dan vier jaar. Bij sommigen begon het misbruik op tweejarige leeftijd. Zeker dertien slachtoffers pleegden zelfmoord. De paus laat weten vooralsnog geen strafmaatregelen te nemen tegen bisschop Vangheluwe, die jarenlang zijn neefje misbruikte en moest aftreden, maar wel veel verdriet te hebben over het schandaal. Voor veel Belgische slachtoffers is het niet voldoende.

De katholieke Kerk is een familie. Benedictus ziet bisschoppen niet als collega's, maar als broers; als je een bisschop ontslaat voelt het alsof je je broer het huis uitzet. En dus wacht Benedictus heel lang met een beslissing in de zaak Vangheluwe. Het is allemaal te pijnlijk. Sommige waarnemers zien een systeem in het seksueel misbruik door priesters, een vooropgezet plan. De Belgische hoogleraar kerkelijk recht Rik Torfs ziet geen systeem, maar een cultuur. 'Was het maar een systeem, daar kun je vanaf, maar met een cultuur is dat veel moeilijker.' Het is de cultuur van deze familie om te zwijgen. Ramen en deuren dicht en een hoge muur om het ouderlijk huis.

Als ik in Rome aankom, is Benedictus op bezoek in Groot-Brittannië, waar hij zijn excuses aangeboden heeft voor het immense leed dat wordt veroorzaakt door het misbruik van kinderen: 'Mijn gedachten zijn bij de onschuldige slachtoffers van deze onuitsprekelijke misdaden.' Het is niet de eerste keer dat Benedictus dit zegt. Wat hij op paaszondag naliet, doet hij sindsdien bijna elke week: excuses aanbieden en door het stof gaan. Maar het lijkt of hij door op het regenachtige Sint-Pietersplein in april 2010 niets te zeggen, het momentum gemist heeft, en zijn excuses krijgen iets routineus. Op dezelfde dag dat de paus tijdens een mis in de Londense Westminster Cathedral zijn excuses maakt protesteren tienduizend gelovigen tegen de hoge gast uit Rome. Iemand draagt een bord mee met daarop een foto van Benedictus en het opschrift: *He is not the Messiah, he is a very naughty boy*. Een citaat uit de Monty Python-film *Life of Brian*. Een demonstrant zegt verbijsterd te zijn dat de paus voor alles en iedereen zijn excuses aanbiedt behalve voor zijn eigen falen. Anderen pleiten voor een revolutie en omverwerping van de kerkelijke hiërarchie, dat bastion van ongetrouwde mannen dat namens de Kerk het misbruik zo lang heeft gedoogd. Zolang zij het alleen voor het zeggen hebben kan er van een nieuw begin geen sprake zijn, zeggen ze.

Ik loop ondertussen over het plein waar tweeëndertig jaar geleden mijn fascinatie voor het Vaticaan begon. Alles lijkt hetzelfde. De Zwitserse gardisten staan op hun post, de rij om de Sint-Pieter in te kunnen is lang, en de carabinieri patrouilleren op hun Lamborghini-golfkarretjes langs de grenzen van Vaticaanstad. Het Apostolisch Paleis straalt de rust van eeuwen uit, en niet alleen omdat de paus met zijn hofhouding op bezoek is in Groot-Brittannie. Een Kerk die én de reformatie én de verlichting heeft overleefd, maakt zich niet zo snel druk. Deze crisis overleven we ook wel weer, lijken al die prachtige Vaticaanse gebouwen mij te willen zeggen. Wij hebben de langste adem. En dat denken de bewoners van al die gebouwen waarschijnlijk ook.

Maar meer dan ooit lijkt de wereld met zijn vuisten te bonzen op de muren die Leo IV liet bouwen. Vrouwen, homo's en lesbiennes, ongehuwd samenwonenden, Afrikanen, Zuid-Amerikanen, slachtoffers van misbruik: ze willen kunnen meepraten in de Kerk. Wil de Kerk zich echt verzoenen met de wereld om haar heen, dan zal ze de interne organisatie moeten aanpassen. De almacht van paus en bisschoppen moet op de helling. De bewoners van Vaticaanstad kunnen niets anders doen dan de deur openzetten, de muren afbreken en de wereld binnenlaten. Anders wordt de Ager Vaticanus weer wat het ooit was: een onherbergzame plek vol slangen en slechte wijn, waar je maar beter niet kunt komen.

Dankwoord

Vaticanië is deels gebaseerd op de tv-serie *Kijk het Vaticaan*, die ik samen met Bart Ruijs tussen 2007 en 2009 maakte voor het RKK. Aan hem en aan producer Lidy Peters ben ik enorm veel dank verschuldigd. Lidy vergezelde mij op vele tochten door Vaticaanstad, waaronder die naar de opgebaarde paus Johannes Paulus II. De roze gympen die ze toen droeg zal ik nooit vergeten. Zonder Simone de Wit, Leo Fijen en Anne de Laet was de serie er überhaupt nooit geweest. Mijn werkgever de KRO maakte het mogelijk dat ik een paar maanden vrij kreeg om aan dit boek te werken.

Mark Pieters en Frits van der Meij van Athenaeum—Polak & Van Gennep gaven mij het vertrouwen om het te schrijven. Frederike Doppenberg is de redacteur die elke schrijver zich zou mogen wensen: waarderend, stimulerend en op de goede momenten streng doch rechtvaardig – en zo nodig onrechtvaardig.

Kalien Blonden, Ton van Schaik, Christian van der Heijden en Antoine Bodar lazen het boek of gedeeltes ervan. Ik dank hen voor hun milde kritiek en wijze opmerkingen. Ze hebben me voor veel fouten behoed. De fouten die nu nog in het boek staan, komen helemaal voor mijn rekening.

Ik dank verder Marleen Fens, Anniek van den Brand en Rosita Steenbeek voor hun hulp.

En ten slotte veel dank aan Liesbeth, Dirk en Anne, die mij keer op keer moesten missen als ik weer eens in Rome was om die wonderlijke wereld die het Vaticaan is binnen te gaan.

O ja, en het mooiste plein ter wereld is natuurlijk de Piazza del Campo in Siena.

Stijn Fens
Rome, september 2010

Bibliografie

Bij het schrijven van dit boek heb ik kunnen putten uit de interviews die ik gemaakt heb voor de tv-serie *Kijk het Vaticaan*, uitgezonden door het RKK tussen 2007 en 2009.

Geraadpleegde boeken, tijdschrift- en krantenartikelen

Allen, John, *All the Pope's Men*, Doubleday 2004
Allen, John, *The Future Church*, Doubleday 2009
Bodar, Antoine, 'Adrianus VI: Calvinist nog voor Calvijn', *Trouw* 7 maart 2009
Boorstein, Michelle, 'Inside the Papal "Bubble", a Curious Air', *The Washington Post*, 18 april 2008
Chamberlain, Russel, *The Bad Popes*, Sutton Publishing 2003
Duffy, Eamon, *Heiligen en Zondaars. Een geschiedenis van de pausen*, Ten Have/Lannoo 1997
Englisch, Andreas, *Habemus Papam. Der Wandel des Joseph Ratzinger*, Goldmann 2005
Erbacher, Jürgen, *Der kleinste Kosmos der Welt*, Herder 2009
Erbacher, Jürgen, *Vatikan. Wissen was stimmt*, Herder 2008
Follain, John, *City of Secrets. The Startling Truth Behind the Vatican Murders*, Perennial 2003
Greeley, Andrew M., *Intriges rond de Stoel van Petrus*, Gottmer 1979
Hebblethwaite, Peter, *Het Vaticaan. De kleinste grootmacht ter wereld*, Ambo 1987
Hebblethwaite, Peter, *Joannes XXIII. De paus van het concilie*, Gottmer 1985
Hebblethwaite, Peter, *Paul VI. The First Modern Pope*, HarperCollins 1993
Houtman, Wim, *Ongeordende Liefde. In gesprek met Antoine Bodar*, Ten Have 2006
Kelly, J.N.D., *Oxford Dictionary of Popes*, Oxford University Press 1986
Kieckens, Ewout, *Het Vaticaan in een notendop*, Bert Bakker 2007
Leijendekker, Marc, *Het land van de krul*, Prometheus 2007
Martens, Kurt, *De Paus en zijn entourage*, Davidsfonds 2003
Martialis, *Epigrammen*

Muskens, Martinus, *Op bedevaart, voor studie, voor overleg in Rome*, Pauselijk Nederlands College Rome 1988

Plas, Michel van der, en Brico, Rex, *Het jaar van de drie pausen*, Strengholt 1979

Ratzinger, Joseph, *Zout der Aarde*, Ten Have 1996

Reese, Thomas, *In het Vaticaan*, Bert Bakker 1998

Rendina, Claudio, *I Papi. Storia e segreti*, Newton Compton Editori 1983

Schaik, A.H.M. van, *Smit, Hendrikus Johannes (1883-1972)*, in *Biografisch Woordenboek van Nederland* 1985

Schaik, Ton H.M. van, *Alfrink, een biografie*, Anthos 1997

Schaik, Ton H.M. van, *Bedankt voor de bloemen. Johannes Paulus II en Nederland*, Lannoo 2005

Sipe, Richard, *A Secret World. Sexuality and the Search for Celibacy*, Brunner/Mazel 1990

Smoltczyk, Alexander, *Vatikanistan. Eine Entdeckungsreise durch den kleinsten Staat der Welt*, Heyne 2008

Tacitus, *Historiën*, vertaald door Vincent Hunink. Athenaeum—Polak & Van Gennep 2010

Tacitus, *Jaarboeken*, vertaald, ingeleid en van aantekeningen voorzien door J.W. Meijer, Ambo 1990

Weigel, George, *Testimone della Speranza. La Vita di Giovanni Paolo II protagonista del secolo*, Mondadori 1999

Zizola, Giancarlo, *Il Conclave. Storia e segreti*, Newton Compton editori 1993

Zuber, Anton, *Der Bruder des Papstes. Georg Ratzinger und die Regensburger Domspatzen*, Herder 2007

Geraadpleegde kranten en tijdschriften

Trouw, Telegraaf, de Volkskrant, La Repubblica, Corriere della Sera, Il Giornale, Süddeutsche Zeitung, Berliner Morgenpost, De Standaard, The Times, The Guardian, The New York Times, Time, The Economist, Panorama, L'Espresso, The Washington Post

Geraadpleegde sites

Katholieknederland.nl, All things Catholic (John Allen), Sacri Palazzi (Andrea Tornielli), Settimo Cielo (Sandro Magister)